PORTRET IN SEPIA

Isabel Allende werd in 1942 uit Chileense ouders geboren in de Peruaanse hoofdstad Lima. In Chili werkte ze onder meer voor een radicaal vrouwenblad, publiceerde ze talrijke artikelen en toneelstukken en verzorgde ze verschillende televisieprogramma's. Na de militaire staatsgreep in 1973 waarbij haar oom, president Salvador Allende, de dood vond, vestigde zij zich met haar gezin in Venezuela. Momenteel woont en werkt zij als schrijfster en journaliste in San Fransisco (USA). Haar wereldwijde succes als schrijfster begon met de roman *Het huis met de geesten*, dat in 1985 in Nederlandse vertaling verscheen, gevolgd door *Liefde en schaduw*, *Eva Luna*, *Het goud van Tomás Vargas*, *Het oneindige plan*, *Paula*, *Afrodite* en *Fortuna's dochter*.

Isabel Allende

Portret in sepia

WERELDBIBLIOTHEEK · AMSTERDAM

Uit het Spaans vertaald door Brigitte Coopmans

Het gedicht op blz. 230 is afkomstig uit de bundel *De put der zuchten* (1941), uit het Spaans vertaald en ingeleid door Albert Helman

Oorspronkelijke titel *Retrato en Sepia*
Omslagontwerp Nico Richter
Omslagfotografie Marcia Lieberman

Spuistraat 283 · 1012 VR Amsterdam
Tel 020 638 18 99 · fax 020 638 44 91
e-mail info@wereldbibliotheek.nl
www.wereldbibliotheek.nl

ISBN 90 284 1924 1

Voor Carmen Balcells en Ramón Huidobro,
twee leeuwen, geboren op dezelfde dag en voor altijd en eeuwig vitaal.

Daarom moet ik steeds terug
naar al die plekken in de toekomst
om mezelf te ontmoeten
en te blijven onderzoeken,
met de maan als enige getuige
en dan fluitend van vreugde
over stenen en aardkluiten lopen,
met bestaan als enige opdracht,
met de weg als enige familie.

Pablo Neruda
'De wind', uit: *Einde van de wereld*

DEEL EEN

1862-1880

Ik kwam ter wereld op een dinsdag in de herfst van 1880, onder het dak van mijn grootouders van moederskant in San Francisco. Terwijl in dat labyrintische huis mijn moeder met dapper hart en afgemat lijf lag te hijgen en te zwoegen, bruiste op straat het woelige leven van de Chinese wijk met zijn onuitwisbare exotische keukengeuren, zijn luidruchtige stortvloed aan dialecten, zijn onuitputtelijke massa menselijke bijen die komen en gaan. Ik werd vroeg in de ochtend geboren, maar in Chinatown houden de klokken zich niet aan de regels en beginnen op dat tijdstip de markt, het karrenverkeer en het droevige blaffen van de honden die in hun kooien op het mes van de kok wachten. Ik ben pas op latere leeftijd de details rond mijn geboorte te weten gekomen, maar het zou erger zijn als ik ze nooit had ontdekt; ze hadden ook zoek kunnen raken op de grillige paden van de vergetelheid. Er zijn zoveel geheimen in mijn familie dat ik misschien niet eens genoeg tijd heb om ze allemaal te onthullen: de waarheid is vluchtig, schoongespoeld door stortregens. Mijn grootouders verwelkomden me ontroerd – ondanks het feit dat ik volgens sommige getuigen een afzichtelijke baby was – en legden me tegen mijn moeders borst, waar ik een paar minuten ineengedoken bleef liggen, de enige die ik bij haar heb kunnen zijn. Daarna blies oom Lucky zijn adem in mijn gezicht om zijn geluk op mij over te brengen. Het was een nobel gebaar en een feilloze methode, want gedurende ten minste deze eerste dertig jaar van mijn bestaan is het me goed vergaan. Maar, opgelet, ik moet niet op de zaken vooruitlopen. Dit is een lange geschiedenis en ze begint ver voor mijn geboorte. Er is geduld voor nodig om haar te vertellen, en meer nog om ernaar te luisteren. Wie onderweg de draad kwijtraakt, moet niet wanhopen, want die wordt ongetwijfeld een paar pagina's verderop weer opgepakt. Omdat we toch ergens moeten beginnen, laten we dat dan in 1862 doen en laten we, met de natte vinger, zeggen dat de geschiedenis begint met een meubelstuk van onwaarschijnlijke afmetingen.

Paulina del Valles bed werd besteld in Florence, een jaar na de kroning van Victor Emanuel, toen in het nieuwe koninkrijk Italië Garibaldi's kogels nog nagalmden; het stak gedemonteerd de oceaan over in een oceaanstomer uit Genua, kwam van boord in New York te midden van een bloedige staking en werd overgeladen op een van de stoomschepen uit de rederij van mijn grootouders van vaderskant, de familie Rodríguez de Santa Cruz, in de Verenigde Staten wonende Chilenen. Kapitein John Sommers moest de kisten in ontvangst nemen, die in het Italiaans waren gemerkt met maar één woord: NAJADEN. Deze robuuste Engelse zeeman, van wie slechts een verbleekt portret en een door de talloze overtochten zeer versleten leren hutkoffer vol eigenaardige manuscripten bewaard zijn gebleven, was mijn overgrootvader, zoals ik onlangs heb ontdekt, toen mijn verleden na jaren van mysterie eindelijk duidelijk begon te worden. Ik heb John Sommers, vader van Eliza Sommers – mijn grootmoeder van moederskant –, nooit gekend, maar van hem heb ik een zekere zwerflust geërfd. Deze man van de zee, een en al zout en horizon, kreeg de taak het Florentijnse bed in het ruim van zijn schip naar de andere kant van het Amerikaanse continent te brengen. Hij moest de blokkade van de yankees en de aanvallen van de geconfedereerden omzeilen, tot de zuidgrenzen van de Atlantische Oceaan varen, de verraderlijke wateren van de Straat van Magallanes oversteken, de Stille Oceaan op varen en na enkele korte stops in verscheidene Zuid-Amerikaanse havens koers zetten naar het noorden van Californië, het vroegere goudgebied. Hij had nauwkeurige orders gekregen om de kisten aan de kade in San Francisco te openen, toezicht te houden op de scheepstimmerman – terwijl die voorzichtig, om het houtsnijwerk niet te beschadigen, de stukken als een puzzel in elkaar paste –, de matras en de sprei van robijnrood brokaat over het bed te leggen, het bakbeest op een platte kar te zetten en het met een slakkengang naar het centrum van de stad te sturen. De voerman moest twee rondjes om Union Square rijden en nog twee extra om een bel te luiden tegenover het balkon van de minnares van mijn grootvader, alvorens het bed af te leveren op zijn eindbestemming: het huis van Paulina del Valle. Hij moest dit huzarenstukje leveren terwijl de burgeroorlog volop woedde en yankee-legers en geconfedereerden elkaar in het zuiden van het land afslachtten en niemand in de stemming was voor grappen of belletjes. John Sommers gaf vloekend instructies, want tijdens de maanden varen was dat bed symbool geworden voor datgene waar hij in zijn werk de grootste hekel aan had: de grillen van zijn bazin, Paulina del Valle. Bij de aanblik van het bed op de kar besloot hij met een zucht dat dit het laatste zou zijn wat hij voor haar zou doen; hij stond twaalf jaar onder haar bevel en de grens van zijn geduld was bereikt. Het meubelstuk is nog altijd intact, het is een loodzware kolos van gepolychromeerd hout; aan het hoofdeinde staat de god Neptunus, omringd door schuimende golven en diepzeewezens in bas-reliëf, terwijl aan het voeteneinde dolfijnen en zeemeerminnen spelen. Binnen een paar uur kon half San Francisco het sensationele ledikant bekijken; de bijslaap van mijn grootvader echter, aan wie het spektakel was opgedragen, liet zich niet zien toen de kar tweemaal met zijn gerinkel voorbijkwam.

'Mijn triomf was van korte duur,' bekende Paulina me vele jaren later, toen ik erop stond het bed te fotograferen en de bijzonderheden te horen. 'De grap keerde zich tegen mij. Ik dacht dat ze Feliciano zouden uitlachen, maar ze lachten mij uit. Ik had de mensen verkeerd ingeschat. Wie had zich zoveel schijnheiligheid kunnen voorstellen? In die tijden was San Francisco een wespennest van corrupte politici, boeven en vrouwen van lichte zeden.'

'Ze konden de provocatie niet waarderen,' suggereerde ik.

'Nee. Men verwacht dat wij vrouwen de reputatie van de echtgenoot beschermen, al is hij nog zo'n schoft.'

'Uw man was geen schoft,' sprak ik haar tegen.

'Nee, maar hij had domme streken. Hoe dan ook, ik heb geen spijt van het fameuze bed, ik heb er veertig jaar lang in geslapen.'

'Wat deed uw man toen hij wist dat hij betrapt was?'

'Hij zei dat ik, terwijl het land hevig bloedde door de

burgeroorlog, Caligula-meubels kocht. En hij ontkende alles, uiteraard. Niemand met een beetje hersens geeft ontrouw toe, al betrap je hem tussen de lakens.'

'Zegt u dat uit eigen ervaring?'

'Was dat maar zo, Aurora!' antwoordde Paulina del Valle zonder aarzeling.

Op de eerste foto die ik van haar heb genomen, toen ik dertien jaar was, leunt Paulina in haar mythologische bed op kussens van geborduurd satijn, in een kanten hemd en met een halve kilo sieraden om. Zo heb ik haar vele malen gezien en zo had ik haar willen zien toen ze stierf, maar zij wenste het graf in te gaan in het mistroostige habijt van de karmelietessen en wilde dat er een aantal jaren lang gezongen missen werden opgedragen voor haar zielenrust. 'Ik heb al een hoop schandalen veroorzaakt, het is tijd om het hoofd in de schoot te leggen,' was haar uitleg toen ze wegzonk in de winterse melancholie van de nadagen. Toen ze het einde naderbij zag komen, werd ze angstig. Ze liet het bed naar de kelder verbannen en daarvoor in de plaats een houten verhoging met een met crin gevulde matras neerzetten, om te kijken of Petrus een streep zou halen door het zondeboek, zoals ze zei. De schrik was echter niet groot genoeg om zich van andere materiële zaken te ontdoen, en tot haar laatste snik had ze de teugels van haar inmiddels danig geslonken financiële imperium in handen. Van de onstuimigheid uit haar jeugd was aan het einde van haar leven nog maar weinig over, zelfs de ironie vloeide weg, maar mijn grootmoeder creëerde haar eigen legende en geen matras met crin of karmelietessenhabijt zou die kunnen verstoren. Het Florentijnse bed, dat ze met het grootste plezier door de allerbelangrijkste straten van San Francisco had laten voeren om haar echtgenoot te treiteren, was een van haar glorieuze momenten. In die tijd woonde het gezin in San Francisco onder een andere achternaam – Cross – omdat geen Noord-Amerikaan het welluidende Rodríguez de Santa Cruz y del Valle kon uitspreken, wat jammer is, want de oorspronkelijke naam heeft de oude bijklank van de inquisitie. Ze waren net verhuisd naar de wijk Nob Hill, waar ze een kapitale villa hadden laten bouwen, een van de meest opulente van de stad, een wanstaltig voortbrengsel van verscheidene rivaliserende architecten die om de haverklap werden aangenomen en ontslagen. De familie had haar fortuin niet vergaard tijdens de goudkoorts van 1849, zoals Feliciano beweerde, maar dankzij het voortreffelijke zakelijke instinct van zijn vrouw, die op het idee kwam verse producten van Chili naar Californië te vervoeren op een bed van antarctisch ijs. In die roerige tijden kostte een perzik een ounce goud en zij wist van die omstandigheden handig gebruik te maken. Het initiatief had succes en op een gegeven moment hadden ze een hele vloot varen tussen Valparaíso en San Francisco, die het eerste jaar leeg terugkeerde, maar later beladen met Californisch meel; daarmee drukten ze verscheidene Chileense boeren uit de markt, inclusief Paulina's vader, de geduchte Agustín del Valle, wiens graan in de silo's wormstekig werd omdat hij niet kon concurreren met het hagelwitte meel van de yankees. Van de razernij werd ook zijn lever wormstekig. Aan het einde van de goudkoorts keerden duizenden en duizenden avonturiers armer dan ze vertrokken waren terug naar hun plaats van herkomst, nadat ze bij het najagen van een droom hun ziel en gezondheid hadden verloren; Paulina en Feliciano werden echter rijk. Ze verwierven een vooraanstaande positie in de hoge kringen van San Francisco, ondanks het bijna onoverkomelijke obstakel van hun Spaanse accent. 'In Californië heb je allemaal nieuwe rijken van slechte afkomst; onze stamboom gaat terug tot de kruistochten,' bromde Paulina dan, voordat ze zich gewonnen gaf en naar Chili terugkeerde. Het waren echter geen adellijke titels of bankrekeningen geweest die de deuren voor hen openden, maar de sympathie van Feliciano, die vrienden maakte onder de machtigste mannen van de stad. Het bleek daarentegen nogal moeilijk om zijn ostentatieve, grof gebekte, oneerbiedige en dominante vrouw te verdragen. Het moet gezegd worden: Paulina boezemde in het begin altijd de mengeling van fascinatie en hevige angst in die men tegenover een leguaan voelt; alleen wanneer je haar beter leerde kennen, ontdekte je haar gevoelige kant. In 1862 schoof ze haar man naar voren in de handelsonderneming voor de intercontinentale spoorlijn, waarmee ze hun rijkdom bezegelden. Ik begrijp niet waar die vrouw haar goede neus voor zaken vandaan had. Ze kwam uit een familie van Chileense veeboeren die beperkt van inzicht en arm van geest waren; ze werd grootgebracht tussen de muren van het ouderlijk huis in Valparaíso, de rozenkrans biddend en bordurend, omdat haar vader geloofde dat onwetendheid de gehoorzaamheid van vrouwen en armen garandeert. De beginselen van het schrijven en het rekenen beheerste ze nauwelijks, ze had in haar leven geen boek gelezen en optellen deed ze met haar vingers – aftrekken deed ze nooit –, maar alles wat haar handen aanraakten veranderde in goud. Als haar kinderen en familieleden niet alles erdoorheen hadden gejaagd, zou ze luisterrijk als een keizerin gestorven zijn. In die jaren werd de spoorlijn aangelegd die het oosten en westen van de

Verenigde Staten met elkaar moest verbinden. Terwijl iedereen investeerde in aandelen in de twee bedrijven en inzette op welke van die twee de rails het snelst zou aanleggen, vouwde zij, onverschillig voor die onbezonnen wedloop, een kaart uit over de tafel in de eetkamer en bestudeerde geduldig als een topograaf het toekomstige traject van de trein en de plaatsen waar in overvloed water aanwezig was. Lang voordat de nederige Chinese arbeiders in Promotory in Utah met de laatste nagel de treinrails met elkaar verbonden, en voordat de eerste locomotief het continent doorkruiste met zijn geraas van schuivend ijzer, zijn vulkanische rookpluim en zijn desperate geloei, haalde zij haar echtgenoot over land te kopen in de gebieden die zij op haar kaart had aangegeven met kruisjes in rode inkt.

'Daar zullen de dorpen gesticht worden, want er is water, en in elk ervan zullen wij een winkel hebben,' legde ze uit.

'Dat kost een hoop geld,' riep Feliciano geschrokken uit.

'Zorg dat je het kunt lenen, daar zijn banken voor. Waarom zouden we ons eigen geld op het spel zetten als we over andermans geld kunnen beschikken?' voerde Paulina aan, zoals altijd in dit soort gevallen.

Ze waren druk aan het onderhandelen met banken en grond aan het kopen door het halve land, toen de toestand met de concubine tot uitbarsting kwam. Het ging om een actrice genaamd Amanda Lowell, een eetbare Schotse van melkwit vlees met ogen van spinazie en een perziksmaak, naar zij die haar hadden geproefd verzekerden. Ze zong en danste slecht maar met zwier, speelde in onbeduidende kluchten en verlevendigde feesten van magnaten. Ze had een slang van Panamese herkomst, lang, dik en tam, maar huiveringwekkend om te zien, die om haar lijf kronkelde tijdens haar exotische dansen en die nooit blijk had gegeven van een kwaadaardig karakter, tot ze op een ongelukkige avond opkwam met een verendiadeem in het haar en het dier, dat de hoofdtooi verwarde met een nietsvermoedende papegaai, op het punt stond zijn bazin te wurgen in zijn ijver de vogel op te slokken. De mooie Lowell was allesbehalve een van de duizenden 'bezoedelde duifjes' uit het liederlijke leven van Californië; ze was een hooghartige courtisane bij wie je niet met geld alleen in de gratie kon komen, je moest ook goede manieren en charme hebben. Dankzij de vrijgevigheid van haar begunstigers had ze een goed leven en middelen te over om een horde talentloze artiesten te ondersteunen; ze was gedoemd om arm te sterven, want ze leefde op grote voet en gaf weg wat ze overhield. In de bloei van haar jeugd hield ze het verkeer op met haar elegante voorkomen en haar rode leeuwenmanen, maar haar voorliefde voor schandalen had haar lot ten kwade gekeerd: ze kon in een opwelling een goede naam en een familie te gronde richten. Voor Feliciano was dat risico een extra prikkel; hij had een zeeroversinborst en het idee met vuur te spelen bracht hem evenzeer in verleiding als de geweldige billen van La Lowell. Hij bracht haar onder in een appartement midden in het centrum, maar vertoonde zich nooit met haar in het openbaar, want hij was al te goed bekend met het karakter van zijn echtgenote, die in een vlaag van jaloezie eens de pijpen en mouwen van al zijn pakken had afgeknipt en ze voor de deur van zijn kantoor had gesmeten. Voor zo'n stijlvolle man als hij, die zijn kleding in Londen liet vervaardigen door de kleermaker van prins Albert, was dat een nekslag geweest.

In San Francisco, een mannenstad, was de echtgenote altijd de laatste die op de hoogte was van echtelijke ontrouw, en in dit geval was het Lowell zelf die het bericht verspreidde. Nauwelijks had haar begunstiger zijn hielen gelicht, of ze kraste streepjes in de posten van haar hemelbed, één voor elke ontvangen minnaar. Ze was een verzamelaarster, ze interesseerde zich niet voor mannen vanwege hun persoonlijke verdiensten, maar vanwege het aantal streepjes; ze wilde de mythe van de betoverende Lola Montez overtreffen, de Ierse courtisane die in de tijden van de goudkoorts als een wervelwind door San Francisco was gegaan. De roddel over de streepjes van La Lowell ging als een lopend vuurtje rond en de heren vochten om haar te bezoeken, zowel vanwege de bekoring van de mooie vrouw, die velen van hen al kenden in bijbelse zin, als vanwege de aardigheid om naar bed te gaan met de bijzit van een van de vooraanstaande mannen van de stad. Het nieuws bereikte Paulina del Valle toen het heel Californië al rondgegaan was.

'Het meest vernederende is nog wel dat die grappenmaakster jou de hoorntjes opzet en dat iedereen rondbazuint dat ik getrouwd ben met een lulletje rozenwater!' snauwde Paulina tegen haar echtgenoot in de Saraceense stijl die ze bij zulke gelegenheden placht te bezigen.

Feliciano Rodríguez de Santa Cruz wist niets van die activiteiten van de verzamelaarster en hij viel bijkans dood neer van ongenoegen. Hij had zich nooit kunnen voorstellen dat vrienden, kennissen en anderen die hem enorme gunsten verschuldigd waren, hem op zo'n manier te kijk zouden zetten. Hij gaf echter niet zijn geliefde de schuld, want hij aanvaardde gelaten de wispelturigheden van het andere geslacht, heerlijke wezens maar zonder morele basis, altijd bereid om voor de verleiding te zwichten. Terwijl zij toebehoorden aan de aarde, de humus, het bloed en de orgaanfuncties, waren de mannen voorbestemd voor het heldendom, de grote ideeën en – hoewel niet in zijn geval – de heiligheid. Door zijn echtgenote met zijn neus op de feiten gedrukt, verdedigde hij zich zo goed en kwaad als het ging, en tijdens een wapenstilstand benutte hij het moment om haar verwijten te maken over de knip op de deur van haar slaapkamer. Verwachtte ze soms dat een man als hij in onthouding leefde? Het was allemaal haar schuld omdat ze hem had afgewezen, beweerde hij. Dat van die knip was waar; Paulina had de vleselijke lusten de rug toegekeerd, niet omdat ze geen zin meer had, zoals ze me veertig jaar later toevertrouwde, maar uit schaamte. Ze vond het verschrikkelijk om in de spiegel te kijken en concludeerde dat elke man hetzelfde zou voelen wanneer hij haar naakt zou zien. Ze herinnerde zich precies het moment waarop ze zich ervan bewust werd dat haar lichaam haar vijand aan het worden was. Een paar jaar eerder, toen Feliciano terugkwam van een langdurige zakenreis naar Chili, pakte hij haar bij haar middel en wilde haar met hetzelfde uitgesproken goede humeur als altijd optillen om haar naar bed te dragen, maar hij kreeg haar niet van de grond.

‘Allejezus, Paulina, heb je stenen in je onderbroek?’ lachte hij.

‘Dat is vet,’ verzuchtte zij droevig.

‘Dat wil ik zien!’

‘Geen sprake van. Van nu af aan mag je alleen ’s nachts en met de lamp uit op mijn slaapkamer komen.’

Een tijdlang bedreven de twee, die elkaar zonder schroom hadden bemind, de liefde in het duister. Paulina bleef immuun voor de smeekbeden en driftbuien van haar man, die er nooit mee had ingestemd haar onder een berg dekens in het pikkedonker van de kamer te treffen, en evenmin om haar haastig in missionarishouding lief te hebben terwijl zij zijn handen vasthield zodat hij haar vlees niet zou betasten. Door het aantrekken en afstoten raakten ze uitgeput en bloednerveus. Ten slotte installeerde Paulina, onder het mom van de verhuizing naar de nieuwe villa op Nob Hill, haar man in de andere kant van het huis en vergrendelde de deur van haar kamer. De onvrede over haar eigen lichaam was groter dan het verlangen naar haar man dat ze voelde. Haar hals verdween achter de dubbele onderkin, haar borsten en buik waren één grote burgemeestersbult, haar voeten hielden haar slechts een paar minuten overeind, ze kon zich niet alleen aankleden of haar schoenen vastmaken, maar in haar zijden jurken en met haar schitterende juwelen, zoals ze zich bijna altijd vertoonde, was ze een wonderbaarlijke verschijning. Haar grootste zorg was het zweet tussen haar vetrollen en ze vroeg me dikwijls fluisterend of ze stonk, maar nooit had ik bij haar een andere geur waargenomen dan die van gardeniawater en talkpoeder. Tegen het destijds zo wijdverbreide geloof in dat reukwater en zeep de luchtwegen aantasten, dreef ze uren in haar geëmailleerde badkuip, waarin ze zich weer licht voelde als in haar jeugd. Ze was verliefd geworden op Feliciano toen hij een knappe en ambitieuze jongeman was, eigenaar van een paar zilvermijnen in het noorden van Chili. Voor die verliefdheid trotseerde ze de woede van haar vader, Agustín del Valle, die in de Chileense geschiedschrijvingen voorkomt als de oprichter van een piepklein, benepen, ultraconservatief politiek partijtje, dat meer dan twee decennia geleden van het toneel was verdwenen, maar om de zoveel tijd weer opdook als een ontvederde, larmoyante feniks. Dezelfde liefde voor Feliciano steunde haar toen ze besloot hem de toegang tot haar slaapkamer te ontzeggen op een leeftijd waarop haar lichaam meer dan ooit schreeuwde om een samenzijn. Anders dan zij werd Feliciano mooi oud. Zijn haar was grijs geworden, maar hij was nog steeds dezelfde vrolijke, hartstochtelijke en spilzieke kerel. Paulina hield van zijn ordinaire kant, van het idee dat die heer met de klinkende achternamen van sefardisch joodse afkomst was, maar onder zijn zijden bloezen met geborduurde initialen een vulgaire tatoeage had, die hij in een dronken bui in de haven had laten zetten. Ze smachtte ernaar nog eens de vieze woordjes te horen die hij haar in het oor fluisterde in de tijden dat ze nog met de lampen aan in het bed lagen te plonzen, en ze had er alles voor gegeven om nog eens met haar hoofd op de met onuitwisbare inkt gegraveerde blauwe draak op de schouder van haar man te rusten. Ze heeft nooit geloofd dat hij hetzelfde verlangde. Voor Feliciano was zij immer de onbevreesde verloofde met wie hij was gevlucht toen ze jong waren, de enige vrouw die hij bewonderde en vreesde. Ik heb het idee dat dit echtpaar altijd van elkaar is blijven houden, ondanks de cycloonachtige heftigheid van hun ruzies, die iedereen in het huis deden beven. Het samenzijn dat hen vroeger zo gelukkig maakte, veranderde in gevechten die uitmondden in langdurige wapenstilstanden en gedenkwaardige vergeldingen zoals het Florentijnse bed, maar geen van de wederzijdse beledigingen maakte hun relatie kapot, en tot het einde, toen hij dodelijk getroffen werd door een beroerte, vormden ze samen een benijdenswaardig zwendelaarsverbond.

Toen kapitein John Sommers er eenmaal zeker van was dat het mythische meubelstuk op de kar stond en dat de voerman zijn instructies begreep, vertrok hij te voet richting Chinatown, zoals hij bij ieder bezoek aan San Francisco deed. Deze keer had hij echter te weinig energie en moest hij na twee straten een huurrijtuig aanhouden. Hij stapte met moeite in, zei tegen de bestuurder waar hij heen moest en leunde hijgend achterover in de stoel. De symptomen waren een jaar geleden begonnen, maar de laatste weken waren ze erger geworden; zijn benen konden hem nauwelijks overeind houden en hij werd nevelig in het hoofd; hij moest onophoudelijk strijden tegen de verleiding om zich over te leveren aan de donzige onverschilligheid die zijn ziel binnendrong. Zijn zus Rose was de eerste geweest om te signaleren dat er iets niet goed ging, toen hij nog geen pijn voelde. Hij dacht aan haar met een glimlach: ze was de meest nabije en geliefde persoon, de poolster in zijn zwervende bestaan, die hem meer genegenheid had gegeven dan zijn dochter Eliza of welke vrouw ook die hij bij zijn langdurige omzwervingen van haven tot haven in zijn armen had gehad.

Rose Sommers had haar jeugd in Chili doorgebracht, samen met haar oudste broer Jeremy; maar toen deze stierf keerde ze terug naar Engeland om in haar eigen land oud te worden. Ze woonde in Londen, in een huisje op een paar straten van de theaters en de opera, een enigszins verpauperde wijk waar ze kon leven zoals zij daar zin in had. Ze was niet meer de keurige sleutelbewaarster van haar broer Jeremy, ze kon nu haar excentrieke kant de vrije loop laten. Ze kleedde zich vaak als een in ongenade gevallen actrice om thee te drinken in het Savoy of als Russische gravin om haar hond uit te laten; ze was de vriendin van bedelaars en straatmuzikanten, gaf haar geld uit aan snuisterijen en liefdadigheid. 'Niets is zo bevrijdend als de leeftijd,' zei ze terwijl ze vrolijk haar rimpels telde. 'Niet de leeftijd, zus, maar de financiële situatie die jij met je pen hebt bewerkstelligd,' antwoordde John Sommers. Die eerbiedwaardige vrijgezellin met wit haar had een klein fortuin vergaard met het schrijven van pornografie. Het meest ironische, bedacht de kapitein, was dat Rose, juist nu ze niet meer verborgen hoefde te blijven zoals toen ze in de schaduw van haar broer Jeremy leefde, was gestopt met het schrijven van erotische verhalen en zich wijdde aan het produceren van damesromans, in een uitputtend tempo en met uitzonderlijk succes. Er was geen vrouw met Engels als moedertaal, inclusief koningin Victoria, die niet ten minste één van de liefdesavonturen van *dame* Rose Sommers had gelezen. De deftige titel bekrachtigde slechts een positie die Rose al sinds jaren stormenderhand had veroverd. Als koningin Victoria had geweten dat haar favoriete schrijfster, die ze persoonlijk in de stand van *dame* had verheven, verantwoordelijk was voor een omvangrijke verzameling onzedelijke literatuur, ondertekend door een *Anonieme Dame*, had ze een flauwte gekregen. De kapitein vond pornografie verrukkelijk, maar die liefdesromans vond hij rotzooi. Hij zorgde jarenlang voor de publicatie en distributie van de verboden verhalen die Rose schreef onder de neus van haar oudste broer, die stierf in de overtuiging dat zij een eerbare mejuffrouw was met als enige missie hem het leven aangenaam te maken. 'Zorg goed voor jezelf, John. Je kunt me toch niet zomaar alleen op deze wereld achterlaten? Je wordt mager en je hebt een rare kleur,' had Rose de kapitein dagelijks gezegd toen hij haar had opgezocht in Londen. Sindsdien was hij onderhevig aan een metamorfose die hem onverbiddelijk in een hagedis veranderde.

Tao Chi'en was de laatste acupunctuurnaalden uit de oren en armen van zijn patiënt aan het halen, toen zijn assistent hem meldde dat zijn schoonvader was aangekomen. De *zhong yi* zette de naalden zorgvuldig in zuivere alcohol, waste zijn handen in een waskom, trok zijn jasje aan en liep de deur uit om de gast te begroeten, verbaasd dat Eliza hem niet had verteld dat haar vader die dag kwam. Elk bezoek van kapitein Sommers bracht een hoop commotie teweeg. Het gezin keek altijd reikhalzend uit naar zijn komst, vooral de kinderen, die maar niet uitgekeken raakten op de exotische cadeaus en geen genoeg konden krijgen van de verhalen van die reusachtige opa over zeemonsters en Maleisische piraten. De kapitein, groot, stevig, met een verweerde huid door het zout van alle zeeën, een woeste baard, een bulderstem en onschuldige blauwe baby-ogen, was een indrukwekkende figuur in zijn blauwe uniform, maar de man die Tao Chi'en in een leunstoel van zijn kliniek zag zitten, was zo gekrompen dat hij hem met moeite herkende. Hij begroette hem respectvol, hij had de gewoonte om op z'n Chinees voor hem te buigen niet achter zich kunnen laten. Hij had John Sommers in zijn jeugd leren kennen, toen hij als kok op diens schip werkte. 'Mij spreek je met "meneer" aan, begrepen, Chinees?' had hij hem de eerste keer dat hij hem aansprak bevolen. Toen hadden we allebei nog zwart haar, bedacht Tao Chi'en met een pijnscheut van verdriet bij deze aankondiging van de dood. De Engelsman stond moeizaam op, schudde hem de hand en omhelsde hem kort maar stevig. De zhong yi constateerde dat nu hij de langste en zwaarste van de twee was.

'Weet Eliza dat u vandaag zou komen, meneer?' vroeg hij.

'Nee. U en ik moeten onder vier ogen praten, Tao. Ik ben stervende.'

Dat had de zhong yi al begrepen zodra hij hem zag. Zonder een woord te zeggen leidde hij hem naar de spreekkamer, waar hij hem hielp met uitkleden en hem op de behandeltafel legde. Naakt zag zijn schoonvader er aandoenlijk uit: de dikke, uitgedroogde, koperkleurige huid, de gele nagels, de bloeddoorlopen ogen, de opgezwollen buik. Hij begon met hem te ausculteren en voelde vervolgens zijn hartslag bij de polsen, de hals en de enkels, om zich te vergewissen van wat hij al wist.

'Uw lever is verwoest, meneer. Drinkt u nog steeds?'

'U kunt niet van me vragen dat ik een levenslange gewoonte opgeef, Tao. Denkt u dat iemand het zeemansberoep volhoudt zonder een borrel op zijn tijd?'

Tao Chi'en glimlachte. De Engelsman dronk op normale dagen een halve liter gin en wanneer er iets te betreuren of te vieren was een hele, zonder dat het hem ook maar iets leek te doen; hij rook niet eens naar drank, want zijn kleding en adem waren doordrongen van het aroma van sterke tabak van slechte kwaliteit.

'Bovendien, het is te laat om spijt te hebben, nietwaar?' voegde John Sommers eraan toe.

'U kunt wat langer en in betere omstandigheden leven als u ophoudt met drinken. Waarom neemt u geen rustperiode? Kom een tijdje bij ons wonen, Eliza en ik zullen voor u zorgen tot u een beetje aangesterkt bent,' stelde de zhong yi voor zonder hem aan te kijken, zodat de ander niet kon zien dat hij aangedaan was. Zoals hem zo vaak overkwam in zijn doktersvak, moest hij vechten tegen het vreselijke gevoel van onmacht dat hem overweldigde wanneer hij moest vaststellen hoe beperkt de middelen van zijn wetenschap waren en hoe onmetelijk andermans lijden was.

'Hoe haalt u het in uw hoofd dat ik me vrijwillig in Eliza's handen leg, zodat zij me tot onthouding kan veroordelen? Hoeveel tijd rest me nog, Tao?' vroeg John Sommers.

'Dat kan ik niet met zekerheid zeggen. U zou ook iemand anders om zijn mening moeten vragen.'

'Uw mening is de enige die mijn respect verdient. Sinds u pijnloos een kies bij me hebt getrokken halverwege tussen Indonesië en de Afrikaanse kust, heeft geen enkele andere dokter met zijn vervloekte handen aan me gezeten. Hoe lang is dat geleden?'

'Ongeveer vijftien jaar. Ik ben u dankbaar voor uw vertrouwen, meneer.'

'Vijftien jaar maar? Waarom komt het mij voor alsof we elkaar ons hele leven al kennen?'

'Misschien hebben we elkaar in een ander leven gekend.'

'Ik ben als de dood voor reïncarnatie, Tao. Stel je voor dat ik in mijn volgende leven een moslim ben. Wist u dat die arme mensen geen alcohol drinken?'

'Dat is vast uw karma. In elke reïncarnatie moeten we oplossen wat we in een vorige hebben laten liggen,' grapte Tao.

'Ik heb liever de hel van de christenen, die is minder wreed. Welnu, we vertellen hierover niets tegen Eliza,' besloot John Sommers terwijl hij zijn kleren aantrok, in gevecht met de knopen die uit zijn trillende handen glipten. 'Dit kan mijn laatste bezoek zijn, en het is beter als zij en mijn kleinkinderen zich mij vrolijk en gezond herinneren. Ik ga rustig heen, Tao, want niemand zou beter voor mijn dochter Eliza kunnen zorgen dan u.'

'Niemand zou meer van haar kunnen houden dan ik, meneer.'

'Wanneer ik er niet meer ben, zal iemand zich over mijn zus moeten ontfermen. U weet dat Rose als een moeder is geweest voor Eliza...'

'Maakt u zich geen zorgen, Eliza en ik zullen haar altijd in de gaten houden,' verzekerde zijn schoonzoon hem.

'De dood... Ik bedoel... Zal hij snel en waardig zijn? Hoe weet ik wanneer het einde daar is?'

'Wanneer u bloed opgeeft, meneer,' zei Tao bedroefd.

Het gebeurde drie weken later, midden op de Stille Oceaan, in de beslotenheid van de hut van de kapitein. Zodra hij kon opstaan, veegde de oude zeevaarder de sporen van het braaksel weg, spoelde zijn mond, verwisselde het bebloede overhemd, stak zijn pijp aan en liep naar de voorsteven van het schip, waar hij ging zitten om voor het laatst naar de flonkerende sterren aan een zwartfluwelen hemel te kijken. Verscheidene matrozen zagen hem en wachtten op afstand met de pet in de hand. Toen de tabak was opgerookt, gooide kapitein John Sommers zijn benen over de reling en liet zich geruisloos in zee vallen.

Severo del Valle leerde Lynn Sommers kennen tijdens een reis van Chili naar Californië die hij samen met zijn vader in 1872 maakte om zijn tante en oom Paulina en Feliciano te bezoeken, die onderwerp waren van de sappigste roddels in de familie. Severo had zijn tante Paulina twee keer gezien tijdens haar sporadische verschijningen in Valparaíso, maar pas toen hij haar later in haar Noord-Amerikaanse omgeving had gezien, begreep hij de verzuchtingen van christelijke onverdraagzaamheid van zijn familie. Ver van het religieuze, conservatieve milieu in Chili, van grootvader Agustín die aan zijn rolstoel was gekluisterd, van grootmoeder Emilia met haar naargeestige kanten kraagjes en haar lijnzaadlavementen, van de rest van haar afgunstige, preutse familieleden, groeide Paulina uit tot de amazone die ze eigenlijk was. Tijdens de eerste reis was Severo del Valle nog te jong om de macht en rijkdom van die beroemde oom en tante te overzien, maar de verschillen tussen hen en de rest van de Del Valle-clan ontgingen hem niet. Pas toen hij jaren later terugkeerde, begreep hij dat ze tot de rijkste families van San Francisco werden gerekend, samen met de zilver-, spoorweg-, bank- en transportmagnaten. Tijdens die eerste reis, op zijn vijftiende, besliste Severo, gezeten aan het voeteneinde van het gepolychromeerde bed van zijn tante Paulina, terwijl zij de strategie voor haar handelsoorlogen bepaalde, over zijn eigen toekomst.

'Je zou advocaat moeten worden, zodat je me kunt helpen mijn vijanden in de geest van de wet te vernietigen,' adviseerde Paulina hem die dag, tussen twee hapjes van het bladerdeeggebakje met karamelpasta.

'Ja, tante. Grootvader Agustín zegt dat elke respectabele familie een advocaat, een dokter en een bisschop moet hebben,' antwoordde haar neef.

'Er is ook een zakelijk brein nodig.'

'Grootvader vindt de handel geen beroep voor edelmannen.'

'Zeg hem maar dat adeldom geen brood op de plank brengt, en dat-ie dat in z'n reet kan steken.'

De jongen had die rare uitdrukking alleen maar gehoord van de koetsier bij hem thuis, een Madrileen die uit de gevangenis op Tenerife ontsnapt was en die om onbegrijpelijke redenen ook schijt had aan God en de hele wereld.

'Stel je niet zo aan, manneke, een reet hebben we toch allemaal?' riep Paulina dubbelgevouwen van het lachen uit toen ze het gezicht van haar neef zag.

Diezelfde middag nam ze hem mee naar de patisserie van Eliza Sommers. San Francisco had Severo verblind toen hij de stad vanaf de boot ontwaarde: een lichtstad gevestigd in een groen landschap van met bomen bedekte heuvels, die naar beneden glooiden tot de kustlijn van een baai met rustig water. Van veraf leek ze streng, met haar Spaanse ontwerp van parallel- en dwarsstraten, maar van dichtbij had de stad de bekoring van het onverwachte. Gewend aan de suffe aanblik van de haven van Valparaíso, waar hij was opgegroeid, stond de jongen versteld van de waanzinnige diversiteit aan stijlen van de huizen en de gebouwen, luxe en armoede, alles door elkaar heen, alsof de stad in allerijl was gesticht. Hij zag een dood paard overdekt met vliegen voor de deur van een chique winkel met violen en vleugels. Door het drukke verkeer van dieren en rijtuigen baande een kosmopolitische menigte zich een weg: Amerikanen, Spanjaarden, Fransen, Ieren, Italianen, Duitsers, een paar indianen en voormalige negerslaven, die nu vrij waren, maar nog immer verstoten en arm. Ze gingen een rondje door Chinatown lopen en bevonden zich in een oogwenk in een land bevolkt door 'hemelingen', zoals de Chinezen genoemd werden, die de koetsier met klappen van zijn rijzweep uiteendreef terwijl hij de fiacre naar Union Square stuurde. Hij hield stil voor een huis in Victoriaanse stijl, eenvoudig in vergelijking met de uitspattingen van lijstwerk, reliëfs en roosvensters die men daar gewoonlijk zag.

'Dit is de theesalon van mevrouw Sommers, de enige hier in de buurt,' legde Paulina uit. 'Je kunt koffiedrinken waar je maar wil, maar voor een kop thee moet je hier zijn. De yankees walgen van dit nobele drankje sinds de Vrijheidsoorlog, die begon toen de opstandelingen in Boston de thee van de Engelsen overboord gooiden.'

'Maar is dat niet een eeuw of wat geleden?'

'Je ziet wel, Severo, hoe idioot patriottisme kan zijn.'

Niet thee was de reden van de veelvuldige bezoekjes van Paulina aan die salon, maar de fameuze patisserie van Eliza Sommers, die de ruimte vulde met een verrukkelijke geur van suiker en vanille. Het gebouw, een van de vele huizen die in de begintijd van San Francisco uit Engeland geïmporteerd werden – met een gebruiksaanwijzing om het in elkaar te zetten, net als bij speelgoed – had twee verdiepingen met daarbovenop een torentje, waardoor het de uitstraling kreeg van een landelijk kerkje. Op de benedenverdieping hadden ze twee kamers samengevoegd om de patisserie uit te breiden; er stonden verscheidene leunstoelen met krulpoten en vijf ronde tafeltjes met witte kleedjes. Op de tweede verdieping werden doosjes handgemaakte bonbons van de beste Belgische chocolade, marsepein en verschillende soorten creoolse lekkernijen uit Chili verkocht, die bij Paulina del Valle favoriet waren. De bediening bestond uit twee Mexicaanse meisjes met lange vlechten, witte schortjes en gesteven kapjes, telepathisch aangestuurd door de kleine mevrouw Sommers, die nauwelijks leek te bestaan, in tegenstelling tot de onstuimige aanwezigheid van Paulina. De getailleerde mode met bollende onderrokken stond Eliza goed, maar verveelvuldigde de omvang van Paulina; bovendien was Paulina del Valle niet zuinig met stoffen, franje, pompons en plooien. Die dag was ze uitgedost als een bijenkoningin, van top tot teen in zwart en geel, met een met veren afgewerkte hoed en een gestreept lijfje. Veel strepen. Ze stormde de theesalon binnen, verzwolg de lucht, en bij elk van haar bewegingen rinkelden de kopjes en kreunden de tere houten wanden. Toen ze haar zagen binnenkomen, renden de serveersters weg om een van de delicate rieten stoeltjes te vervangen door een steviger fauteuil, waarin de dame gracieus neerzeeg. Ze bewoog zich omzichtig, want niets maakt zo lelijk als gehaastheid; ze vermeed eveneens oudevrouwtjesgeluiden, nooit liet ze in het openbaar gepuf, gekuch, gekreun of zuchten van vermoeidheid ontsnappen, hoewel haar voeten haar pijnigden. 'Ik wil niet de stem van een dikzak hebben,' zei ze, en ze gorgelde dagelijks met citroensap met honing om haar stem zuiver te houden. Eliza Sommers, iel en recht als een sabel, gekleed in een donkerblauwe rok en een bij de manchetten en het kraagje dichtgeknoopte zachtgele bloes, en getooid met slechts een bescheiden parelsnoer, zag er opmerkelijk jong uit. Ze sprak een roestig Spaans door gebrek aan oefening en Engels met een Brits accent, en schakelde in dezelfde zin van de ene taal op de andere over, net als Paulina. Het fortuin en het adellijke bloed van mevrouw Del Valle stelden haar ver boven het sociale niveau van de ander. Een vrouw die werkte voor haar plezier kon alleen maar een manwijf zijn, maar Paulina wist dat Eliza niet meer tot het milieu behoorde waarin ze in Chili was opgegroeid en niet werkte voor haar plezier, maar uit noodzaak. Ze had ook gehoord dat ze met een Chinees samenleefde, maar haar verwoestende gebrek aan tact was niet groot genoeg om het haar rechtstreeks te vragen.

'Mevrouw Eliza Sommers en ik hebben elkaar in 1840 in Chili leren kennen; zij was toen acht jaar oud en ik zestien, maar nu horen we tot dezelfde leeftijdscategorie,' vertelde Paulina haar neef.

Terwijl de diensters thee serveerden, luisterde Eliza Sommers geamuseerd naar het onophoudelijke gekwebbel van Paulina, dat ternauwernood onderbroken werd om de volgende hap naar binnen te werken. Severo vergat hen toen hij aan een andere tafel een beeldschoon meisje ontdekte dat plaatjes in een album zat te plakken bij het licht van de gaslampen en het zachte schijnsel van de gebrandschilderde ramen, dat goudkleurige lichtvlekjes op haar wierp. Het was Lynn Sommers, de dochter van Eliza, een kind van zo'n zeldzame schoonheid dat zij toen al, op twaalfjarige leeftijd, door verscheidene fotografen in de stad als model gebruikt werd; haar gezicht stond op ansichtkaarten, affiches en kalenders met engeltjes die de lier bespeelden en ondeugende nimfen in bossen van papier-maché. Severo had nog de leeftijd waarop meisjes eerder een weerzinwekkend mysterie zijn voor jongens, maar hij liet zich meeslepen door de aantrekkingskracht; naast haar staand aanschouwde hij haar met open mond, zonder te begrijpen waarom hij pijn in zijn borst had en de aandrang voelde om te huilen. Eliza Sommers haalde hem uit zijn trance door hen te roepen om chocolademelk te komen drinken. Het meisje deed het album dicht zonder aandacht aan hem te schenken, alsof ze hem niet zag staan, en stond lichtvoetig op, zwevend. Ze ging voor haar kop chocolademelk zitten zonder een woord te zeggen of haar ogen op te slaan, lijdzaam onder de indiscrete blikken van de jongen, zich er volledig van bewust dat haar uiterlijk haar onderscheidde van de rest van de mensheid. Ze onderging haar schoonheid als een misvorming, in de stiekeme hoop dat die mettertijd zou overgaan.

Een paar weken later ging Severo met zijn vader aan boord voor de terugreis naar Chili, met in zijn herinnering de uitgestrektheid van Californië en met het beeld van Lynn Sommers stevig in zijn hart geplant.

Severo del Valle zag Lynn pas verscheidene jaren later weer. Eind 1876 keerde hij terug in Californië om bij zijn tante Paulina te gaan wonen, maar zijn relatie met Lynn begon pas op een winterwoensdag in 1879, en toen was het voor allebei al te laat. Bij zijn tweede bezoek aan San Francisco was de jongen uitgegroeid, maar hij was nog altijd benig, bleek en houterig en zat niet lekker in zijn vel, alsof hij te veel ellebogen en knieën had. Drie jaar later, toen hij als verstomd tegenover Lynn ging staan, was hij inmiddels een echte man, met de nobele gelaatstrekken van zijn Spaanse voorouders, de lenige bouw van een Andalusische stierenvechter en het ascetische voorkomen van een seminarist. Er was veel veranderd in zijn leven sinds de eerste keer dat hij Lynn had gezien. Het beeld van dat stille meisje met de loomheid van een rustende kat was hem gedurende de moeilijke jaren van de puberteit en het verdriet van de rouw bijgebleven. Zijn vader, die hij aanbeden had, was in Chili te jong overleden, en zijn moeder, die niet wist wat ze aan moest met die nog baardeloze, maar al te scherpzinnige en oneerbiedige zoon, stuurde hem naar een katholieke school in Santiago om zijn studie af te maken. Al snel brachten ze hem echter terug naar huis met een brief waarin in droge termen stond dat één rotte appel in de mand de rest te schand maakt of iets dergelijks. Toen maakte de onbaatzuchtige moeder op haar knieën een pelgrimstocht naar een wondergrot, waar de immer vindingrijke Maagd haar de oplossing influisterde: hem naar militaire dienst sturen opdat een sergeant het probleem zou aanpakken. Een jaar lang marcheerde Severo met de manschappen, verdroeg hij de strengheid en stompzinnigheid van het regiment, en hij kwam eruit met de rang van reserveofficier, vastbesloten om van zijn leven niet meer bij een kazerne in de buurt te komen. Hij was de deur nog niet uit of hij viel alweer terug op zijn oude vrienden en zijn onberekenbare vlagen van humor. Ditmaal gingen zijn ooms en tantes zich ermee bemoeien. Ze kwamen bij elkaar voor overleg in de sobere eetkamer in het huis van grootvader Agustín, in afwezigheid van de jongen en zijn moeder, die geen stem hadden in het familieberaad. In diezelfde kamer had Paulina del Valle vijfendertig jaar geleden, met kaalgeschoren hoofd en een diadeem met diamanten, de mannen in haar familie getrotseerd om te trouwen met Feliciano Rodríguez de Santa Cruz, de man die zij had uitgekozen. Nu werden daar de bewijzen tegen Severo aan de grootvader overlegd: hij weigerde te biechten en ter communie te gaan, ging uit met bohémiens, er waren boeken van de zwarte lijst in zijn bezit ontdekt – kortom, ze vermoedden dat hij geronseld was door de vrijmetselarij of, erger nog, de liberalen. Chili maakte een periode van strijd tussen onverenigbare ideologieën door, en naarmate de liberalen regeringsposten op hen veroverden, groeide de woede van de van Messiaanse ijver doortrokken ultraconservatieven als de Del Valles, die met anathema's en kogels hun ideeën wilden doordrukken, vrijmetselaars en antiklerikalen wilden verpletteren en eens en voor altijd wilden afrekenen met de liberalen. De Del Valles waren niet bereid een dissident van hun eigen vlees en bloed in de schoot van de familie te tolereren. Het idee hem naar de Verenigde Staten te sturen kwam van grootvader Agustín. 'De yankees zullen hem de lol om herrie te schoppen wel afleren,' voorspelde hij. Ze zetten hem op de boot naar Californië zonder hem naar zijn mening te vragen, in rouwkleding, met het gouden horloge van zijn overleden vader in zijn vestzakje, met weinig bagage, waaronder een groot Christusbeeld met doornenkroon, en een verzegelde brief voor zijn oom Feliciano en tante Paulina.

Severo's protesten waren louter voor de vorm, want die reis paste in zijn eigen plannen. Het deed hem alleen verdriet om van Nívea weg te gaan, het meisje van wie iedereen verwachtte dat ze op een dag met hem zou trouwen, in overeenstemming met de oude gewoonte van de Chileense oligarchie om onder neven en nichten te trouwen. Chili verstikte hem. Hij was gevangen in een web van dogma's en vooroordelen opgegroeid, maar het contact met andere studenten op de school in Santiago had zijn verbeelding opengesteld en een patriottistische strijdbaarheid in hem aangewakkerd. Tot dan toe dacht hij dat er slechts twee sociale klassen waren: die van hem en die van de armen, van elkaar gescheiden door een vaag grijs gebied van ambtenaren en andere 'doorsnee-Chileentjes', zoals zijn grootvader Agustín ze noemde. In de kazerne besefte hij dat er van de mensen uit zijn klasse, met een blanke huid en economische macht, nauwelijks een handjevol was; de overgrote meerderheid was mesties en arm; in Santiago ontdekte hij echter dat er tevens een sterke, uitgebreide, ontwikkelde middenklasse met politieke ambities bestond, die in feite de ruggengraat van het land vormde en waartoe voor oorlogen of ellende gevluchte immigranten, wetenschappers, onderwijzers, filosofen, boekhandelaren en mensen met vooruitstrevende ideeën behoorden. Hij was verbluft over de redenaarskunst van zijn nieuwe vrienden, als iemand die voor het eerst verliefd wordt. Hij wilde Chili veranderen, het land helemaal omgooien, zuiveren. Hij raakte ervan overtuigd dat de conservatieven – behalve die in zijn eigen familie, die in zijn ogen niet handelden uit slechtheid maar vanuit een misvatting – tot de aanhangers van satan behoorden, in het hypothetische geval dat satan iets meer was dan een schilderachtig verzinsel, en hij besloot in de politiek te gaan zodra hij onafhankelijk zou zijn. Hij begreep dat daar nog enkele jaren voor nodig waren, juist daarom beschouwde hij de reis naar de Verenigde Staten als een frisse wind; hij zou de benijdenswaardige democratie van de Noord-Amerikanen kunnen bestuderen en ervan leren, lezen waar hij zin in had zonder zich zorgen te maken om de katholieke censuur en zich op de hoogte stellen van de vorderingen van de moderne tijd. Terwijl in de rest van de wereld monarchieën van de troon werden gestoten, nieuwe landen ontstonden, continenten werden gekoloniseerd en wonderen werden uitgevonden, discussieerde het parlement in Chili over het recht voor overspeligen om in gewijde graven te worden begraven. Het was in het bijzijn van zijn grootvader niet toegestaan de theorie van Darwin te noemen, die een revolutie in de menselijke kennis had ontketend, maar men mocht wel een middag verliezen met discussiëren over onwaarschijnlijke wonderen van heiligen en martelaren. De andere prikkel voor de reis was de herinnering aan de kleine Lynn Sommers, die enorm zwaar drukte op zijn liefde voor Nívea, hoewel hij dat zelfs in het diepst van zijn ziel niet zou toegeven.

Severo del Valle wist niet wanneer of hoe het idee om met Nívea te trouwen was opgekomen; misschien hadden niet zij, maar de familie dat besloten, maar geen van tweeën kwam in opstand tegen die lotsbestemming, want ze kenden elkaar en hielden van elkaar sinds hun kindertijd. Nívea behoorde tot een tak van de familie die vermogend was geweest toen haar vader nog leefde, maar na zijn dood werd de weduwe arm. Een gefortuneerde oom, die in oorlogstijd nog een prominente figuur zou worden, don Francisco José Vergara, hielp met de opvoeding van de neefjes en nichtjes. 'Er bestaat geen ergere armoede dan die van aan lagerwal geraakte mensen, want men moet iets hooghouden wat men niet heeft,' had Nívea haar neef Severo toevertrouwd tijdens een van die plotselinge heldere momenten die haar typeerden. Ze was vier jaar jonger dan hij, maar veel volwassener; zij was degene die de toon aangaf in die jeugdliefde door hem vastberaden mee te voeren naar de romantische verhouding die ze uiteindelijk hadden toen Severo naar de Verenigde Staten vertrok. In de gigantische huizen waarin hun levens verstreken, zaten meer dan genoeg perfecte hoekjes om elkaar te beminnen. Tastend in het donker ontdekten neef en nicht met de stuntelígheid van jonge honden de geheimen van elkaars lichaam. Ze streelden elkaar nieuwsgierig en stelden de verschillen vast, zonder te weten waarom hij dit had en zij dat, in de war door schuld en schaamte, immer zwijgend, want iets dat niet onder woorden werd gebracht, leek niet gebeurd en minder zondig. Ze onderzochten elkaar haastig en bang, zich ervan bewust dat ze die spelletjes tussen neef en nicht zelfs in de biechtstoel niet konden bekennen, al waren ze daardoor tot de hel gedoemd. Ze werden door talloze ogen in de gaten gehouden. De oude dienstmeiden die hen geboren hadden zien worden, beschermden die onschuldige liefde, maar de vrijgezelle tantes spiedden als raven; niets ontging hun zielloze ogen, die slechts dienden om elk moment van het familieleven te registreren; niets ontging die duistere tongen die geheimen onthulden en ruzies op de spits dreven, zij het altijd binnen de familie. Niets kwam buiten de muren van die huizen. Het was ieders eerste plicht de eer en goede naam van de familie te beschermen. Nívea was pas laat gaan groeien en had op haar vijftiende nog een kinderlichaam en een onschuldig gezicht, niets in haar uiterlijk verried de kracht van haar karakter: klein van stuk, mollig, met als enig vermeldenswaardig kenmerk haar grote, donkere ogen, leek ze onbeduidend, tot ze haar mond opendeed. Terwijl haar zussen de hemel verdienden met het lezen van vrome boeken, las zij in het geniep de artikelen en boeken die haar neef Severo haar onder de tafel aanreikte en de klassieke werken die haar oom José Francisco Vergara haar leende. Toen in haar milieu vrijwel niemand het erover had, kwam zij op de proppen met het idee voor vrouwenkiesrecht. De eerste keer dat ze het aanroerde, tijdens een familielunch in het huis van don Agustín del

Valle, ontstond er een kettingreactie van ontzetting. 'Wanneer gaan vrouwen en armen in dit land stemmen?' vroeg Nívea ineens, zonder eraan te denken dat kinderen in het bijzijn van volwassenen hun mond niet opendeden. De oude patriarch Del Valle gaf een vuistslag op tafel die de glazen lanceerde, en gebood haar meteen te gaan biechten. Nívea vervulde zwijgend de boetedoening die de priester haar had opgelegd en schreef met haar gebruikelijke hartstocht in haar dagboek dat ze niet van plan was te rusten voordat ze fundamentele rechten voor vrouwen had verworven, al zouden ze haar uit de familie verstoten. Ze had het geluk gehad te kunnen rekenen op een uitzonderlijke onderwijzeres, zuster María Escapulario, een non met een leeuwinnenhart onder het habijt, die Nívea's intelligentie had opgemerkt. Met dit meisje, dat alles gretig in zich opnam, dat vraagtekens zette bij dingen die zijzelf zich nog nooit had afgevraagd, dat haar uitdaagde met voor haar leeftijd onverwachte redeneringen en dat bijna uit haar afgrijselijke uniform leek te barsten van levenslust en gezondheid, voelde de non zich beloond als onderwijzeres. Nívea was in haar eentje al die jaren van onderwijzen aan een hele schare rijke meisjes met een muizenverstand de moeite waard. Uit genegenheid voor haar overtrad zuster María Escapulario systematisch het schoolreglement, dat in het leven was geroepen met de specifieke doelstelling gehoorzame kinderen van de leerlingen te maken. Ze had gesprekken met haar die moeder-overste en de geestelijk leider van de school met afschuw zouden vervullen.

'Toen ik zo oud was als jij waren er maar twee mogelijkheden: trouwen of het klooster in gaan,' zei zuster María Escapulario.

'Waarom koos u voor het tweede, zuster?'

'Omdat het me meer vrijheid gaf. Jezus is een verdraagzame echtgenoot...'

'Wij vrouwen zijn mooi de pineut, zuster. Kinderen krijgen en gehoorzamen, verder niets,' verzuchtte Nívea.

'Zo hoeft het niet. Jij kunt de dingen veranderen,' antwoordde de non.

'Ik in mijn eentje?'

'Niet in je eentje, er zijn meer meisjes zoals jij, die niet op hun achterhoofd gevallen zijn. Ik heb in een krant gelezen dat er nu een aantal vrouwen dokter zijn, stel je voor!'

'Waar?'

'In Engeland.'

'Dat is een heel eind weg.'

'Jawel, maar als zij het daar kunnen, zal het op een dag ook in Chili kunnen. Laat het hoofd niet hangen, Nívea.'

'Mijn biechtvader zegt dat ik veel nadenk en weinig bid, zuster.'

'God heeft je hersens gegeven om ze te gebruiken, maar ik waarschuw je dat de weg van het verzet bezaaid zal zijn met gevaren en verdriet; er is veel moed voor nodig om die te bewandelen. Het zou geen kwaad kunnen de Goddelijke Voorzienigheid te vragen je een beetje te helpen...' adviseerde zuster María Escapulario haar.

Nívea beet zich er zo in vast dat ze in haar dagboek schreef dat ze zou afzien van het huwelijk, om zich volledig te wijden aan de strijd voor vrouwenkiesrecht. Ze wist niet dat een dergelijk offer niet nodig was omdat ze uit liefde zou trouwen met een man die haar zou bijstaan in haar politieke plannen.

Severo ging aan boord met een gegriefde houding, zodat zijn familieleden niet zouden vermoeden hoe blij hij was om uit Chili weg te gaan – ze mochten eens van gedachten veranderen – en besloot zo veel mogelijk op te steken van dit avontuur. Hij nam afscheid van zijn nicht Nívea met een gestolen kus, nadat hij haar had gezworen haar via een vriend, om de familiecensuur te omzeilen, interessante boeken te sturen en haar elke week te schrijven. Zij had zich neergelegd bij een scheiding van een jaar, zonder te vermoeden dat hij plannen had gemaakt om zo lang mogelijk in de Verenigde Staten te blijven. Severo wilde het afscheid niet nog bitterder maken door deze voornemens uit te spreken, die zou hij Nívea nog wel in een brief uitleggen, besloot hij. Ze waren hoe dan ook allebei te jong om te trouwen. Hij zag haar staan op de kade van Valparaíso, omgeven door de rest van de familie, met haar olijfkleurige jurk en mutsje, terwijl ze naar hem zwaaide en met moeite een glimlach toonde. 'Ze huilt en klaagt niet, daarom hou ik van haar en zal ik altijd van haar houden,' zei Severo hardop tegen de wind, bereid om de grillen van zijn hart en de verleidingen van de wereld met volharding te overwinnen. 'Heilige Maagd, breng hem gezond en wel bij me terug,' smeekte Nívea, op haar lippen bijtend, overmand door liefde en totaal vergetend dat ze gezworen had celibatair te blijven tot ze haar plicht als strijdster voor het vrouwenkiesrecht vervuld zou hebben.

De jonge Del Valle zat van Valparaíso tot Panama aan de brief van zijn grootvader Agustín te friemelen, popelend om hem te openen, maar hij durfde het niet, want ze hadden hem op het hart gedrukt dat geen enkele heer het oog op een brief of de hand op het geld houdt. Uiteindelijk was de nieuwsgierigheid sterker dan het eergevoel – het ging om zijn toekomst, redeneerde hij – en verbrak hij met zijn scheermes behoedzaam het zegel, hield vervolgens de envelop boven de stoom uit een theeketel en opende hem allervoorzichtigst. Zo ontdekte hij dat het zijn grootvaders plan was hem naar een Noord-Amerikaanse militaire school te sturen. Het was jammer, voegde de grootvader eraan toe, dat Chili niet met een buurland in oorlog was, zodat zijn kleinzoon een man zou worden met de wapens in de hand, zoals het hoorde. Severo gooide de brief in zee en schreef een nieuwe met zijn eigen bepalingen, stopte die in dezelfde envelop en druppelde gesmolten lak over het verbroken zegel. In San Francisco wachtte zijn tante Paulina aan de kade op hem, vergezeld door twee lakeien en Williams, haar statige butler. Ze was uitgedost met een belachelijke hoed en een overdaad aan in de wind wapperende sluiers, die haar als ze niet zo zwaar was geweest de lucht in getild hadden. Ze begon luidkeels te lachen toen ze haar neef over de loopplank aan zag komen lopen met het Christusbeeld in zijn armen; vervolgens drukte ze hem tegen haar sopranenboezem en verstikte hem in de berg van haar borsten en haar gardeniaparfum.

‘Eerst moeten we ons maar eens van dat monster ontdoen,’ zei ze terwijl ze naar het Christusbeeld wees. ‘We zullen ook kleren voor je moeten kopen, in deze contreien loopt niemand er zo bij,’ voegde ze eraan toe.

‘Dit pak is van mijn vader geweest,’ legde Severo gekrenkt uit.

‘Dat is te zien, je lijkt wel een doodgraver,’ zei Paulina, en ze had het nog niet gezegd of ze bedacht dat de jongen kortgeleden zijn vader verloren had. ‘Het spijt me,

Severo, ik wilde je niet beledigen. Jouw vader was mijn lievelingsbroer, de enige in de familie met wie te praten viel.'

'Ze hebben een paar van zijn pakken voor me vermaakt, zodat ze niet verloren zouden gaan,' zei Severo met gebroken stem.

'Dat was een slecht begin. Kun je me vergeven?'

'Het is goed, tante.'

Bij de eerste gelegenheid die zich voordeed, gaf de jongen haar de nepbrief van grootvader Agustín. Zij wierp er een nogal onaandachtige blik op.

'Wat stond er in de andere?' vroeg ze.

Met rode oortjes deed Severo een poging te ontkennen wat hij gedaan had, maar zij gaf hem de tijd niet om in leugens verstrikt te raken.

'Ik had hetzelfde gedaan, jongen. Ik wil weten wat er in de brief van mijn vader stond om hem te antwoorden, niet om naar hem te luisteren.'

'Dat u me naar een militaire school of de oorlog in moet sturen, als er hier in de buurt een is.'

'Je bent te laat, die is alweer voorbij. Maar ze zijn nu de indianen aan het afslachten, mocht dat je interesseren. Ze verweren zich behoorlijk, de indianen... stel je voor, ze hebben pas generaal Custer en meer dan tweehonderd soldaten van de 7de cavalerie in Wyoming vermoord. Er wordt over niets anders gepraat. Ze zeggen dat een indiaan genaamd *Rain in the Face* – wat een poëtische naam toch – gezworen had wraak te nemen op de broer van generaal Custer en dat hij hem in die strijd het hart heeft uitgerukt en het heeft verslonden. Heb je nog steeds zin om soldaat te worden?' lachte Paulina del Valle binnensmonds.

'Ik heb nooit militair willen worden, dat zijn ideeën van grootvader Agustín.'

'In de brief die je vervalst hebt, zeg je dat je advocaat wilt worden, ik zie dat de raad die ik je jaren geleden heb gegeven niet aan dovemansoren was gericht. Daar hou ik van, jongen. De Amerikaanse wetten zijn niet zoals de Chileense, maar dat is niet zo'n punt. Jij wordt advocaat. Je zult als leerling bij het beste advocatenkantoor van Californië beginnen, mijn connecties moeten toch ergens goed voor zijn,' stelde Paulina.

'Ik sta voor de rest van mijn leven bij u in het krijt, tante,' zei Severo, onder de indruk.

'Inderdaad. Ik hoop dat je dat niet vergeet. Het leven is lang en je weet maar nooit wanneer ik jou om een gunst moet vragen.'

'Op mij kunt u rekenen, tante.'

De volgende dag stond Paulina del Valle met Severo in het kantoor van haar advocaten, dezelfde die haar meer dan vijfentwintig jaar lang hadden gediend en gigantische commissies hadden verdiend, en vertelde hun onomwonden dat ze verwachtte vanaf volgende week maandag haar neef bij hen te zien werken om het vak te leren. Ze konden niet weigeren. De tante gaf de jongen onderdak in een zonrijke kamer op de tweede verdieping van haar huis, kocht een goed paard voor hem, kende hem een maandsalaris toe, gaf hem een leraar Engels en introduceerde hem vervolgens in de hogere kringen, omdat er volgens haar geen groter kapitaal bestond dan connecties.

'Ik verwacht twee dingen van je: trouw en een goed humeur.'

'Verwacht u niet dat ik ook studeer?'

'Dat is jouw probleem, jongen. Wat jij met je leven doet is helemaal mijn zaak niet.'

Toch merkte Severo in de daaropvolgende maanden dat Paulina zijn vorderingen in het advocatenkantoor met argusogen volgde, zijn vriendschappen bijhield, zijn uitgaven optelde en zijn stappen kende zelfs nog voor hij ze gezet had. Hoe ze het voor elkaar kreeg om zoveel te weten te komen was een raadsel, tenzij Williams, de ondoorgrondelijke butler, een spionagenetwerk opgezet had. De man had de leiding over een leger aan bedienden, die als geruisloze schaduwen hun werkzaamheden verrichten, in een afzonderlijk gebouw achter in het park bij het huis woonden en wie het verboden was het woord tot de dames en heren van de familie te richten, behalve wanneer ze geroepen werden. Ze konden evenmin met de butler spreken zonder eerst voorbij de sleutelbewaarster te komen. Het kostte Severo moeite die hiërarchieën te begrijpen, want in Chili lagen de zaken veel eenvoudiger. De bazen, zelfs de meest despotische, zoals zijn grootvader, behandelden hun bedienden meedogenloos, maar voorzagen in hun behoeften en beschouwden hen als onderdeel van de familie. Hij had nooit een dienstmeid ontslagen zien worden; die vrouwen kwamen in hun puberteit in het huis werken en bleven er tot hun dood. Het deftige huis op Nob Hill was heel anders dan de kloosterlijk grote huizen waarin zijn kindertijd was verstreken, met dikke muren van adobe en lugubere, met ijzer beslagen deuren, met schaarse, tegen de naakte muren geschoven meubels. In het huis van zijn tante Paulina zou het een onmogelijke taak geweest zijn om een inventaris te maken van wat erin stond, van de massief zilveren deurklinken en badkranen tot de verzameling porseleinen beeldjes, Russische doosjes van gelakt hout, Chinees ivoor en alle kunstvoorwerpen of hebbedingen die maar in de mode waren. Feliciano Rodríguez de Santa Cruz kocht om het bezoek te imponeren, maar hij was geen barbaar, zoals andere bevriende magnaten, die boeken per kilo kochten en schilderijen voor de kleur om ze met de fauteuils te combineren. Paulina was daarentegen helemaal niet gehecht aan die schatten; het enige meubelstuk dat ze in haar leven had besteld was haar bed, en dat had ze gedaan uit overwegingen die niets te maken hadden met esthetiek of luxe. Zij was domweg geïnteresseerd in geld; haar uitdaging bestond eruit het listig te verdienen, hardnekkig te vergaren en verstandig te investeren. Ze lette niet op de dingen die haar man kocht of waar hij ze neerzette, en het resultaat was een ostentatieve villa waarin de bewoners zich vreemdelingen voelden. De schilderijen waren enorm, de lijsten massief, de thema's heldhaftig – *Alexander de Grote verovert Perzië* –, maar er hingen ook honderden kleinere schilderijen, geordend op onderwerp, die de kamers naam gaven: de jachtsalon, de scheepvaartsalon, de aquarellensalon. De gordijnen waren van zwaar fluweel met overweldigende kwasten en de Venetiaanse spiegels weerkaatsten tot in het oneindige de marmeren zuilen, de hoge vazen van sèvresporselein, de bronzen beelden, de vazen en schalen boordevol bloemen en fruit. Er waren twee muzieksalons met exclusieve Italiaanse instrumenten, hoewel niemand in die familie ze kon bespelen en Paulina hoofdpijn kreeg van muziek, en een bibliotheek van twee verdiepingen. In elke hoek stonden zilveren kwispedoors met gouden initialen, want in die grensstad was het volledig geaccepteerd in het openbaar te spuwen. Feliciano had zijn kamers in de oostelijke vleugel en zijn vrouw de hare op dezelfde verdieping, maar aan de andere kant van het huis. Tussen hun vertrekken, verbonden door een brede gang, lagen naast elkaar de slaapkamers van de kinderen en de gastenkamers, allemaal leeg, behalve die van Severo en een andere, waarin de oudste zoon Matías verbleef, de enige die nog thuis woonde. Severo del Valle, gewend aan ongerief en kou, wat in Chili beschouwd wordt als goed voor de gezondheid, kon pas na een paar weken wennen aan de verstikkende omhelzing van de matras en de donzen kussens, aan de eeuwigdurende zomer van kachels en de verrassing elke dag de badkamerkraan open te draaien en een warmwaterstraal te krijgen. In het huis van zijn grootvader waren de wc's stinkende hutjes achter op de binnenplaats en op winterochtenden stond het waswater met een laagje ijs in de lampetkommen.

De jonge neef en de weergaloze tante werden doorgaans pratend over zaken en familiekwesties in het mythologische bed overvallen door de siësta, zij onder de lakens met haar enorme kasboeken aan de ene en haar gebakjes aan de andere kant, hij gezeten aan het voeteneinde tussen de najade en de dolfijn. Alleen met Severo durfde Paulina zo intiem te zijn. Slechts weinigen hadden toegang tot haar privévertrekken, maar bij hem voelde ze zich helemaal op haar gemak in haar nachthemd. Die neef gaf haar een voldoening die haar eigen kinderen haar nooit gegeven hadden. De twee jongsten leefden van de erfenis en genoten van symbolische banen in de directie van de bedrijven van de clan, de een in Londen en de ander in Boston. Matías, de eerstgeborene, was voorbestemd om aan het hoofd van de familie Rodríguez de Santa Cruz y del Valle te staan, maar hij voelde daar niet de geringste roeping toe; hij wilde helemaal niet in de voetsporen treden van zijn ondernemende ouders, interesseerde zich totaal niet voor hun bedrijven en het was hem er evenmin aan gelegen zoons op de wereld te zetten om de achternaam in stand te houden. Hij had het hedonisme en het vrijgezellenbestaan tot kunst verheven. 'Hij is niet meer dan een goed geklede sukkel,' zo beschreef Paulina hem eens tegenover Severo, maar toen ze zag hoe goed haar zoon en haar neef met elkaar overweg konden, probeerde ze naarstig die ontluikende vriendschap te vergemakkelijken. 'Mijn moeder doet niets voor niets, het zal haar bedoeling wel zijn dat jij me uit het losbandige leven redt,' spotte Matías. Severo was niet van plan de taak op zich te nemen om zijn neef te veranderen, integendeel, hij had graag op hem geleken; in vergelijking met hem voelde hij zich stijf en doods. Alles in Matías wekte zijn verwondering: zijn onberispelijke stijl, zijn ijzige ironie, de luchtigheid waarmee hij ongegeneerd geld uitgaf.

'Ik wil dat je vertrouwd raakt met mijn zaken. Dit is een materialistische en onbeschaafde maatschappij met weinig respect voor vrouwen. Hier tellen slechts rijkdom en connecties, en daarvoor heb ik je nodig: je zult mijn ogen en oren zijn,' deelde Paulina haar neef een paar maanden na zijn aankomst mee.

'Ik weet niets van zaken.'

'Maar ik wel. Ik vraag je niet om na te denken, daar ben ik voor. Jij houdt je mond, observeert, luistert en brengt me verslag uit. Vervolgens doe je wat ik zeg zonder al te veel vragen te stellen. Duidelijk?'

'U moet me niet vragen vals te spelen, tante,' antwoordde Severo waardig.

'Ik zie dat je een aantal geruchten over me hebt gehoord... Luister eens, jongen, wetten zijn uitgevonden door de sterken om de zwakken te overheersen, die met veel meer zijn. Ik heb niet de plicht ze te respecteren. Ik heb een advocaat nodig die ik volledig kan vertrouwen om te doen waar ik zin in heb zonder in de problemen te komen.'

'Op een nette manier, hoop ik...' waarschuwde Severo haar.

'Ach, jongen! Zo komen we nergens. Jouw goede naam is niet in gevaar, zolang je maar niet overdrijft,' antwoordde Paulina.

Zo bezegelden ze een overeenkomst die even sterk was als de bloedband die hen verenigde. Paulina, die hem zonder al te hoge verwachtingen had binnengehaald in de overtuiging dat hij een vlegel was, de enige reden waarom ze hem vanuit Chili naar haar zouden sturen, was aangenaam verrast door deze slimme en oprechte neef. Binnen een paar jaar leerde Severo Engels met een gemak dat nog niemand in zijn familie aan den dag had gelegd, leerde hij de bedrijven van zijn tante kennen als zijn broekzak, doorkruiste hij tot twee keer toe per trein de Verenigde Staten – een keer aangenaam beziggehouden door een aanval van Mexicaanse bandieten – en had hij zelfs nog tijd om advocaat te worden. Met zijn nicht Nívea onderhield hij een wekelijkse briefwisseling, die met de jaren eerder als intellectueel dan als romantisch omschreven kon worden. Zij vertelde hem over de familie en de Chileense politiek; hij kocht boeken voor haar en knipte artikelen uit over de vorderingen die de strijdsters voor vrouwenkiesrecht in Europa en de Verenigde Staten boekten. Het bericht dat er in het Amerikaanse Congres een wijzigingsvoorstel was ingediend om het stemrecht voor vrouwen toe te staan, werd door de twee op afstand van elkaar gevierd, hoewel ze het erover eens waren dat het gelijkstond aan waanzin zich iets dergelijks in Chili voor te stellen. 'Wat bereik ik met al dat studeren en lezen, neef, als er in het leven van de vrouw geen gelegenheid is om iets te doen? Mijn moeder zegt dat ik onmogelijk kan trouwen omdat ik de mannen afschrik, dat ik me mooi moet maken en mijn mond moet houden als ik een echtgenoot wil. Mijn familie juicht de geringste kennis bij mijn broers toe – en ik zeg "gering" omdat je weet hoe stom ze zijn –, maar bij mij zien ze het als stoerdoenerij. De enige die me accepteert is mijn oom José Francisco, want ik geef hem de kans om met me over wetenschap, astronomie en politiek te praten, onderwerpen waar hij graag over betoogt, hoewel mijn meningen er niet toe doen. Je kunt je niet voorstellen hoe jaloers ik ben op mannen als jij, voor wie de wereld openligt,' schreef de jonge vrouw. De liefde besloeg slechts een regel of twee in Nívea's brieven en een paar woorden in die van Severo, alsof ze de stilzwijgende overeenkomst hadden de intense en gehaaste liefkozingen in de verborgen plekjes van het huis te vergeten. Twee keer per jaar stuurde Nívea hem een foto, zodat hij kon zien hoe ze tot een vrouw uitgroeide, en hij beloofde hetzelfde te doen maar vergat het altijd, net zoals hij vergat haar te zeggen dat hij ook die kerst weer niet naar huis zou komen. Een vrouw met meer haast om te trouwen dan Nívea zou haar voelhoorns uitsteken om een minder ongrijpbare vriend te vinden, maar zij twijfelde er nooit aan dat Severo haar echtgenoot zou worden. Ze was er zo zeker van, dat die inmiddels jarenlang durende scheiding haar niet al te veel zorgen baarde; ze was bereid te wachten tot het einde der tijden. Severo, van zijn kant, koesterde de herinnering aan zijn nicht als symbool van al het goede, nobele en zuivere.

Het uiterlijk van Matías kon de mening van zijn moeder rechtvaardigen dat hij slechts een goed geklede sukkel was, maar een sukkel was hij allerminst. Hij had alle belangrijke musea in Europa bezocht, had verstand van kunst, kon alle klassieke poëten voordragen die er waren en was de enige die gebruik maakte van de huisbibliotheek. Hij ontwikkelde zijn eigen stijl, een mengeling van bohémien en dandy; van het een had hij de gewoonte van het nachtleven en van het ander de gebrandheid op details qua kleding. Hij werd beschouwd als de beste partij van San Francisco, maar hij verklaarde zich overtuigd vrijgezel; hij had liever een platte conversatie met zijn ergste vijand dan een afspraakje met de meest aantrekkelijke van de vrouwen die verliefd op hem waren. Het enige dat hij met vrouwen gemeen had, was de mogelijkheid tot voortplanten, op zichzelf een absurde doelstelling, zei hij. Als de natuur riep, had hij liever een van de vele professionals die voorhanden waren. Er was geen herenavond denkbaar zonder afsluiting met een brandy in de bar en een bordeelbezoek; er waren meer dan een kwart miljoen prostituees in het land en een groot percentage daarvan verdiende haar brood in San Francisco, van de erbarmelijke *sing song girls* in Chinatown tot de verfijnde jongedames in de zuidelijke staten, die door de burgeroorlog in het liederlijke leven terechtgekomen waren. De jonge erfgenaam, die zo intolerant was ten opzichte van de vrouwelijke zwakheden, beroemde zich op zijn geduld met de onbeschoftheid van zijn losbollige vrienden; het was de zoveelste eigenaardigheid van hem, net zoals zijn voorliefde voor de dunne, zware cigarillo's die hij in Egypte bestelde en voor literaire en waargebeurde misdaadverhalen. Hij woonde in het fraaie ouderlijk huis op Nob Hill en beschikte over een luxeappartement midden in het centrum met bovenin een ruime zolder, die hij de *garçonnière* noemde en waar hij af en toe schilderde en regelmatig feesten gaf. Hij verkeerde in het wereldje van bohémiens, een stel arme drommels die zich stoïcijns staande hielden in een uitzichtloze, diepe armoe: dichters, journalisten, fotografen, aankomende schrijvers en acteurs, mannen zonder familie die half ziek, hoestend en converserend door het leven gingen, op krediet leefden en geen horloge droegen, omdat de tijd niet voor hen was uitgevonden. Ze lachten de Chileense aristocraat achter zijn rug uit om zijn kleren en manieren, maar ze tolereerden hem omdat ze altijd naar hem toe konden voor wat dollars, een slok whisky of een plekje op de zolder om hun roes uit te slapen.

'Is het je opgevallen dat Matías homomaniertjes heeft?' zei Paulina tegen haar man.

'Hoe kun je zulke nonsens over je eigen zoon uitkramen! Nooit hebben we er in mijn familie of de jouwe zo een gehad!' antwoordde Feliciano.

'Ken jij een normale vent die de kleur van zijn sjaal afstemt op die van het behang?' brieste Paulina.

'Nou ja, verdomme! Jij bent zijn moeder en het is jouw taak een vriendin voor hem uit te zoeken! Die jongen is al dertig en nog steeds vrijgezel. Je kunt er maar beter snel eentje vinden, voordat hij een alcoholist, een tuberculoselijder of iets ergers wordt,' waarschuwde Feliciano, zonder te weten dat het al te laat was voor halfslachtige redmiddelen.

In een van die nachten met een ijzige bries, karakteristiek voor de zomer in San Francisco, bonsde de butler Williams in slipjas op de kamerdeur van Severo del Valle.

'Neem me niet kwalijk dat ik u lastigval, meneer,' mompelde hij met een beleefd kuchje, terwijl hij binnenkwam met in zijn gehandschoende hand een kandelaar met drie kaarsen.

'Wat is er, Williams?' vroeg Severo verontrust, want het was de eerste keer dat iemand hem in dat huis uit zijn slaap haalde.

'Ik vrees dat er een klein probleem is. Het gaat om don Matías,' zei Williams, met die Britse statige eerbied die men in Californië niet kende, en die altijd eerder ironisch dan respectvol klonk.

Hij vertelde dat er op dat late uur een boodschap was aangekomen, gestuurd door een dame van twijfelachtige reputatie, een zekere Amanda Lowell, die regelmatig door de jongeheer werd bezocht – mensen uit een 'ander milieu', zoals hij zei. Severo las het bericht bij het kaarslicht: slechts drie regels, waarin om onmiddellijke hulp voor Matías werd gevraagd.

'We moeten mijn oom en tante waarschuwen, misschien heeft Matías wel een ongeluk gehad,' zei Severo geschrokken.

'Kijkt u eens naar het adres, meneer, het is midden in Chinatown. Het lijkt me beter als meneer en mevrouw hier niet achter komen,' was de butler van mening.

'Goh! Ik dacht dat u geen geheimen had voor mijn tante Paulina.'

'Ik probeer haar te ontzien, meneer.'

'Wat stelt u voor om te doen?'

'Als het niet te veel gevraagd is, meneer, pak dan uw wapens en ga met me mee.'

Williams had een stalknecht wakker gemaakt om een van de koetsen in gereedheid te brengen, maar hij wilde de zaak zo stil mogelijk houden en nam zelf de teugels in handen en stuurde zonder aarzelen door de donkere, lege straten richting de Chinese wijk, geleid door het instinct van de paarden, want de wind blies telkens de lampen van het voertuig uit. Severo had de indruk dat het niet voor het eerst was dat de man door die straatjes rondreed. Al snel stapten ze uit het rijtuig en gingen ze te voet een smal straatje door dat uitkwam op een donkere binnenplaats, waar een merkwaardige, zoete geur als van gebrande noten hing. Er was geen levende ziel te bekennen, er was slechts het geluid van de wind, en het enige licht kwam gefilterd binnen door de kieren van twee kleine ramen op straatniveau. Williams stak een lucifer aan, las nogmaals het adres op het papiertje en duwde zonder omhaal een van de deuren open die op de patio uitkwamen. Severo volgde hem, met zijn hand op het wapen. Ze bereikten een kleine, ongeventileerde, maar schone en opgeruimde kamer, waar men door de dichte opiumwalm nauwelijks kon ademhalen. Rond een centrale tafel waren naast elkaar, en gestapeld als scheepskooien, houten compartimenten tegen de muren geplaatst, waarin een matje en, bij wijze van kussen, een stuk uitgehold hout lagen. Er lagen Chinezen in, soms twee per hokje, op hun zij en met kleine dienbladen voor zich waarop een doosje met een zwarte pasta en een brandend lampje stonden. Het was zeer laat in de nacht en de drug had bij de meerderheid effect gehad; de mannen lagen lethargisch door hun droomwereld te dwalen, slechts twee of drie hadden nog de kracht om een metalen staafje door de opium te halen, het boven de lamp te verhitten, het kleine vingerhoedje van de pijp vol te stoppen en door een bamboestokje te inhaleren.

'Mijn god!' stamelde Severo, die hiervan gehoord had, maar het nooit van dichtbij gezien had.

'Het is beter dan alcohol, als ik zo vrij mag zijn,' antwoordde Williams. 'Het zet niet aan tot geweld en doet anderen geen kwaad, alleen degene die rookt. Moet u zien hoeveel rustiger en schoner dit is dan een willekeurige bar.'

Een oude Chinees in een kiel en een wijde katoenen broek kwam op hen toe gestrompeld. De rode oogjes kwamen nauwelijks uit de diepe rimpels in zijn gezicht te voorschijn, hij had een snor die even slap en grijs was als de schrale vlecht die op zijn rug hing; al zijn nagels, behalve die van de duim en de wijsvinger, waren zo lang dat ze omkrulden als het staartje van een oud schelpdier, zijn mond leek een zwart gat en de weinige tanden die hij nog had, waren verkleurd door de tabak en de opium. Deze manke overgrootvader richtte zich in het Chinees tot de nieuwkomers, en tot Severo's verrassing blafte de Engelse butler in dezelfde taal iets terug. Er viel een ellenlange stilte, gedurende welke niemand zich verroerde. De Chinees bleef Williams aankijken, alsof hij hem bestudeerde, en stak ten slotte zijn hand uit, waar de ander enkele dollars in legde, die de oude man onder zijn kiel wegstopte; daarop pakte hij een kaarsstompje en gebaarde hun hem te volgen. Ze kwamen door een tweede zaal en meteen door een derde en een vierde, allemaal hetzelfde als de eerste; ze gingen door een kronkelige gang, liepen een korte trap af en stonden weer in een andere gang. Hun gids beduidde hun te wachten en verdween een paar minuten, die een eeuwigheid leken. Severo hield zwetend zijn vinger aan de overgehaalde haan van zijn wapen, op zijn hoede en zonder ook maar een half woord te durven uitspreken. Eindelijk kwam de overgrootvader terug en leidde hen door een labyrint tot ze tegenover een gesloten deur stonden, waar hij idioot aandachtig naar bleef kijken als iemand die een landkaart ontcijfert, totdat Williams hem nog een paar dollar toestopte – toen deed hij open. Ze gingen een ruimte binnen die nog kleiner, donkerder, rokeriger en drukkender was dan de andere, omdat deze onder straatniveau lag en geen ventilatie had, maar voor het overige was hij hetzelfde als de vorige. Op de houten bedden lagen vijf blanke Amerikanen, vier mannen en een wat oudere, maar nog stralende vrouw met een waterval van rood haar dat als een schandaleuze mantel om haar heen lag uitgewaaierd. Te oordelen naar hun elegante kleding waren het vermogende mensen. Ze bevonden zich allemaal in dezelfde toestand van gelukzalige wezenloosheid, op één na, die op zijn rug in een gescheurd overhemd naar adem hapte, met zijn armen als een kruis gespreid, een krijtwitte huidskleur en weggedraaide ogen. Het was Matías Rodríguez de Santa Cruz.

'Kom, meneer, help me,' gelastte Williams Severo.

Met z'n tweeën tilden ze hem met moeite op, ieder sloeg een arm van de bewusteloze man om zijn nek, en zo namen ze hem als een gekruisigde mee, met hangend hoofd, een slap lichaam, de voeten over de vloer van aangestampte aarde slepend. Ze maakten de lange weg terug door de smalle gangen en passeerden een voor een de benauwde kamers, totdat ze ineens in de openlucht stonden, in de ongemene zuiverheid van de nacht, waar ze, versuft, diep en gretig konden ademhalen. Ze legden Matías zo goed en zo kwaad als het ging in het rijtuig en Williams bracht hen naar de garçonnière, waarvan Severo dacht dat de bediende van zijn tante die niet kende. Nog groter was zijn verbazing toen Williams de sleutel te voorschijn haalde, er de hoofddeur van het gebouw mee opende en daarna een andere pakte om die van de zolder te ontsluiten.

'Dit is niet de eerste keer dat u mijn neef redt, hè, Williams?'

'Laten we zeggen dat het niet de laatste keer is,' antwoordde hij.

Ze legden Matías op het bed dat in een hoek achter een Japans kamerscherm stond, en Severo legde natte doeken over hem heen en schudde hem door elkaar om hem te laten terugkeren uit de hemel waarin hij zich bevond, terwijl Williams wegliep om de huisarts van de familie te halen, nadat hij erop gewezen had dat het niet raadzaam zou zijn de oom en tante op de hoogte te stellen van wat er gebeurd was.

'Mijn neef kan doodgaan!' riep Severo uit, nog steeds trillend.

'In dat geval zullen we het tegen meneer en mevrouw moeten zeggen.'

Matías lag vijf dagen in doodsstrijd te stuiptrekken, vergiftigd tot op het bot. Williams nam een broeder mee naar de zolder om hem te verplegen en zorgde ervoor dat zijn afwezigheid thuis geen schandaal veroorzaakte. Dit incident schiep een merkwaardige band tussen Severo en Williams, een stilzwijgende samenzwering die nooit in woorden of gebaren werd omgezet. Bij een andere, minder hermetische persoon dan de butler zou Severo gedacht hebben dat ze een zekere vriendschap hadden of tenminste sympathie voor elkaar voelden, maar rondom de Engelsman verhief zich een ondoordringbare muur van gereserveerdheid. Hij begon hem te observeren. Hij behandelde zijn ondergeschikten met dezelfde koude en onberispelijke beleefdheid als waarmee hij zich tot zijn bazen richtte, waardoor ze hem vreesden. Niets ontsnapte aan zijn toezicht, de glans van het bewerkte zilveren bestek noch de geheimen van elke bewoner van dat enorme huis. Het bleek onmogelijk zijn leeftijd of afkomst in te schatten, hij leek voor altijd ergens in de veertig stil te staan, en behalve het Britse accent waren er geen aanwijzingen voor zijn verleden. Hij verwisselde dertig keer per dag zijn witte handschoenen, zijn kamgaren pak zag er altijd pasgeperst uit, zijn witte overhemd van het beste Hollandse linnen was gesteven als karton en zijn schoenen glommen als spiegels. Hij zoog op mentholpastilles voor de adem en gebruikte eau de cologne, maar deed dat zo discreet dat de enige keer dat Severo de menthol- en lavendelgeur rook, was toen ze elkaar even aanraakten bij het optillen van de bewusteloze Matías in de opiumkit. Bij die gelegenheid zag hij ook zijn stevige spieren onder het jasje, de gespannen pezen in zijn hals, zijn kracht en soepelheid, wat allemaal niet paste bij zijn voorkomen van een aan lagerwal geraakte Engelse lord.

De neven Severo en Matías hadden slechts de aristocratische gelaatstrekken en het plezier in sport en literatuur gemeen, voor het overige leken ze niet van hetzelfde bloed; zo grootmoedig, onverschrokken en naïef als de eerste was, zo cynisch, laks en libertijns was de tweede, maar ondanks hun tegengestelde temperament en het verschil in leeftijd werden ze vrienden. Matías deed zijn best Severo schermen te leren, wie het aan de voor die kunst onmisbare elegantie en snelheid ontbrak, en hem in te wijden in de genoegens van San Francisco, maar de jongen bleek een slechte feestmaat, want hij stond rechtop te slapen; hij werkte veertien uur per dag in het advocatenkantoor en de rest van de tijd las en studeerde hij. Ze zwommen vaak samen naakt in het zwembad bij het huis en daagden elkaar uit voor gevechten van man tot man. Ze dansten afwachtend om elkaar heen, maakten zich klaar voor de sprong en uiteindelijk vielen ze aan, trappelden in elkaar verstrengeld rond, rolden over de grond, totdat de een de ander wist te onderwerpen en tegen de grond drukte. Dan dropen ze van het zweet, hijgden opgewonden. Severo duwde hem altijd onthutst van zich af, alsof het gevecht een onoorbare omhelzing was geweest. Ze praatten over boeken en discussieerden over de klassieken. Matías hield van poëzie, en wanneer ze alleen waren reciteerde hij uit het hoofd, zo ontroerd door de schoonheid van de verzen dat de tranen over zijn wangen rolden. Ook bij die gelegenheden raakte Severo van zijn stuk, want de intense emotie van de ander leek hem een vorm van verboden intimiteit tussen mannen. Hij hield zich altijd op de hoogte van de wetenschappelijke vorderingen en ontdekkingsreizen, die hij met Matías besprak in een ijdele poging hem te interesseren, maar het enige nieuws dat door het pantser van onverschilligheid van zijn neef kon dringen, waren de plaatselijke misdrijven. Matías onderhield een vreemde relatie, gebaseerd op liters whisky, met Jacob Freemont, een oude journalist zonder scrupules, altijd slecht bij kas, met wie hij de ziekelijke fascinatie voor delicten deelde. Freemont kreeg nog steeds misdaadreportages in de kranten gepubliceerd, maar zijn goede naam had hij vele jaren geleden voorgoed verspeeld toen hij het verhaal van Joaquín Murieta had verzonnen, een vermeende Mexicaanse bandiet ten tijde van de goudkoorts. Zijn artikelen creëerden een mythisch personage, dat bij de blanke bevolking de haat tegen de Spaanstaligen aanwakkerde. Om de gemoederen tot bedaren te brengen boden de autoriteiten een zekere kapitein Harry Love een premie aan om jacht te maken op Murieta. Na drie maanden lang in Californië naar hem te hebben gezocht, koos de kapitein voor een handige oplossing: hij vermoordde zeven Mexicanen in een hinderlaag en kwam terug met een hoofd en een hand. Niemand kon de resten identificeren, maar Loves heldendaad stelde de blanken gerust. De macabere trofeeën werden nog steeds geëxposeerd in een museum, hoewel men het erover eens was dat Joaquín Murieta een monsterlijke creatie van de pers in het algemeen en van Jacob Freemont in het bijzonder was. Door deze en andere episoden waarbij de misleidende pen van de journalist sjoemelde met de werkelijkheid, kreeg hij uiteindelijk de welverdiende reputatie van leugenaar en werden de deuren voor hem gesloten. Dankzij zijn vreemde band met Freemont, misdaadverslaggever, kreeg Matías de vermoorde slachtoffers te zien voordat ze van de plaats van het misdrijf werden gehaald, en kon hij de lijkschouwingen in het mortuarium bijwonen, spektakels die zijn gevoelige ziel evenzeer deden walgen als prikkelden. Van die avonturen in de onderwereld van de misdaad keerde hij dronken van afgrijzen terug, hij ging direct naar het Turkse badhuis, waar hij urenlang de lijkengeur die aan zijn huid kleefde zat uit te zweten, en daarna sloot hij zich op in zijn garçonnière om verschrikkelijke taferelen van aan stukken gesneden mensen te schilderen.

'Wat betekent dit allemaal?' vroeg Severo de eerste keer dat hij de danteske schilderijen zag.

'Ben je niet gefascineerd door het idee van de dood? Moord is een enorm avontuur en zelfmoord is een praktische oplossing. Ik speel met ideeën voor allebei. Er zijn wel een paar mensen die het verdienen vermoord te worden, vind je niet? En wat mij aangaat – nou, neef, ik ben niet van plan om afgetakeld te sterven, ik beëindig liever mijn dagen met dezelfde zorg als waarmee ik mijn pakken uitkies; daarom bestudeer ik misdaden, om me te oefenen.'

'Je bent getikt, en bovendien heb je geen talent,' besloot Severo.

'Er is geen talent voor nodig om kunstenaar te worden, alleen lef. Heb je van de impressionisten gehoord?'

'Nee, maar als dit is wat die arme stakkers schilderen, dan komen ze niet ver. Zou je niet een wat aangenamer onderwerp kunnen zoeken? Een mooi meisje bijvoorbeeld?'

Matías barstte in lachen uit en zei hem dat er woensdag werkelijk een mooi meisje in zijn garçonnière zou zijn, het mooiste meisje van San Francisco, met algemene instemming, voegde hij eraan toe. Het was een model waar zijn vrienden om vochten om haar in klei, op linnen of op de gevoelige plaat te vereeuwigen, tevens in de hoop de liefde met haar te bedrijven. Er gingen weddenschappen over en weer over wie de eerste zou zijn, maar vooralsnog had niemand ook maar een hand van haar aangeraakt.

'Ze heeft een afschuwelijk minpunt: kuisheid. Het is de laatste maagd in Californië, hoewel dat makkelijk te verhelpen is. Zou je haar willen leren kennen?'

Zo kwam het dat Severo del Valle Lynn Sommers terugzag. Tot die dag had hij zich ertoe beperkt stiekem ansichtkaarten met haar afbeelding in de toeristenwinkels te kopen en ze tussen de bladzijden van zijn wetboeken te verstoppen, als een beschamende schat. Hij was vele malen door de straat van de theesalon bij Union Square gelopen om haar van veraf te zien en deed voorzichtig navraag bij de koetsier die dagelijks de zoete waren voor zijn tante Paulina haalde, maar hij had nooit netjes naar Eliza Sommers toe durven gaan om haar te vragen of hij haar dochter mocht bezoeken. Elke directe handeling leek hem een onherstelbaar verraad aan Nívea, zijn lieve vriendin die hij al zijn hele leven kende; maar als hij Lynn toevallig tegenkwam was het iets anders, besloot hij, aangezien het in dat geval een smerige streek van het noodlot zou zijn en niemand hem verwijten zou kunnen maken. Hij had niet bedacht dat hij haar in het atelier van zijn neef Matías zou zien, onder zulke bizarre omstandigheden.

Lynn Sommers was het fortuinlijke product van gemengde rassen. Ze had Lin Chi'en moeten heten, maar haar ouders hadden besloten de namen van hun kinderen te verengelsen en hun de achternaam van de moeder, Sommers, te geven, om hun het bestaan in de Verenigde Staten, waar Chinezen als honden werden behandeld, gemakkelijker te maken. De oudste hadden ze Ebanizer genoemd, als eerbetoon aan een vroegere vriend van hun vader, maar ze zeiden Lucky tegen hem omdat hij het jongetje was met het meeste geluk dat men ooit in Chinatown gezien had. De jongere dochter, die zes jaar later geboren werd, noemden ze Lin als hommage aan haar vaders eerste vrouw, die vele jaren geleden in Hongkong was begraven, maar bij het inschrijven spelden ze haar naam in het Engels: Lynn. De eerste echtgenote van Tao Chi'en, wier naam aan het meisje was doorgegeven, was een broos vrouwtje geweest met piepkleine, ingebonden voetjes; ze werd aanbeden door haar echtgenoot maar stierf jong aan de tering. Eliza Sommers leerde leven met de hardnekkige herinnering aan Lin en beschouwde haar uiteindelijk als een extra lid van de familie, een soort onzichtbare beschermster die waakte over het welzijn van haar gezin. Twintig jaar geleden, toen ze ontdekte dat ze opnieuw zwanger was, had ze Lin gevraagd haar te helpen de zwangerschap uit te dragen, want ze had al verscheidene verliezen geleden en er was weinig hoop dat haar uitgeputte lichaam het kindje zou kunnen vasthouden. Zo vertelde ze het tegen Tao Chi'en, die elke keer zijn middelen als zhong yi in dienst van zijn vrouw gesteld had, naast het feit dat hij haar had meegenomen naar de beste specialisten in oosterse geneeskunde van Californië.

'Dit keer zal er een gezond meisje geboren worden,' verzekerde Eliza hem.

'Hoe weet je dat?' vroeg haar echtgenoot.

'Omdat ik het Lin gevraagd heb.'

Eliza geloofde altijd dat de eerste echtgenote haar gedurende de zwangerschap had bijgestaan, haar kracht had gegeven om haar dochter ter wereld te brengen en zich daarna als een toverfee over de wieg had gebogen om de baby het geschenk van de schoonheid aan te bieden. 'Ze zal Lin heten,' maakte de uitgeputte moeder bekend toen ze eindelijk haar dochter in haar armen had; maar Tao Chi'en schrok: het was geen goed idee haar de naam te geven van een vrouw die zo jong was gestorven. Uiteindelijk kwamen ze overeen de schrijfwijze te veranderen om het noodlot niet te tarten. 'Je spreekt het hetzelfde uit, dat is het enige wat telt,' besloot Eliza.

Van haar moeders kant had Lynn Sommers Engels en Chileens bloed, van haar vader had ze de genen van de lange Chinezen uit het noorden van China. De grootvader van Tao Chi'en, een eenvoudige genezer, had zijn mannelijke nakomelingen zijn kennis van medicinale planten en magische formules tegen verscheidene lichamelijke en geestelijke kwalen doorgegeven. Tao Chi'en, de laatste in die lijn, had de erfenis van zijn vader verrijkt door voor zhong yi te leren bij een wijze man uit Kanton en door middel van een aan de studie gewijd leven, niet alleen van de traditionele Chinese geneeskunde, maar van alles wat hem in handen kwam over de medische wetenschap uit het westen. Hij had in San Francisco een degelijke reputatie opgebouwd, hij werd geraadpleegd door Amerikaanse artsen en had verschillende rassen in zijn patiëntenbestand, maar ze gaven hem geen toestemming om in ziekenhuizen te werken en zijn praktijk werd beperkt tot de Chinese wijk, waar hij een groot huis kocht waarvan de eerste verdieping als kliniek diende en de tweede als woning. Zijn goede naam beschermde hem: niemand mengde zich in zijn werk met de sing song girls, zoals men in Chinatown de trieste slavinnen uit de sekshandel noemde, allemaal zeer jonge meisjes. Tao Chi'en had de taak op zich genomen er zo veel mogelijk uit de bordelen te redden. De *tongs* – bendes die binnen de Chinese gemeenschap de controle hadden, waakten en bescherming verkochten – wisten dat hij de kleine prostituees kocht om ze ver van Californië een nieuwe kans te bieden. Ze hadden hem een paar keer bedreigd, maar namen geen drastischer maatregelen omdat ieder van hen vroeg of laat de diensten van de beroemde zhong yi nodig kon hebben. Zolang Tao Chi'en niet naar de Amerikaanse autoriteiten zou stappen, zonder ophef te werk ging en de meisjes met het geduld van een werkmier een voor een redde, konden ze hem gedogen, want hij bracht de enorme winsten van de handel geen schade toe. De enige persoon die Tao Chi'en als een publiek gevaar behandelde, was Ah Toy, de meest succesvolle hoerenmadam in San Francisco, eigenares van verscheidene in Aziatische tienermeisjes gespecialiseerde salons. Zij importeerde alleen al honderden meisjes per jaar, voor de onverschillige ogen van de keurig omgekochte yankee-ambtenaren. Ah Toy haatte Tao Chi'en en, zo had ze vaak gezegd, ze stierf liever dan dat ze hem nog eens consulteerde. Ze had het slechts éénmaal gedaan, overmand door hoestbuien, maar bij die gelegenheid begrepen ze allebei, zonder dat het nodig was het woordelijk uit te spreken, dat ze voor immer aartsvijanden zouden zijn. Elke door Tao Chi'en geredde sing song girl was een splinter onder de nagel van Ah Toy, ook als het niet een van haar meisjes was. Dat was voor haar, net als voor hem, een kwestie van principes.

Tao Chi'en stond altijd voor dag en dauw op en liep dan de tuin in, waar hij zijn gevechtsoefeningen deed om het lichaam in vorm en de geest helder te houden. Meteen daarna mediteerde hij een halfuur en vervolgens maakte hij het vuur voor de theeketel aan. Hij wekte Eliza met een zoen en een kopje groene thee, die zij langzaam in bed opslurpte. Dat moment was voor hen allebei heilig: het kopje thee dat ze samen dronken bezegelde de nacht die ze in innige omhelzing hadden doorgebracht. Wat er achter de gesloten deur van hun kamer tussen hen gebeurde, compenseerde alle inspanningen van de dag. De liefde tussen hen beiden was als een aangename vriendschap begonnen, die subtiel was opgebouwd te midden van een woud aan obstakels, van de noodzaak elkaar in het Engels te begrijpen en over de culturele en raciale vooroordelen heen te stappen tot de jaren leeftijdsverschil. Ze woonden en werkten al meer dan drie jaar onder één dak voordat ze de onzichtbare grens die hen scheidde durfden te passeren. Eliza moest eerst duizenden mijlen in cirkels lopen op een eindeloze reis achter een denkbeeldige geliefde aan die haar steeds als een schaduw door de vingers glipte, onderweg haar verleden en onschuld in flarden achter zich laten en met haar obsessie geconfronteerd worden ten overstaan van het afgehakte, week geworden hoofd op gin van de legendarische bandiet Joaquín Murieta, om te begrijpen dat haar toekomst aan de zijde van Tao Chi'en lag. De zhong yi wist dat daarentegen veel eerder en wachtte op haar met de zwijgende vasthoudendheid die bij een gerijpte liefde hoort.

De nacht dat Eliza eindelijk de acht meter lange gang die haar kamer van die van Tao Chi'en scheidde door durfde te lopen, veranderden hun levens totaal, alsof met een bijlslag de wortels van het verleden waren afgehakt. Vanaf die vurige nacht bestond er niet de geringste mogelijkheid of verleiding om terug te krabbelen, alleen nog de uitdaging om een plekje te verwerven in een wereld die geen rassenvermenging tolereerde. Eliza kwam blootsvoets in haar nachthemd aanlopen, op de tast in het duister, en duwde de deur van Tao Chi'en open in de zekerheid dat die niet op slot zou zijn, want ze wist dat hij net zo naar haar verlangde als zij naar hem. Ondanks die overtuiging was ze echter bang voor de onherroepelijkheid van haar beslissing. Ze had lang getwijfeld om die stap te zetten, want de zhong yi was haar beschermer, haar vader, haar broer, haar beste vriend, haar enige familie in dat vreemde land. Ze was bang om alles te verliezen als ze zijn geliefde zou worden; maar ze stond al op de drempel en het verlangen hem aan te raken was sterker dan de sluwe argumenten van de rede. Ze ging de kamer binnen bij het licht van een kaars die op de tafel stond, zag hem in kleermakerszit op bed zitten, gekleed in een wijde kiel en een witte katoenen broek, wachtend op haar. Eliza kwam er niet toe zich af te vragen hoeveel nachten hij zo, gespitst op het geluid van haar voetstappen in de gang, zou hebben doorgebracht, want ze was verdwaasd door haar eigen durf, trillend van verlegenheid en voor wat er komen ging. Tao Chi'en gaf haar de tijd niet zich terug te trekken. Hij liep op haar toe, opende zijn armen voor haar, en zij liep blindelings naar voren tot ze op zijn borst stuitte, waar ze haar gezicht tegen verborg en de zo bekende geur van de man inademde, een zilte geur van zeewater, terwijl ze zich met twee handen vastgreep aan zijn kiel omdat haar knieën knikten en er een onbedwingbare stroom aan verontschuldigingen van haar lippen vloeide, die zich vermengde met de Chinese woorden van liefde die hij fluisterde. Ze voelde hoe de armen haar van de vloer tilden en haar voorzichtig op het bed legden, ze voelde de lauwe adem in haar hals en de handen die haar vasthielden; toen werd ze overweldigd door een onbedwingbare onrust en begon ze geschrokken en vol wroeging te rillen.

Sinds zijn echtgenote in Hongkong was gestorven, had Tao Chi'en af en toe troost gezocht bij haastige omhelzingen van betaalde vrouwen. Hij had meer dan zes jaar de liefde niet meer met liefde bedreven, maar hij liet zich niet opjagen. Hij had in gedachten al zo vaak het lichaam van Eliza afgetast en hij kende haar zo goed dat hij met een landkaart over haar zachte valleien en kleine heuvels leek te lopen. Zij dacht de liefde te hebben leren kennen in de armen van haar eerste geliefde, maar de intieme sfeer met Tao Chi'en toonde aan hoe groot haar onwetendheid was. De hartstocht die haar op haar zestiende het hoofd op hol had gebracht, waarvoor ze de halve wereld over was gegaan en verscheidene malen haar leven op het spel had gezet, was een luchtspiegeling geweest die haar nu absurd voorkwam; ze was destijds verliefd op de liefde geworden en had zich tevredengesteld met de kruimeltjes die ze kreeg van een man die meer geïnteresseerd was in weggaan dan in bij haar blijven. Ze had hem vier jaar lang gezocht, in de overtuiging dat de jonge idealist die ze in Chili had leren kennen in Californië was veranderd in een onwerkelijke bandiet met de naam Joaquín Murieta. Gedurende die tijd wachtte Tao Chi'en met zijn spreekwoordelijke kalmte op haar, in de zekerheid dat zij vroeg of laat de drempel die hen scheidde zou oversteken. Hij was bij haar toen ze het hoofd van Joaquín Murieta tentoonstelden als amusement voor de Amerikanen en als lesje voor de latino's. Hij dacht dat Eliza de aanblik van die weerzinwekkende trofee niet zou kunnen verdragen, maar zij ging voor de pot staan waarin de vermeende crimineel rustte en keek er onaangedaan naar, alsof het om een kool in inmaakazijn ging, totdat ze er absoluut zeker van was dat het niet de man was die zij jarenlang had gevolgd. Eigenlijk maakte het haar niet uit wat zijn identiteit was, want tijdens de lange reis in het voetspoor van een onmogelijke romance had Eliza iets verworven dat even waardevol was als de liefde: vrijheid. 'Ik ben eindelijk vrij,' was alles wat ze zei bij het zien van het hoofd. Tao Chi'en begreep dat ze zich eindelijk had bevrijd van haar vroegere geliefde, dat het haar om het even was of hij leefde of bij het zoeken naar goud in de glooiingen van de Sierra Nevada was gestorven; ze zou hoe dan ook niet meer naar hem zoeken, en als de man op een dag zou opduiken, zou zij in staat zijn hem in zijn ware hoedanigheid te zien. Tao Chi'en pakte haar hand en ze verlieten de sinistere expositie. Buiten ademden ze de frisse lucht in en begonnen rustig te lopen, klaar om een nieuwe fase van hun leven te beginnen.

De nacht waarop Eliza de kamer van Tao Chi'en binnenging, was heel anders dan de heimelijke en haastige omhelzingen met haar eerste geliefde in Chili. Die nacht ontdekte ze een aantal van de vele mogelijkheden om te genieten en werd ze ingewijd in de intimiteit van een liefde die voor de rest van haar leven de enige zou zijn. In alle kalmte ontdeed Tao Chi'en haar van lagen opgekropte angst en zinloze herinneringen, bleef haar onvermoeibaar strelen totdat ze ophield met trillen en haar ogen opende, totdat ze onder zijn wijze vingers ontspande, totdat hij haar voelde kronkelen, zich openen, opklaren; hij hoorde haar kreunen, hem roepen, hem smeken; hij zag dat ze vol overgave en vochtig was, bereid zich over te leveren en hem volledig in zich op te nemen; totdat geen van tweeën nog wist waar ze waren, wie ze waren, waar hij begon en zij eindigde. Tao Chi'en voerde haar voorbij het orgasme, naar een geheimzinnige dimensie waarin liefde en dood gelijk zijn. Ze voelden hoe hun geesten groeiden, hun verlangens en geheugen verdwenen, hoe ze opgingen in één grote onmetelijkheid van licht. Ze omhelsden elkaar in die buitengewone ruimte en herkenden elkaar, want misschien waren ze al samen geweest in vorige levens en zouden ze nog heel vaak samen zijn in toekomstige levens, zoals Tao Chi'en suggereerde. Ze waren eeuwige geliefden, elkaar telkens zoeken en weer vinden was hun karma, zei hij geëmotioneerd; maar Eliza antwoordde lachend dat het niets met het plechtige karma van doen had, maar gewoon zin om te neuken was, dat ze om de waarheid te vertellen al een paar jaar ontzettend veel zin had om het met hem te doen en hoopte dat Tao Chi'ens enthousiasme het vanaf nu niet zou laten afweten, want dit zou het belangrijkste in haar leven worden. Ze stoeiden die nacht en een flink deel van de volgende dag tot ze door honger en dorst gedwongen werden wankelend, beneveld en gelukkig de kamer uit te komen, zonder elkaars hand los te laten uit angst plotseling wakker te worden en te ontdekken dat ze in een waanvoorstelling hadden rondgedoold.

De hartstochtelijke band die ze sinds die nacht hadden en die ze met buitengewone zorg voedden, hield hen overeind en beschermde hen op de onvermijdelijke momenten van tegenspoed. Met de tijd kreeg die passie een plek in hun tederheid en goedlachsheid, de tweehonderdtweeëntwintig manieren om de liefde te bedrijven onderzochten ze niet meer omdat ze aan drie of vier genoeg hadden en ze elkaar niet meer hoefden te verrassen. Hoe beter ze elkaar leerden kennen, hoe leuker ze elkaar vonden. Sinds die eerste nacht sliepen ze in een strakke knoop, ademden ze dezelfde lucht in en droomden dezelfde dromen; hun leven was echter niet eenvoudig, ze waren bijna dertig jaar samen in een wereld waar geen plek was voor een stel als zij. In de loop der jaren werden die kleine blanke vrouw en die lange Chinees een vertrouwde verschijning in Chinatown, maar ze werden nooit helemaal geaccepteerd. Ze leerden om elkaar in het openbaar niet aan te raken, in het theater apart te gaan zitten en op een paar passen afstand van elkaar over straat te lopen. In bepaalde restaurants en hotels mochten ze niet samen naar binnen, en toen ze naar Engeland gingen, zij om haar adoptiemoeder, Rose Sommers, te bezoeken en hij om in de Hobbs-kliniek lezingen over acupunctuur te houden, kon dat niet in de eerste klas van het schip en mochten ze ook geen hut delen, hoewel zij 's nachts stiekem wegglipte om bij hem te slapen. Ze trouwden eenvoudig, volgens boeddhistisch ritueel, maar hun verbintenis had geen wettelijke geldigheid. Lucky en Lynn stonden ingeschreven als door de vader erkende onwettige kinderen. Tao Chi'en had het staatsburgerschap verworven na eindeloze formaliteiten en omkoperij, hij was een van de weinigen die erin geslaagd waren de *Chinese Exclusion Act* te ontduiken, nog zo'n discriminerende Californische wet. Zijn bewondering voor en trouw aan het tweede vaderland waren onvoorwaardelijk, zoals hij in de burgeroorlog had laten zien, toen hij het continent doorkruiste om zich als vrijwilliger aan het front aan te melden en tijdens het vier jaar durende conflict als assistent van de yankee-dokters werkte, maar hij voelde zich een echte buitenlander en had de wens dat zijn lichaam, ook al speelde zijn hele leven zich in Amerika af, in Hongkong begraven zou worden.

Het gezin van Eliza Sommers en Tao Chi'en woonde in een ruim en comfortabel huis, degelijker en van betere makelij dan de meeste in Chinatown. Om hen heen werd voornamelijk Kantonees gesproken, en alles, van het eten tot de kranten, was Chinees. Een paar straten verderop lag La Misión, de Spaanse wijk, waar Eliza Sommers vaak rondslenterde om Spaans te kunnen praten, maar haar dagen verstreken onder Amerikanen in de omgeving van Union Square, waar haar stijlvolle theesalon zich bevond. Van het begin af aan had zij met haar gebak bijgedragen in het onderhoud van het gezin, want een groot deel van Tao Chi'ens inkomsten kwam in vreemde handen terecht: wat niet opging aan het helpen van de arme Chinese dagloners in tijden van ziekte of tegenspoed, kon terechtkomen in de clandestiene veilingen van slavenmeisjes. Het redden van die kinderen uit een eerloos leven was een heilige missie geworden voor Tao Chi'en; zo zag Eliza dat ook van meet af aan, en ze accepteerde het als een van de karaktertrekken van haar man, nog een van de vele redenen waarom ze van hem hield. Ze had haar patisserie opgezet om hem niet lastig te vallen met vragen om geld; ze had onafhankelijkheid nodig om haar kinderen het beste Amerikaanse onderwijs te geven, want ze wilde dat ze volledig in de Verenigde Staten zouden integreren en konden leven zonder de aan Chinezen en Spaanstaligen opgelegde beperkingen. Met Lynn lukte dat, maar bij Lucky liepen haar plannen spaak, want de jongen was trots op zijn afkomst en was niet van plan uit Chinatown te vertrekken.

Lynn aanbad haar vader – het was onmogelijk níét van die zachtaardige, edelmoedige man te houden –, maar ze schaamde zich voor zijn ras. Ze besefte al zeer jong dat haar wijk de enige plek voor Chinezen was, in de rest van de stad werden ze verafschuwd. De favoriete sport van blanke jongens was 'hemelingen' met stenen bekogelen of hun vlecht afknippen nadat ze hen afgeranseld hadden. Net als haar moeder stond Lynn met één been in China en met het andere in de Verenigde Staten, ze spraken allebei alleen maar Engels en droegen hun haar en kleding volgens de Amerikaanse mode, hoewel ze binnenshuis meestal een zijden gewaad en broek droegen. Lynn had, behalve het lange lijf en de oriëntaalse ogen, maar weinig van haar vader en minder nog van haar moeder; niemand wist waar haar zeldzame schoonheid vandaan kwam. Ze lieten haar nooit op straat spelen, zoals haar broer Lucky deed, want in Chinatown leefden vrouwen en meisjes uit invloedrijke families in volkomen opsluiting. De weinige keren dat ze de wijk in ging, liep ze aan de hand van haar vader met haar blik naar de grond gericht, om de vrijwel geheel mannelijke menigte niet te provoceren. Ze trokken allebei de aandacht, zij vanwege haar schoonheid en hij omdat hij zich als een yankee kleedde. Tao Chi'en had al jaren niet meer de voor zijn volk typische vlecht, maar had kort, met brillantine naar achteren gekamd haar, droeg een smetteloos zwart pak, een overhemd met gesteven boord en een hoge hoed. Buiten Chinatown liep Lynn echter vrij rond, zoals ieder blank meisje. Ze werd opgeleid aan een presbyteriaanse school, waar ze de grondbeginselen van het christendom leerde; door deze samen te voegen met de boeddhistische gebruiken van haar vader raakte ze er uiteindelijk van overtuigd dat Christus de reïncarnatie van Boeddha was. Ze deed alleen boodschappen, ging alleen naar pianoles en bij haar schoolvriendinnen op bezoek, en 's middags ging ze in de theesalon van haar moeder zitten, waar ze haar huiswerk maakte en zich amuseerde met het herlezen van de romantische boekjes die ze voor tien cent kocht of van haar grootmoeder Rose uit Londen toegestuurd kreeg. Eliza's inspanningen om haar te interesseren voor koken of welke andere huishoudelijke bezigheden ook, waren vergeefs: haar dochter leek niet gemaakt voor het werk van alledag.

Toen ze volwassen werd, behield Lynn haar zonderlinge engelengezicht en haar lichaam kreeg overal verontrustende rondingen. Er waren jarenlang zonder grote gevolgen foto's van haar in omloop geweest, maar alles veranderde toen op haar vijftiende haar lichaam definitief vorm kreeg en ze zich bewust werd van de verwoestende aantrekkingskracht die ze uitoefende op mannen. Haar moeder, die doodsbang was voor de gevolgen van deze enorme macht, probeerde de verleidingsdrang van haar dochter in te dammen door te hameren op normen van bescheidenheid en haar te leren lopen als een soldaat, zonder de schouders en de heupen te bewegen, maar het was allemaal tevergeefs: mannen van alle leeftijden, rassen en standen buitelden over elkaar heen om haar te bewonderen. Toen ze de voordelen van haar schoonheid inzag, hield Lynn op haar te verwensen, zoals ze had gedaan toen ze jong was, en ze besloot voor een korte tijd kunstenaarsmodel te worden, totdat er een prins op zijn gevleugelde paard zou komen om haar naar het huwelijkse geluk te leiden. Haar ouders hadden tijdens haar jeugd de foto's met sprookjesachtige taferelen en schommels toegestaan als een onschuldige gril, maar ze beschouwden het als een enorm risico dat ze met haar nieuwe, vrouwelijke uiterlijk voor de camera's zou pronken. 'Dat poseren is geen fatsoenlijk beroep, maar puur verderf,' stelde Eliza bedroefd vast, want ze zag in dat ze haar dochter niet van haar fantasieën kon afbrengen of haar tegen de valkuil van de schoonheid kon beschermen. Ze legde haar ongerustheid aan Tao Chi'en voor op een van die volmaakte momenten waarop ze uitrustten na het bedrijven van de liefde, en hij maakte haar duidelijk dat iedereen zijn karma heeft, dat andermans leven niet te sturen is, men kan alleen nu en dan de koers van het eigen leven bijstellen; maar Eliza was niet van plan zich door het ongeluk te laten verrassen. Ze was altijd met Lynn meegegaan wanneer ze poseerde voor de fotografen om op te letten of het fatsoenlijk ging – geen ontblote kuiten onder artistieke voorwendselen – en nu het meisje zeventien jaar was, was ze bereid haar inspanning te verdubbelen.

'Er is een schilder die achter Lynn aan zit. Hij wil haar laten poseren voor een schilderij over Salome,' zei ze op een dag tegen haar man.

'Over wie?' vroeg Tao Chi'en, die nauwelijks opkeek uit de medische encyclopedie.

'Salome, die met de zeven sluiers, Tao. Lees de bijbel eens.'

'Als het uit de bijbel komt, moet het goed zijn, neem ik aan,' mompelde hij afwezig.

'Weet je hoe de mode was in de tijd van Johannes de Doper? Als ik niet oplet, schilderen ze je dochter met blote borsten!'

'Let maar goed op dan,' glimlachte Tao, terwijl hij zijn

vrouw om haar middel pakte, haar boven op het enorme boek zette dat hij op zijn knieën had liggen en haar waarschuwde zich niet bang te laten maken door de listen van de verbeelding.

'Ach, Tao! Wat moeten we toch met Lynn?'

'Niets, Eliza, ze trouwt nog wel en dan geeft ze ons kleinkinderen.'

'Ze is nog een kind!'

'In China zou ze te oud zijn om een vriendje te vinden.'

'We zijn hier in Amerika en ze zal niet met een Chinees trouwen,' stelde ze.

'Waarom niet? Hou je niet van Chinezen?' grapte de zhong yi.

'Er is geen andere man zoals jij op deze wereld, maar ik denk dat Lynn met een blanke zal trouwen.'

'Amerikanen weten niet hoe ze de liefde moeten bedrijven, naar ze me vertellen.'

'Misschien kun jij het ze leren,' bloosde Eliza met haar neus in de hals van haar man.

Lynn poseerde voor het schilderij van Salome met een zijden, vleeskleurige maillot onder de sluiers, onder de onvermoeibare blik van haar moeder, maar Eliza moest haar vastberaden opstelling laten varen toen haar dochter de geweldige eer geboden kreeg om model te staan voor het standbeeld van De Republiek, dat midden op Union Square zou worden opgericht. De campagne om fondsen te werven had maanden geduurd, mensen droegen bij wat ze konden, scholieren een paar centen, weduwen een paar dollar en magnaten als Feliciano Rodríguez de Santa Cruz vette cheques. De kranten publiceerden dagelijks het bedrag dat de dag ervoor bereikt was, totdat er voldoende bijeengebracht was om een speciaal voor dat ambitieuze project uit Philadelphia gehaalde, beroemde beeldhouwer de opdracht voor het monument te geven. De meest vooraanstaande families uit de stad wedijverden in feesten en dansavonden om de kunstenaar de gelegenheid te geven hun dochters uit te kiezen; men wist inmiddels dat het model voor De Republiek het symbool van San Francisco zou worden, en alle jonge vrouwen dongen naar een dergelijke eer. De beeldhouwer, een moderne man met gewaagde ideeën, zocht wekenlang naar het ideale meisje, maar er was er geen dat hem beviel. Voor het uitbeelden van de bloeiende Amerikaanse natie, bestaande uit dappere immigranten die uit alle windstreken gekomen waren, wilde hij iemand van gemengd ras, verklaarde hij. De financiers van het project en de autoriteiten van de stad schrokken zich wild; blanken konden zich niet voorstellen dat mensen met een andere huidskleur helemaal menselijk waren, en niemand wilde ervan horen dat een mulattin hoog op de obelisk van Union Square de stad zou aanvoeren, zoals de bedoeling van die man was. Californië liep voorop als het om kunst ging, zo waren de kranten van mening, maar dat met de mulattin was te veel gevraagd. De beeldhouwer stond op het punt te zwichten voor de pressie en te kiezen voor een Deense afstammelinge, toen hij bij toeval de patisserie van Eliza Sommers binnenliep om zich te troosten met een chocolade-eclair en Lynn zag. Ze was de vrouw naar wie hij zo gezocht had voor zijn standbeeld: ze was lang, welgevormd, had een volgroeid figuur; ze had niet alleen de waardigheid van een keizerin en een gelaat met klassieke trekken, maar ook het exotische stempel dat hij wilde hebben. Ze had iets wat meer was dan harmonie, iets unieks, een mix van oost en west, van sensualiteit en onschuld, kracht en breekbaarheid, waarvoor hij viel als een blok. Toen hij de moeder ervan op de hoogte stelde dat hij haar dochter als model had gekozen, in de overtuiging dat hij dat eenvoudige banketbakkersgezin een enorme eer bewees, werd hij met een hardnekkige weerstand geconfronteerd. Eliza Sommers was het beu haar tijd te verdoen met het in de gaten houden van Lynn in de ateliers van fotografen die alleen maar met de vinger een knopje hoefden in te drukken. Bij de gedachte haar tijd te verliezen bij dat mannetje dat een bronzen standbeeld van enkele meters hoog wilde maken, werd ze al moe; Lynn was echter zo trots bij het vooruitzicht dat ze De Republiek zou zijn dat ze het niet over haar hart kon verkrijgen om te weigeren. De beeldhouwer had er een zware dobber aan om de moeder ervan te overtuigen dat een kort gewaad in dit geval het juiste kledingstuk zou zijn – zij zag namelijk het verband niet tussen de Noord-Amerikaanse Republiek en de kledij van de Grieken –, maar uiteindelijk kwamen ze overeen dat Lynn met ontblote armen en benen, maar met bedekte borsten, zou poseren.

Verloren in haar wereld van romantische fantasieën, was Lynn zich totaal niet bewust van haar moeders zorgen om haar kuisheid te bewaren. Afgezien van haar verontrustende lichamelijke verschijning onderscheidde ze zich nergens in; ze was een doodnormaal meisje, dat verzen overschreef in schriften met roze papier en porseleinen beeldjes verzamelde. Haar traagheid was geen elegantie, maar luiheid, en haar melancholie was geen mysterie, maar leegheid. 'Laat haar toch met rust, zolang ik leef, zal Lynn niets tekortkomen,' had Lucky vele malen beloofd, want hij was de enige die donders goed in de gaten had hoe dom zijn zus was.

Lucky, die een paar jaar ouder was dan Lynn, was een echte Chinees. Behalve de keren dat hij iets officieels moest afhandelen of een foto moest laten maken, ging hij gekleed in een wijde kiel, loszittende broek, met een sjerp om zijn middel en schoentjes met houten zool, maar altijd met een cowboyhoed op. Hij had niets van de gedistingeerde houding van zijn vader, de broosheid van zijn moeder of de schoonheid van zijn zuster; hij was klein, had korte beentjes, een vierkant hoofd en een groenige huid, maar toch was hij aantrekkelijk door zijn onweerstaanbare glimlach en zijn aanstekelijke optimisme, dat voortkwam uit de zekerheid dat hij door het geluk getekend was. Er kon hem niets slechts overkomen, dacht hij, geluk en voorspoed had hij bij zijn geboorte meegekregen. Hij had die gave op negenjarige leeftijd ontdekt, toen hij op straat *fan tan* speelde met andere jongens; die dag kwam hij thuis met de mededeling dat hij van nu af Lucky zou heten – in plaats van Ebanizer – en hij reageerde niet meer als iemand hem anders noemde. Het geluk achtervolgde hem overal, hij won in alle kansspelen die er bestonden, en hoewel hij een oproerkraaier en een waaghals was, had hij nooit problemen met de tongs of de blanke autoriteiten. Zelfs de Ierse politieagenten zwichtten voor zijn sympathieke uitstraling, en terwijl zijn maten stokslagen kregen, werkte hij zich uit de nesten met een grap of een van de vele goocheltrucs die hij met zijn wonderlijke jongleurshanden kon doen. Tao Chi'en legde zich niet neer bij het feit dat zijn enige zoon zo'n leeghoofd was en vervloekte het gunstige gesternte waardoor hij de inspanningen van doodgewone stervelingen niet hoefde te leveren. Hij wenste hem geen geluk, maar transcendentie toe. Het benauwde Tao hem door de wereld te zien fladderen als een blij vogeltje, want met die houding zou hij zijn karma schade toebrengen. Hij geloofde dat de ziel naar de hemel gaat door mededogen en lijden, door waardig en edelmoedig obstakels te overwinnen, maar als Lucky's weg altijd makkelijk was, hoe moest hij dan boven zichzelf uitstijgen? Hij was bang dat hij in de toekomst als ongedierte zou reïncarneren. Tao Chi'en wilde dat zijn eerstgeborene, die hem op zijn oude dag moest ondersteunen en na zijn dood zijn nagedachtenis in ere moesten houden, de nobele familietraditie van het genezen zou voortzetten, hij droomde er zelfs van hem als de eerste gediplomeerde Chinees-Amerikaanse arts te zien; maar Lucky gruwde van de stinkende drankjes en de acupunctuurnaalden, hij had nergens zo'n afkeer van als van andermans ziekten en kon zich niets voorstellen bij het genot dat zijn vader beleefde aan een ontstoken blaas of een gezicht vol etterpuisten. Tot hij zestien werd en de straat op ging, had hij Tao Chi'en moeten helpen in de praktijk, waar deze er bij hem de namen van de geneesmiddelen en hun toepassingen instampte en probeerde hem de ondefinieerbare kunst van het opnemen van de hartslag, het in balans brengen van de energieën en het identificeren van de lichaamsvochten bij te brengen, fijnzinnige zaken die bij de jongen het ene oor in en het andere oor uit gingen, maar hem tenminste geen trauma bezorgden, zoals de wetenschappelijke teksten over oosterse geneeskunde die zijn vader ijverig bestudeerde. Hij gruwde van de illustraties van lichamen zonder huid, met blootliggende spieren, aderen en botten –

maar wel in onderbroek – alsook van de chirurgische ingrepen die met de meest afgrijselijke details werden beschreven. Hij had smoezen genoeg om bij de praktijk uit de buurt te blijven, maar hij was altijd beschikbaar wanneer er een schuilplaats gezocht moest worden voor een van de miserabele sing song girls die zijn vader vaak mee naar huis nam. Die geheime en gevaarlijke activiteit was hem op het lijf geschreven. Niemand beter dan hij om de verzwakte meisjes onder de neus van de tongs weg te voeren, niemand handiger om ze uit wijk te loodsen zodra ze enigszins waren hersteld, niemand vindingrijker om ze voorgoed her en der in vrijheid te laten verdwijnen. Hij deed dat niet omdat hij overspoeld werd door medelijden, zoals Tao Chi'en, maar voor de kick met het gevaar te spelen en zijn geluk op de proef te stellen.

Voordat ze de leeftijd van negentien jaar had bereikt, had Lynn Sommers al verscheidene pretendenten afgewezen en was ze gewend geraakt aan het mannelijke eerbetoon, dat ze met de hooghartigheid van een koningin in ontvangst nam, want geen van haar bewonderaars paste in haar beeld van de romantische prins, geen van hen sprak de woorden die haar tante Rose Sommers in haar boekjes schreef; ze vond ze allemaal gewoontjes, haar onwaardig. Ze dacht de sublieme toekomst waarop ze recht had gevonden te hebben toen ze de enige man leerde kennen die haar geen blik waardig gunde, Matías Rodríguez de Santa Cruz. Ze had hem een paar keer van veraf gezien, op straat of in de koets met Paulina del Valle, maar ze hadden geen woord gewisseld; hij was behoorlijk wat ouder en verkeerde in kringen waar Lynn geen toegang toe had, en als het standbeeld van De Republiek er niet was gekomen, hadden ze elkaar misschien wel nooit ontmoet.

Onder het voorwendsel toezicht te houden op het project, spraken politici en magnaten die bijdroegen in de financiering van het standbeeld met elkaar af in het atelier van de beeldhouwer. De kunstenaar hield van roem en het goede leven; onder het werken genoot hij, ogenschijnlijk verdiept in het voetstuk van de gietvorm voor het brons, van het stoere mannelijke gezelschap, de flessen champagne, de verse oesters en de goede sigaren die het bezoek meebracht. Op een verhoging waarop via een dakvenster natuurlijk licht viel, stond Lynn op haar tenen met haar armen in de hoogte te balanceren in een pose die onmogelijk langer dan een paar minuten was vol te houden, met een lauwerkrans in de ene en een perkament met de grondwet in de andere hand, gekleed in een luchtig, geplooid gewaad dat van één schouder tot haar knieën hing en haar lichaam evenzeer ontblootte als bedekte. San Francisco was een goede markt voor vrouwelijk naakt; in alle bars werden schilderijen van niets verhullende odalisken, foto's van courtisanes met blote billen en gipsen fresco's met door onvermoeibare saters achternagezeten nimfen tentoongesteld; een geheel naakt model had minder nieuwsgierigheid gewekt dan dat meisje dat weigerde haar kleding uit te trekken en nooit onder het waakzame oog van haar moeder vandaan kwam. Eliza Sommers, die donker gekleed was en stokstijf op een stoel zat naast de verhoging waarop haar dochter poseerde, hield toezicht zonder de oesters of de champagne aan te nemen waarmee ze haar probeerden af te leiden. Die ouwe kerels kwamen uit wellust, niet uit liefde voor de kunst, dat was zo duidelijk als wat. Ze had de macht niet om hun aanwezigheid te verhinderen, maar ze kon er tenminste zeker van zijn dat haar dochter niet op uitnodigingen zou ingaan en, voor zover mogelijk, niet om de grapjes zou lachen of op de stomme vragen zou antwoorden. 'In deze wereld krijg je niets voor niets. Voor die prullen zul je een zeer hoge prijs moeten betalen,' waarschuwde ze het meisje wanneer ze zat te mokken als ze zich gedwongen zag een cadeautje af te slaan. Het poseren voor het standbeeld bleek een eindeloos en eentonig proces, waarvan Lynn kramp in haar benen kreeg en waardoor ze verstijfde van de kou. Het waren de eerste dagen van januari en de kachels in de hoeken kregen die aan alle kanten tochtende ruimte met hoge plafonds niet warm. De beeldhouwer werkte met een jas aan en met een gekmakende traagheid, vernietigde vandaag wat hij gisteren gemaakt had alsof hij ondanks de honderden op de muren geplakte schetsen van De Republiek geen afgerond idee had.

Op een rampzalige dinsdag kwam Feliciano Rodríguez de Santa Cruz met zijn zoon Matías binnen. Feliciano had het nieuws over het exotische model gehoord en wilde haar leren kennen voordat het monument op het plein zou worden opgericht, haar naam in de krant zou komen en het meisje een onneembare prooi zou worden, in het hypothetische geval dat het monument daadwerkelijk onthuld zou gaan worden. In het tempo waarin het ging, zou het heel goed kunnen gebeuren dat voordat het beeld in brons gegoten werd, de tegenstanders van het project de strijd zouden winnen en alles op niets zou uitdraaien; velen waren het oneens met het idee van een niet-Angelsaksische Republiek. Feliciano's oude bedriegershart klopte nog altijd harder wanneer hij een verovering rook, daarom was hij daar. Hij was over de zestig, maar het feit dat het model nog geen twintig was leek hem geen onoverkomelijk obstakel; hij was ervan overtuigd dat er maar weinig níet met geld te koop was. Hij had maar heel even nodig om de situatie in te schatten toen hij Lynn, zo jong en kwetsbaar, rillend onder het onbetamelijke jurkje op de verhoging zag staan met het atelier vol kerels die haar wilden verslinden; het was evenwel geen medelijden met het meisje of angst voor de concurrentie tussen menseneters waardoor zijn eerste impuls om haar te versieren werd onderdrukt, maar Eliza Sommers. Hij herkende haar meteen, hoewel hij haar slechts een paar keer gezien had. Hij had niet verwacht dat het model waarover hij zoveel had horen vertellen, de dochter van een vriendin van zijn vrouw was.

Lynn Sommers werd de aanwezigheid van Matías pas een halfuur later gewaar, toen de beeldhouwer de sessie als beëindigd beschouwde en zij de lauwerkrans en het perkament kon wegleggen en van de verhoging af kon komen. Haar moeder legde een deken over haar schouders en bracht haar een kop chocolademelk, terwijl ze haar meevoerde naar achter het kamerscherm, waar ze zich moest omkleden. Matías stond in zichzelf gekeerd voor het raam naar de straat te kijken; zijn ogen waren de enige die op dat moment niet op haar gevestigd waren. Lynn merkte meteen de mannelijke schoonheid, de jeugdigheid en de goede afkomst van die man op, zijn verfijnde kleding, zijn hooghartige houding, de donkerblonde haarlok die geraffineerd slordig over zijn voorhoofd viel, de perfecte handen met gouden ringen aan de pinken. Verbaasd dat ze zo werd genegeerd, deed ze om de aandacht te trekken alsof ze struikelde. Verscheidene handen schoten te hulp om haar op te vangen, behalve die van de dandy bij het raam, die nauwelijks zijn blik langs haar liet glijden, totaal onverschillig, alsof zij onderdeel was van het meubilair. En toen besloot Lynn, met een op hol geslagen verbeelding, zonder ook maar een reden te hebben om zich aan vast te klampen, dat hij de knappe man was die al jarenlang in de damesromans was aangekondigd: eindelijk had ze haar bestemming gevonden. Terwijl ze zich achter het kamerscherm aankleedde, waren haar tepels hard als steentjes.

Matías' onverschilligheid was niet gespeeld, hij had de jonge vrouw echt niet opgemerkt, hij was daar om heel andere redenen dan wellust: hij moest met zijn vader over geld praten en had geen andere gelegenheid gevonden om dat te doen. Het water stond hem tot de lippen en hij had onmiddellijk een cheque nodig om zijn schulden in een speelhol in Chinatown af te lossen. Zijn vader had hem gewaarschuwd dat hij niet van plan was dergelijk vertier te blijven financieren, en als het niet een zaak van leven of dood geweest was, zoals zijn schuldeisers hem duidelijk te kennen hadden gegeven, had hij er wel voor gezorgd dat hij beetje bij beetje het hoognodige van zijn moeder kon aftroggelen. Dit keer waren de 'hemelingen' echter niet van plan te wachten en Matías dacht terecht dat zijn vader door het bezoek aan de beeldhouwer in een goed humeur zou zijn en het makkelijk zou zijn van hem te krijgen wat hij wilde. Pas enkele dagen later kwam hij er tijdens een braspartij met zijn losbollige vrienden achter dat hij bij Lynn Sommers was geweest, de meest begeerde vrouw van het moment. Hij moest moeite doen zich haar te herinneren en vroeg zich zelfs af of hij in staat zou zijn haar te herkennen als hij haar op straat zou zien. Toen er weddenschappen kwamen over wie haar het eerst zou verleiden, deed hij mee uit lusteloosheid en kondigde vervolgens met zijn gebruikelijke onbeschaamdheid aan dat hij dat in drie stappen zou doen. De eerste, zei hij, was voor elkaar krijgen dat zij alleen naar de garçonnière zou komen om haar aan zijn makkers voor te stellen; de tweede zou zijn haar overhalen om naakt voor hen te poseren, en de derde de liefde met haar bedrijven – dat alles binnen de termijn van een maand. Toen hij zijn neef Severo del Valle uitnodigde om op woensdagmiddag de mooiste vrouw van San Francisco te leren kennen, was hij bezig het eerste gedeelte van de weddenschap na te komen. Het was makkelijk geweest Lynn met een discreet gebaar voor het raam van de theesalon van haar moeder te wenken, op de hoek op haar te wachten toen ze met een smoes naar buiten kwam, een paar straten met haar op te lopen, haar een paar complimentjes te geven die bij een vrouw met meer ervaring hilariteit hadden gewekt, en nadrukkelijk met haar alleen in zijn atelier af te spreken. Hij was teleurgesteld omdat hij een interessantere uitdaging had verwacht. Vóór de afspraak op woensdag hoefde hij niet eens veel moeite te doen om haar te verleiden: een paar lome blikken, zijn lippen die haar wang beroerden, een beetje blazen en wat overbekende zinnen in haar oor waren genoeg om het meisje, dat beefde in zijn bijzijn, klaar voor de liefde, te ontwapenen. Matías vond dat vrouwelijke verlangen zich over te geven en te lijden pathetisch, het was precies waar hij bij vrouwen de grootste hekel aan had, daarom kon hij zo goed overweg met Amanda Lowell, die dezelfde houding van schaamteloosheid tegenover gevoelens en van eerbied tegenover lust had als hij. Lynn, die gehypnotiseerd was als een muis door een cobra, had eindelijk iemand aan wie ze de bloemrijke kunst van de minnebriefjes en haar prentjes van dromerige maagden en knappe mannen met brillantinehaar kon richten. Ze had er geen vermoeden van dat Matías die romantische missives deelde met zijn fijne vrienden. Toen Matías ze aan Severo del Valle wilde laten zien, weigerde deze. Hij wist nog niet dat ze gestuurd waren door Lynn Sommers, maar het idee te spotten met de verliefdheid van een naïeve jonge vrouw stuitte hem tegen de borst. 'Zo te zien ben je nog altijd een heer, beste neef, maar maak je maar geen zorgen, dat gaat net zo makkelijk over als maagdelijkheid,' zei Matías.

Severo del Valle ging die gedenkwaardige woensdag op de uitnodiging van zijn neef in om de mooiste vrouw van San Francisco te zien, zoals die hem verteld had, en kwam voor de onaangename verrassing te staan dat hij niet als enige voor de gelegenheid was opgetrommeld; er was minstens een half dozijn drinkende en rokende bohémiens in de garçonnière, en dezelfde roodharige vrouw die hij zo'n twee jaar geleden een paar seconden had gezien toen Williams Matías in een opiumkit ging redden. Hij wist wie ze was, want zijn neef had hem over haar verteld en haar naam ging rond in het wereldje van de lichtzinnige shows en het nachtleven. Het was Amanda Lowell, een zeer goede vriendin van Matías, met wie hij in koor lachte om het schandaal dat ze veroorzaakt had in de tijd dat ze de minnares van Feliciano Rodríguez de Santa Cruz was geweest. Matías had haar beloofd haar na de dood van zijn ouders het Neptunusbed te schenken dat Paulina del Valle uit rancune uit Florence had laten komen. Van La Lowells liederlijke roeping was weinig meer over – naarmate ze ouder werd, ontdekte ze hoe zelfingenomen en saai de meeste mannen zijn –, maar met Matías had ze ondanks hun wezenlijke verschillen een diepgaande verwantschap. Die woensdag hield ze zich afzijdig, terwijl ze op de sofa champagne lag te drinken, want ze was zich ervan bewust dat zij eens niet het middelpunt van de aandacht was. Ze was uitgenodigd zodat Lynn bij de eerste afspraak niet in haar eentje tussen de mannen zou zijn, want dan zou ze misschien terugschrikken.

Na een paar minuten werd er op de deur geklopt en kwam het beroemde model voor De Republiek binnen, gewikkeld in een dikke wollen cape met een capuchon over haar hoofd. Toen ze de mantel uittrok zagen ze een maagdelijk gezicht, omlijst door zwart haar, in het midden gescheiden en in een eenvoudig knotje naar achteren gekamd. Severo del Valle voelde zijn hart opspringen en al het bloed naar zijn hoofd stromen, dat als een legertrom tegen zijn slapen dreunde. Hij had nooit gedacht dat het slachtoffer van de weddenschap van zijn neef Lynn Sommers zou zijn. Hij kon geen woord uitbrengen, haar niet eens gedag zeggen, zoals de rest deed; hij trok zich terug in een hoek en bleef daar staan gedurende het uur dat het bezoek van het meisje duurde, met zijn blik strak op haar gericht, verlamd van schrik. Het leed voor hem geen twijfel wat de uitkomst van de weddenschap onder die groep mannen zou zijn. Hij zag Lynn Sommers als een lam op de offersteen, onwetend van haar lot. Een golf van haat jegens Matías en zijn volgelingen kwam vanuit zijn tenen naar boven, vermengd met een ingehouden woede jegens Lynn. Hij kon niet bevatten dat het meisje niet doorhad wat er gaande was, dat ze het bedrieglijke van die dubbelzinnige vleierijen, het glas champagne dat ze maar bleven bijvullen, de perfecte rode roos die Matías in haar haar stak, niet zag; het was allemaal zo voorspelbaar en banaal dat je er misselijk van werd. Ze moet echt ongeneeslijk dom zijn, dacht hij, net zozeer walgend van haar als van de rest, maar overmand door een onafwendbare liefde die jarenlang op de gelegenheid had gewacht om te ontluiken en nu openbarstte, hem overdonderde.

'Is er iets, neef?' vroeg Matías spottend, terwijl hij hem een glas aanreikte.

Hij kon niet antwoorden en moest zijn gezicht afwenden om niet te laten zien dat hij hem wel kon vermoorden, maar de ander had zijn gevoelens geraden en wilde de grap verder doorvoeren. Toen Lynn Sommers zei dat ze moest gaan, nadat ze beloofd had de volgende week terug te komen om voor de camera's van die 'kunstenaars' te poseren, vroeg Matías zijn neef haar te begeleiden. En zo kwam het dat Severo del Valle ineens alleen was met de vrouw die de halsstarrige liefde voor Nívea op een laag pitje had kunnen houden. Hij liep met Lynn de weinige straten tussen het atelier van Matías en de theesalon van Eliza Sommers door, zo erg van slag dat hij niet eens wist hoe hij een simpel gesprekje moest beginnen. Het was te laat om haar over de weddenschap te vertellen, hij wist dat Lynn net zo gruwelijk blind verliefd was op Matías als hij op haar. Ze zou hem niet geloven, ze zou zich beledigd voelen en zou, al zou hij haar uitleggen dat ze voor Matías nauwelijks meer dan een speeltje was, evengoed rechtstreeks naar de slachtbank gaan, blind van liefde. Zij was degene die de ongemakkelijke stilte verbrak om hem te vragen of hij de Chileense neef was over wie Matías het had gehad. Severo begreep zeer goed dat dat meisje niet de geringste herinnering had aan de eerste ontmoeting jaren geleden, toen zij bij het licht van de gebrandschilderde ramen plaatjes in een album had zitten plakken, ze wist niet dat hij sindsdien met de volharding van de eerste liefde van haar hield, en evenmin was het haar opgevallen dat hij bij de patisserie rondhing en haar vaak passeerde op straat. Haar ogen hadden hem eenvoudigweg niet geregistreerd. Bij het afscheid gaf hij haar zijn visitekaartje, maakte een buiging om haar hand te kussen en stamelde dat ze, als ze hem ooit nodig mocht hebben, alsjeblieft niet moest aarzelen om bij hem aan te kloppen. Vanaf die dag ontweek hij Matías en stortte zich op zijn studie en het werk om de gedachte aan Lynn Sommers en de vernederende weddenschap van zich af te zetten. Toen zijn neef hem de volgende woensdag voor de tweede bijeenkomst uitnodigde, waarbij ze naar verwachting haar kleren uit zou trekken, schold hij hem uit. Een paar weken lang kreeg hij geen regel op papier voor Nívea en kon hij evenmin haar brieven lezen, die hij ongeopend bewaarde, alsof hij ook deelhad in de stoerdoenerij om Lynn Sommers te onteren.

Matías Rodríguez de Santa Cruz won de weddenschap zonder moeite, maar onderweg liet zijn cynisme hem in de steek en zag hij zich ongewild gevangen in datgene waar hij op deze wereld het bangst voor was: sentimenteel gedoe. Hij werd niet verliefd op de mooie Lynn, maar de onvoorwaardelijke liefde en de onschuld waarmee zij zich overleverde, ontroerden hem. Het meisje legde een volledig vertrouwen in zijn handen, was bereid om te doen wat hij van haar vroeg, zonder zich af te vragen wat zijn bedoelingen waren of de consequenties te overzien. Matías kon de absolute macht die hij over haar uitoefende pas volledig bevatten toen hij haar naakt op zijn zolderkamer zag en zij blozend van ontsteltenis haar schaamstreek en borsten met haar armen bedekte, midden in de kring van zijn kornuiten, die deden alsof ze haar fotografeerden zonder de hondse geilheid te verbergen die deze meedogenloze rotstreek bij hen opwekte. Lynns lichaam had niet de zandlopervorm die destijds zo in de mode was, geen weelderige heupen en borsten die door een onmogelijke taille gescheiden werden; ze was slank en welvend, had lange benen en ronde borsten met donkere tepels, haar huid had de kleur van zomerfruit en een mantel van sluik, zwart haar viel tot halverwege haar rug. Matías bewonderde haar als een van de vele kunstvoorwerpen die hij verzamelde, hij vond haar subliem, maar hij stelde tevreden vast dat ze geen enkele aantrekkingskracht op hem uitoefende. Zonder aan haar te denken, alleen om op te scheppen tegenover zijn vrienden en als proeve van wreedheid, gebaarde hij haar haar armen te spreiden. Lynn keek hem een paar seconden aan en gehoorzaamde vervolgens traag, terwijl tranen van schaamte over haar wangen liepen. Bij het zien van dit onverwachte huilen wendden de mannen hun blikken af en bleven gedurende een moment dat eeuwig leek te duren met de camera's in de hand staan wachten, niet wetend wat te doen. Toen pakte Matías, voor het eerst in zijn leven in verlegenheid gebracht, een jas en bedekte Lynn hiermee terwijl hij haar omarmde. 'Wegwezen! Het is afgelopen,' gebood hij zijn gasten, die een voor een onthutst afdropen.

Eenmaal met haar alleen zette Matías haar op zijn knieën en begon haar als een kind te wiegen, haar in gedachten om vergeving vragend, maar niet in staat de woorden te formuleren, terwijl het meisje zwijgend bleef huilen. Ten slotte voerde hij haar zachtmoedig naar het bed achter het kamerscherm en ging er met haar op liggen terwijl hij haar omhelsde als een broer, haar hoofd streelde, haar voorhoofd kuste, in de war gebracht door een onbekend, almachtig gevoel dat hij niet kon benoemen. Hij verlangde niet naar haar, hij wilde haar slechts beschermen en haar haar onschuld ongeschonden teruggeven, maar de onmogelijke zachtheid van Lynns huid, het warrelende haar dat over hem heen viel en haar appelgeur deden hem bezwijken. Hij werd verrast door de overgave zonder reserves van dat huwbare lichaam dat openging bij de aanraking van zijn handen, en zonder te weten hoe het kwam, was hij haar ineens aan het verkennen, aan het kussen met een begeerte die geen enkele vrouw ooit eerder in hem had opgewekt, en stak hij zijn tong in haar mond, oren, overal, overweldigde hij haar, drong bij haar binnen in een maalstroom van onhoudbare passie, bereed haar genadeloos, blind, op hol geslagen, totdat hij met een verwoestend orgasme in haar tot uitbarsting kwam. Heel even waren ze in een andere dimensie, weerloos, lichamelijk en geestelijk naakt. Matías kreeg de openbaring van een intimiteit die hij tot dan toe had gemeden zonder ook maar te weten dat die bestond, hij ging een laatste grens over en bevond zich aan de andere kant, beroofd van zijn wil. Hij had meer geliefdes gehad – vrouwen en mannen – dan goed was om zich te herinneren, maar nooit had hij zo de controle, de ironie, de afstand, de notie van zijn eigen onaantastbare individualiteit verloren, gewoonweg om met een ander mens samen te smelten. Op een bepaalde manier gaf hij bij dat samenzijn evenzeer zijn maagdelijkheid prijs. De reis duurde nauwelijks een duizendste fractie van een seconde, maar dat was genoeg om hem doodsbang te maken; hij keerde terug in zijn uitgeputte lichaam en verschanste zich direct weer in het pantser van zijn gebruikelijke sarcasme. Toen Lynn haar ogen opende, was hij niet meer de man met wie ze de liefde had bedreven, maar die van voorheen; zij had echter niet de ervaring om dat te weten. Gepijnigd, met bloed bevlekt en gelukkig liet ze zich meevoeren door de luchtspiegeling van een denkbeeldige liefde, terwijl Matías haar in zijn armen bleef houden, hoewel zijn geest alweer ver was afgedwaald. Zo bleven ze liggen tot het licht door het raam helemaal verdwenen was en zij begreep dat ze terug moest naar haar moeder. Matías hielp haar met aankleden en liep met haar mee tot in de buurt van de theesalon. 'Wacht op me, morgen kom ik op dezelfde tijd,' fluisterde ze bij het afscheid.

Severo del Valle hoorde pas drie maanden later wat er die dag was voorgevallen en welke gebeurtenissen erop volgden. In april 1879 verklaarde Chili de oorlog aan zijn buurlanden Peru en Bolivia, vanwege een grenskwestie, voor de salpeter en uit arrogantie. De Salpeteroorlog was uitgebroken. Toen het bericht San Francisco bereikte, presenteerde Severo zich bij zijn oom en tante met de mededeling dat hij ging vechten.

'Hadden we niet afgesproken dat je nooit meer een voet in een kazerne zou zetten?' bracht zijn tante Paulina hem in herinnering.

'Dit is anders, mijn vaderland is in gevaar.'

'Jij bent een burger.'

'Ik ben reserveofficier,' zei hij.

'De oorlog is afgelopen voordat jij in Chili bent aangekomen. Laten we eens kijken wat de kranten zeggen en wat de familie ervan vindt. Neem geen overhaaste beslissingen,' adviseerde zijn tante hem.

'Het is mijn plicht,' antwoordde Severo, denkend aan zijn grootvader, de patriarch Agustín del Valle, die onlangs, gekrompen tot de afmeting van een chimpansee maar met zijn slechte karakter nog helemaal intact, was gestorven.

'Jouw plicht is hier, bij mij. Oorlog is goed voor de handel. Dit is het moment om met suiker te speculeren,' reageerde Paulina.

'Met suiker?'

'Geen van deze drie landen produceert het, en in zware tijden snoepen mensen meer,' stelde Paulina.

'Hoe weet u dat, tante?'

'Uit eigen ervaring, jongen.'

Severo liep weg om zijn koffers in te pakken, maar hij ging niet met de boot die al een paar dagen later uitvoer richting zuiden, zoals hij van plan was, maar pas eind oktober. Die avond deelde zijn tante hem mee dat ze ongewoon bezoek kregen en dat ze verwachtte dat hij aanwezig zou zijn omdat haar man op reis was en deze kwestie om de goede adviezen van een advocaat vroeg. Om zeven uur opende Williams, met de hooghartige houding die hij aannam wanneer hij zich verplicht zag mensen van lagere komaf te dienen, de deur voor een lange, strak in het zwart geklede Chinees met grijs haar en een vrouwtje met een jeugdig en onbetekenend uiterlijk, maar even hautain als Williams zelf. Tao Chi'en en Eliza Sommers bevonden zich in de roofdierensalon, zoals die genoemd werd, omringd door leeuwen, olifanten en andere Afrikaanse beesten die hen vanuit hun vergulde lijsten aan de muren observeerden. Paulina zag Eliza regelmatig in de patisserie, maar nooit hadden ze elkaar ergens anders ontmoet, ze behoorden tot gescheiden werelden. Evenmin kende ze die 'hemeling', die te oordelen naar de manier waarop hij haar aan de arm had, haar echtgenoot of geliefde moest zijn. Ze voelde zich voor schut staan in haar paleisje met vijfenveertig kamers, gekleed in zwart satijn en behangen met diamanten, tegenover dit bescheiden echtpaar dat haar eenvoudig, afstandelijk begroette. Het viel haar op dat haar zoon Matías hen beduusd ontving, met een hoofdbuiging en zonder zijn hand uit te steken, en afgezonderd van de groep mensen achter een jacarandahouten bureau bleef zitten, ogenschijnlijk in beslag genomen door het schoonmaken van zijn pijp. Severo del Valle ried van zijn kant zonder een sprankje twijfel de reden van de aanwezigheid van de ouders van Lynn Sommers in het huis en hij wenste dat hij zich duizend mijl daarvandaan bevond. Nieuwsgierig en met haar oren gespitst bood Paulina onmiddellijk iets te drinken aan en maakte een gebaar naar Williams om zich terug te trekken en de deuren te sluiten. 'Wat kan ik voor u doen?' vroeg ze. Toen begon Tao Chi'en zonder blikken of blozen te vertellen dat zijn dochter Lynn zwanger was, dat de dader van de ontering Matías was en dat hij het enig mogelijke eerherstel verwachtte. Voor één keer in haar leven stond de matriarch Paulina del Valle met haar mond vol tanden. Ze bleef zitten, hapte naar adem als een gestrande walvis, en toen ze eindelijk haar stem terughad, kwam er slechts een gekras uit.

'Moeder, ik heb niets met deze mensen te maken. Ik ken ze niet en ik weet niet waar ze het over hebben,' zei

Matías van achter het jacarandahouten bureau, met zijn pijp van bewerkt ivoor in zijn hand.

'Lynn heeft ons alles verteld,' onderbrak Eliza hem terwijl ze opstond, met gebroken stem maar zonder tranen.

'Als het geld is wat u wilt...' begon Matías, maar zijn moeder sneed hem met een woeste blik de pas af.

'Vergeeft u ons alstublieft,' zei ze tot Tao Chi'en en Eliza Sommers. 'Mijn zoon is net zo verrast als ik. Ik weet zeker dat we dit fatsoenlijk kunnen oplossen, zoals het hoort...'

'Lynn wil graag trouwen, uiteraard. Ze heeft ons verteld dat jullie van elkaar houden,' zei Tao Chi'en, eveneens staand, in de richting van Matías, die reageerde met een korte schaterlach die klonk als hondengeblaf.

'U lijkt respectabele mensen,' zei Matías. 'Uw dochter is dat echter niet, zoals elk van mijn vrienden kan getuigen. Ik weet niet wie van hen verantwoordelijk is voor haar eerverlies, maar ik ben het zeker niet.'

Eliza Sommers was helemaal wit weggetrokken en stond te trillen op haar benen, die het bijna begaven. Tao Chi'en pakte haar stevig bij de arm en liep, haar ondersteunend als een invalide, met haar naar de deur. Severo del Valle dacht dat hij doodging van benauwdheid en schaamte, alsof hij de enige schuldige aan het gebeurde was. Hij haalde hen in om de deur voor hen te openen en liep met hen mee tot de voordeur, waar een huurrijtuig wachtte. Hij kon niets bedenken om te zeggen. Toen hij terugliep naar de salon, kon hij het einde van de discussie nog horen.

'Ik ben niet van plan te tolereren dat er overal bastaards van mijn bloed rondlopen!' schreeuwde Paulina.

'Weet aan welke kant u staat, moeder. Wie gaat u geloven: uw eigen zoon of een banketbakster en een Chinees?' antwoordde Matías terwijl hij de deur achter zich dicht knalde.

Die avond ging Severo de confrontatie met Matías aan. Hij had genoeg informatie om de feiten te herleiden en wilde zijn neef met een stevige ondervraging ontwapenen, maar dat was niet nodig, want hij flapte er meteen alles uit. Hij voelde zich gevangen in een absurde situatie waarvoor hij niet verantwoordelijk was, zei hij; Lynn Sommers had hem achternagelopen en zichzelf op een presenteerblaadje aangeboden; hij had nooit echt de bedoeling gehad haar te verleiden, die weddenschap was alleen maar bluf geweest. Hij probeerde zich al twee maanden van haar te ontdoen zonder haar kapot te maken, hij was bang dat ze een dwaasheid zou begaan, ze was zo'n hysterisch meisje dat in staat was zich uit liefde in zee te storten, legde hij uit. Hij gaf toe dat Lynn nog bijna een kind was en als maagd in zijn armen was beland, met het hoofd vol mierzoete gedichten en geen flauw benul van de seksuele basisbeginselen, maar hij herhaalde dat hij geen enkele verplichting had jegens haar, dat hij het nooit met haar over liefde had gehad, laat staan over een huwelijk. Meisjes als zij brachten altijd moeilijkheden met zich mee, voegde hij eraan toe, daarom meed hij ze als de pest. Hij had nooit bedacht dat zijn korte samenzijn met Lynn dergelijke consequenties zou kunnen hebben. Ze waren een enkele keer samen geweest, zei hij, en hij had haar aangeraden zich te spoelen met azijn en mosterd, hij had niet kunnen bedenken dat ze zo verbazingwekkend vruchtbaar zou zijn. Hij was in elk geval bereid voor de kosten van het kind op te draaien, betalen was het punt niet, maar hij wilde het niet zijn achternaam geven, want er was geen enkel bewijs dat het van hem zou zijn. 'Ik trouw nu niet en nooit niet, Severo. Ken jij iemand die minder burgerlijk is dan ik?'

Een week later kwam Severo del Valle in de kliniek van Tao Chi'en, nadat hij de heikele missie waarmee zijn neef hem op pad had gestuurd talloze malen had overdacht. De zhong yi had zojuist de laatste patiënt van die dag geholpen en ontving hem onder vier ogen in het wachtkamertje van zijn praktijk, op de eerste verdieping. Hij luisterde onaangedaan naar Severo's aanbod.

'Lynn heeft geen geld nodig, daar heeft ze haar ouders voor,' zei hij zonder enige emotie te tonen. 'In elk geval bedankt voor uw bezorgdheid, meneer Del Valle.'

'Hoe gaat het met mejuffrouw Sommers?' vroeg Severo, vernederd door de waardigheid van de ander.

'Mijn dochter denkt nog steeds dat er een misverstand is. Ze weet zeker dat meneer Rodríguez de Santa Cruz haar spoedig ten huwelijk zal vragen, niet uit verplichting, maar uit liefde.'

'Meneer Chi'en, ik weet niet wat ik ervoor zou geven om de situatie te veranderen. De waarheid is dat mijn neef een slechte gezondheid heeft, hij kan niet trouwen. Ik betreur het vreselijk...' mompelde Severo del Valle.

'Wij betreuren het nog meer. Voor uw neef is Lynn slechts vermaak; voor Lynn is hij haar leven,' zei Tao Chi'en zachtjes.

'Ik zou graag uw dochter uitleg geven, meneer Chi'en. Kan ik haar zien, alstublieft?'

'Dat moet ik aan Lynn vragen. Op dit moment wil ze niemand zien, maar ik laat het u weten als ze van mening verandert,' antwoordde de zhong yi terwijl hij hem uitgeleide deed.

Severo del Valle wachtte drie weken zonder een woord van Lynn te vernemen, totdat hij het niet langer uithield en naar de theesalon ging om Eliza Sommers te smeken met haar dochter te mogen praten. Hij verwachtte op een ondoordringbare weerstand te stuiten, maar zij ontving hem, omgeven door haar suiker- en vanillearoma, even sereen als Tao Chi'en naar hem had geluisterd. Aanvankelijk had Eliza zichzelf de schuld gegeven van wat er gebeurd was: ze had niet opgelet, ze was niet in staat geweest haar dochter te beschermen, en nu was haar leven verwoest. Ze huilde in de armen van haar man, totdat hij haar eraan herinnerde dat zij op zestienjarige leeftijd een soortgelijke ervaring had gehad: dezelfde grenzeloze liefde, de geliefde die haar had laten zitten, de zwangerschap en de angst; het verschil was dat Lynn niet alleen was, niet van huis weg hoefde te lopen en de halve wereld te doorkruisen in het ruim van een schip achter een man aan die haar niet waard was, zoals zij had gedaan. Lynn was naar haar ouders gegaan en zij hadden het grote geluk haar te kunnen helpen, had Tao Chi'en gezegd. In China of Chili zou hun dochter reddeloos verloren zijn, de maatschappij zou geen pardon met haar hebben, maar in Californië, land zonder traditie, was er ruimte voor iedereen. De zhong yi riep zijn kleine gezin bij elkaar en verklaarde dat de baby een geschenk uit de hemel was en dat ze het kind met blijdschap tegemoet moesten zien; tranen waren slecht voor het karma, ze brachten het kindje in de buik van de moeder schade toe en tekenden het voor een leven in onzekerheid. Dat jongetje of meisje zou welkom zijn; oom Lucky en hijzelf, de grootvader, zouden waardige vervangers voor de afwezige vader zijn. En wat Lynns mislukte liefde betreft, daar zouden ze later wel over nadenken, zei hij. Hij leek zo enthousiast bij het vooruitzicht opa te worden dat Eliza zich schaamde voor haar schijnheilige overwegingen, haar tranen droogde en zichzelf geen verwijten meer maakte. Als voor Tao Chi'en het medelijden met zijn dochter zwaarder telde dan de eer van de familie, dan moest dat ook voor haar zo zijn, besloot ze; het was haar plicht Lynn te beschermen en de rest was niet belangrijk. Zo maakte ze dat ook vriendelijk kenbaar aan Severo del Valle, die dag in de theesalon. Ze begreep niet waarom de Chileen zo bleef aandringen om met haar dochter te praten, maar ze deed een goed woordje voor hem en uiteindelijk stemde het meisje ermee in hem te zien. Lynn kon zich hem nauwelijks herinneren, maar ze ontving hem in de hoop dat hij als boodschapper van Matías zou komen.

In de daaropvolgende maanden werden de bezoeken van Severo del Valle aan het huis van de familie Chi'en een gewoonte. Hij arriveerde altijd tegen de avond, wanneer hij klaar was met werken, liet zijn paard vastgebonden bij de deur staan en kwam binnen met zijn hoed in de ene en een cadeautje in de andere hand, en zo raakte Lynns kamer gevuld met speelgoed en kleertjes voor de baby. Tao Chi'en leerde hem mahjong spelen en samen met Eliza en Lynn brachten ze uren door met het verplaatsen van de ivoren speelstukken. Lucky deed niet mee, want hij vond het tijdverspilling om zonder geld te spelen, terwijl Tao Chi'en het juist alleen in huiselijke kring deed omdat hij het in zijn jeugd had afgezworen om geld te spelen en er zeker van was dat hem, als hij die belofte zou verbreken, iets ergs zou overkomen. De familie Chi'en raakte zo gewend aan de aanwezigheid van

Severo dat ze ontsteld op de klok keken wanneer hij te laat kwam. Eliza Sommers maakte van de gelegenheid gebruik om met hem haar Spaans te oefenen en herinneringen aan Chili op te halen, dat verre land waar ze in meer dan dertig jaar geen voet had gezet, maar dat ze nog steeds als haar vaderland beschouwde. Ze spraken over de details rond de oorlog en de politieke veranderingen: na enkele decennia van conservatieve regeringen hadden de liberalen gewonnen en had de strijd om de macht van de clerus te breken en hervormingen door te voeren elke Chileense familie verdeeld. De meerderheid van de mannen, hoe katholiek ze ook waren, wilde dolgraag het land moderniseren, maar de vrouwen, die veel religieuzer waren, keerden zich tegen hun vaders en echtgenoten om de Kerk te verdedigen. Naar Nívea in haar brieven vertelde, bleef het lot van de armen hetzelfde, hoe liberaal de regering ook was, en ze voegde eraan toe dat zoals altijd de vrouwen uit de hoge klasse en de clerus de touwtjes in handen hadden. Het scheiden van Kerk en Staat was ongetwijfeld een grote stap voorwaarts, schreef het meisje – achter de rug van de Del Valle-clan om, die dit soort ideeën niet tolereerde –, maar het waren altijd dezelfde families die de situatie controleerden. 'Laten we een nieuwe partij oprichten, Severo, eentje die rechtvaardigheid en gerechtigheid zoekt,' schreef ze, geprikkeld door de geheime gesprekken met zuster María Escapulario.

In het zuiden van het continent ging de Salpeteroorlog door, steeds bloediger, terwijl de Chileense krijgsmachten zich snel gereedmaakten om de campagne in de noordelijk gelegen woestijn te starten, een gebied zo ruig en onherbergzaam als de maan, waar het bevoorraden van de troepen een titanisch werk bleek te zijn. De enige manier om de soldaten naar de plaatsen te brengen waar de veldslagen geleverd zouden worden, was over zee, maar het Peruaanse eskader wilde dat niet toestaan. Severo del Valle dacht dat de oorlog zou uitpakken in het voordeel van Chili, dat een onoverwinnelijke organisatie en wreedheid leek te hebben. Het waren niet alleen de bewapening en het krijgshaftige karakter die de uitslag van het conflict zouden bepalen, legde hij Eliza Sommers uit, maar ook het voorbeeld van een handjevol heldhaftige mannen die erin geslaagd waren de geest der natie aan te vuren.

'Ik geloof dat de oorlog in mei werd beslist, mevrouw, in een zeeslag bij de haven van Iquique. Daar vocht een wrakkig Chileens fregat tegen een superieure Peruaanse zeemacht. Het bevel werd gevoerd door Arturo Prat, een zeer religieuze en nogal verlegen jonge kapitein, die niet meedeed aan het gefeest en gebras in het militaire milieu, een zo weinig uitgesproken persoon dat zijn superieuren geen vertrouwen hadden in zijn moed. Die dag werd hij de held die de geest van alle Chilenen inspireerde.'

Eliza kende de details, ze had ze gelezen in een exemplaar van de *The Times*, waarin de episode werd beschreven als '... een van de meest glorieuze zeeslagen die ooit hebben plaatsgevonden; een oud houten schip dat bijna uit elkaar viel hield drieënhalf uur lang stand tegen een grondbatterij en een machtig slagschip en eindigde met zijn vlag in top'. Het Peruaanse schip onder bevel van admiraal Miguel Grau, ook een held in zijn land, stormde op volle kracht op het Chileense fregat af en doorboorde het met zijn stormram, een moment dat kapitein Prat benutte om te enteren, gevolgd door een van zijn mannen. Ze stierven beiden enkele minuten later, doodgeschoten op het vijandelijke dek. Bij de tweede stoot sprongen er meer, in navolging van hun baas, en die werden eveneens met kogels doorzeefd; uiteindelijk kwam driekwart van de bemanning om voordat het fregat zonk. Een dergelijk staaltje van heroïek gaf hun landgenoten moed en maakte zo'n indruk op hun vijanden dat admiraal Grau onthutst bleef herhalen: 'Wat kunnen die Chilenen vechten!'

'Grau is een heer. Hij pakte persoonlijk het zwaard en de kledingstukken van Prat bij elkaar en gaf ze terug aan de weduwe,' vertelde Severo, en hij voegde eraan toe dat sinds die slag de heilige leuze in Chili luidde: 'Strijden tot de overwinning of de dood', zoals die dappere mannen hadden gedaan.

'En u, Severo, bent u niet van plan om de oorlog in te gaan?' vroeg Eliza hem.

'Ja, dat zal ik zeer binnenkort doen,' antwoordde de jongen beschaamd, zonder te weten waar hij op wachtte om zijn plicht te vervullen. Intussen werd Lynn dikker zonder ook maar een greintje van haar gratie of schoonheid te verliezen. Haar jurken paste ze niet meer en ze trok makkelijk zittende, vrolijke zijden tunieken aan die in Chinatown gekocht waren. Ze ging weinig de deur uit, hoewel haar vader erop hamerde dat ze moest lopen. Soms haalde Severo del Valle haar op in een koets en nam haar mee uit wandelen in Presidio Park of langs het strand, waar ze op een doek gingen zitten om te lunchen en te lezen, hij zijn kranten en wetboeken, zij de romantische boekjes waarvan ze de verhalen niet meer geloofde, maar waar ze nog altijd in kon vluchten. Severo leefde bij de dag, van bezoek tot bezoek aan het huis van de familie Chi'en, zonder ander doel dan Lynn te zien. Nívea schreef hij niet meer. Vele malen had hij de pen opgepakt om haar op te biechten dat hij van een ander hield, maar hij verscheurde de brieven zonder ze op te sturen omdat hij de woorden niet vond om met zijn vriendin te breken zonder haar dodelijk te treffen. Bovendien had Lynn hem nooit signalen gegeven die hem een uitgangspunt boden om zich een toekomst met haar voor te stellen. Ze spraken niet over Matías, net zomin als deze ooit iets over Lynn zei, maar de vraag hing altijd in de lucht. Severo lette erop in het huis van zijn oom en tante geen gewag te maken van zijn nieuwe vriendschap met de familie Chi'en en hij ging ervan uit dat niemand het vermoedde, behalve de stijve butler Williams, aan wie hij het niet hoefde te vertellen, want hij wist het, zoals hij alles wist wat er in dat enorme huis gebeurde. Severo kwam al twee maanden laat thuis met een idiote glimlach op zijn gezicht toen Williams hem meenam naar de vliering en hem bij het licht van een alcohollamp een in lakens gewikkelde bult liet zien. Toen hij die uitpakte bleek het een schitterende wieg te zijn.

'Hij is van bewerkt zilver, zilver uit de Chileense mijnen van meneer en mevrouw. Hier hebben alle kinderen van dit gezin in geslapen. Als u wilt kunt u hem meenemen,' was het enige dat hij zei.

Uit schaamte kwam Paulina del Valle niet meer in de theesalon, ze was niet in staat de scherven van haar aan stukken liggende, langdurige vriendschap met Eliza Sommers te lijmen. Ze moest het zonder de Chileense lekkernijen stellen waarvoor ze jarenlang een zwak had gehad, en genoegen nemen met de Franse banketbakkerskunsten van haar kok. Haar overweldigende kracht, waar ze zoveel aan had als er obstakels uit de weg geruimd en plannen verwezenlijkt moesten worden, keerde zich nu tegen haar; tot bewegingsloosheid veroordeeld, vrat ze zich op van onrust, ze had last van hartkloppingen. 'Ik word gekweld door de zenuwen, Williams,' klaagde ze, voor het eerst veranderd in een kwakkelende vrouw. Ze redeneerde dat het, met een ontrouwe echtgenoot en drie losbollen van zoons, het meest waarschijnlijk was dat er her en der een flink aantal onwettige kinderen met haar bloed rondzwierf, er was geen reden om zich zo te kwellen; die hypothetische bastaarden hadden echter geen naam of gezicht, maar deze had ze voor haar neus. Als het tenminste Lynn Sommers maar niet geweest was! Ze kon het bezoek van Eliza en die Chinees van wie ze zich de naam niet kon herinneren niet vergeten; het beeld van dat waardige echtpaar in haar salon pijnigde haar. Matías had het meisje verleid, geen slimme redenering van de logica of van haarzelf kon die waarheid, die zij intuïtief vanaf het eerste moment had aangenomen, weerleggen. De ontkenningen van haar zoon en zijn sarcastische opmerkingen over de beperkte kuisheid van Lynn hadden haar slechts gesterkt in haar overtuiging. Het kind dat die jonge vrouw in haar buik droeg, riep een wervelstorm aan ambivalente gevoelens in haar op, aan de ene kant een ingehouden woede jegens Matías en aan de andere kant een onvermijdelijke tederheid jegens dat eerste kleinkind. Zodra Feliciano terug was van zijn reis, vertelde ze hem wat er gebeurd was.

'Die dingen gebeuren voortdurend, Paulina, je hoeft er geen drama van te maken. De helft van de Californische kindertjes is bastaard. Het belangrijkste is een schandaal te voorkomen en de gelederen rond Matías te sluiten. De familie gaat voor,' meende Feliciano.

'Dat kind is van onze familie,' voerde zij aan.

'Het is nog niet geboren of je telt het al mee! Ik ken die Lynn Sommers. Ik heb haar naakt zien poseren in het atelier van een beeldhouwer, ze toonde zichzelf midden in een kring van mannen, ieder van hen zou haar minnaar kunnen zijn. Zie je dat dan niet?'

'Jíj ziet het niet, Feliciano.'

'Dit kan een eindeloos proces van chantage worden. Ik verbied je het geringste contact met die mensen, en als ze hier in de buurt komen, laat het dan maar aan mij over,' besliste Feliciano in een oogwenk.

Vanaf die dag roerde Paulina het onderwerp niet meer aan in het bijzijn van haar zoon of haar man, maar ze kon zich niet inhouden en nam uiteindelijk Williams in vertrouwen, die de prettige gewoonte had tot het einde naar haar te luisteren zonder zijn mening te geven, tenzij zij daar om vroeg. Als ze Lynn Sommers zou kunnen helpen, zou ze zich iets beter voelen, dacht ze, maar voor één keer had ze helemaal niets aan haar rijkdom.

Die maanden waren een ramp voor Matías. Niet alleen wekte het gedoe met Lynn zijn gal, maar ook nam de pijn in zijn gewrichten dermate toe dat hij niet meer kon schermen en ook met andere sporten moest stoppen. Hij werd meestal met zoveel pijn wakker dat hij zich afvroeg of het moment niet was aangebroken om zelfmoord te overwegen, een gedachte die hij koesterde sinds hij de naam van zijn aandoening kende, maar wanneer hij uit bed stapte en in beweging kwam, voelde hij zich beter, en dan keerde zijn levenslust met hernieuwde energie terug. Zijn polsen en knieën zwollen op, zijn handen trillden en de opium was niet meer een leuk tijdverdrijf in Chinatown, maar een noodzaak. Het was Amanda Lowell, zijn goede feestmaatje en enige vertrouwelinge, die hem de voordelen van het injecteren van morfine liet zien, effectiever, schoner en eleganter dan een opiumpijp: een minimale dosis en meteen verdween de beklemming, om plaats te maken voor rust. Het schandaal van de bastaard die op komst was, had hem uiteindelijk kapotgemaakt, en halverwege de zomer kondigde hij plotseling aan dat hij binnen een paar dagen naar Europa zou vertrekken om te zien of een andere omgeving, de thermale wateren in Italië en de Engelse artsen zijn symptomen konden verlichten. Hij zei er niet bij dat hij van plan was in New York Amanda Lowell te treffen om samen met haar de overtocht te maken, want haar naam werd nooit genoemd binnen het gezin, waar de herinnering aan de roodharige Schotse bij Feliciano indigestie veroorzaakte en bij Paulina een onderdrukte woede naar boven haalde. Niet alleen zijn kwalen en het verlangen bij Lynn Sommers uit de buurt te zijn brachten Matías tot zijn plotselinge reis, maar ook nieuwe speelschulden, zoals men kort na zijn vertrek te weten kwam, toen een paar omzichtige Chinezen in het kantoor van Feliciano verschenen en hem met de grootste beleefdheid lieten weten dat hij het bedrag dat zijn zoon verschuldigd was met rente moest terugbetalen, anders zou een lid van zijn eerbiedwaardige familie iets heel vervelends overkomen. Als antwoord liet hij ze uit zijn kantoor wegdragen en op straat gooien, en vervolgens belde hij Jacob Freemont, de journalist die gespecialiseerd was in de stedelijke onderwereld. De man hoorde hem vriendelijk aan, want hij was een goede vriend van Matías, en ging meteen met hem mee naar de commissaris van politie, een Australiër van troebele reputatie die hem het een en ander verschuldigd was, en vroeg hem de zaak op zijn manier op te lossen. 'De enige manier die ik ken is betalen,' antwoordde de ambtenaar, en hij legde aansluitend uit waarom niemand zich inliet met de tongs van Chinatown. Hij had van boven tot beneden opengereten lichamen moeten bergen, met de ingewanden keurig ingepakt in een doosje ernaast. Het waren vergeldingen onder 'hemelingen', uiteraard, zei hij erbij; bij blanken zorgden ze er in elk geval voor dat het een ongeluk leek. Had hij niet opgemerkt hoeveel mensen er bij onverklaarbare branden omkwamen, in een afgelegen straat onder paardenbenen verbrijzeld werden, in het rustige water van de baai verdronken of verpletterd werden onder bakstenen die op onverklaarbare wijze van een gebouw in aanbouw vielen? Feliciano Rodríguez de Santa Cruz betaalde.

Toen Severo del Valle Lynn Sommers vertelde dat Matías naar Europa was vertrokken zonder plannen om in de nabije toekomst terug te keren, barstte ze in huilen uit en bleef daar ondanks de kalmeringsmiddelen die Tao Chi'en haar toediende vijf dagen mee doorgaan, totdat haar moeder haar twee klappen in het gezicht gaf en haar dwong de realiteit onder ogen te zien. Ze was roekeloos geweest, en nu moest ze maar voor de consequenties opdraaien; ze was geen klein meisje meer, ze werd moeder en moest dankbaar zijn dat ze een familie had die bereid was haar te helpen, want andere vrouwen in haar situatie werden op straat gezet en moesten op onfatsoenlijke wijze aan de kost komen, terwijl hun bastaardkinderen in een weeshuis terechtkwamen; het moment was aangebroken om te accepteren dat haar geliefde in rook was opgegaan, ze zou een moeder en vader voor de baby moeten zijn en nu eindelijk eens volwassen moeten worden, want in dit huis waren ze het zat haar grillen te verdragen; al twintig jaar kreeg ze wat haar hartje begeerde; ze moest niet denken dat ze nu voortaan op een bed kon blijven liggen klagen; neus snuiten en aankleden, want ze gingen wandelen, en dat zouden ze absoluut twee keer per dag doen, al regende of onweerde het, had ze dat gehoord? Ja, Lynn had het tot het einde toe gehoord, met uitpuilende ogen van verbazing en brandende wangen van de enige klappen die ze in haar leven gekregen had. Ze kleedde zich aan en gehoorzaamde zwijgend. Vanaf dat moment stond ze ineens met beide benen op de grond, ze aanvaardde haar lot met een verbluffende kalmte, klaagde niet meer, slikte de middeltjes van Tao Chi'en, maakte lange wandelingen met haar moeder en was zelfs in staat te schateren van het lachen toen ze erachter kwam dat het project voor het standbeeld van De Republiek in de soep was gelopen, zoals haar broer Lucky vertelde, niet omdat er geen model was, maar omdat de beeldhouwer met de poen naar Brazilië gevlucht was.

Eind augustus durfde Severo eindelijk over zijn gevoelens voor Lynn Sommers te praten. In die tijd voelde zij zich zwaar als een olifant en herkende haar eigen gezicht niet in de spiegel, maar in de ogen van Severo was ze mooier dan ooit. Ze hadden het warm gekregen van een wandeling en hij pakte zijn zakdoek om haar voorhoofd en hals te deppen, maar kon zijn gebaar niet afmaken. Zonder te weten hoe stond hij ineens voorovergebogen, hield haar stevig vast bij haar schouders en kuste haar midden op straat op de mond. Hij vroeg haar te trouwen en zij vertelde hem in alle eenvoud dat ze nooit van een andere man zou houden, alleen van Matías Rodríguez de Santa Cruz.

'Ik vraag je niet van mij te houden, Lynn, de genegenheid die ik voor jou voel is genoeg voor twee,' antwoordde Severo op de enigszins plechtige wijze waarop hij altijd met haar omging. 'De baby heeft een vader nodig. Geef me de kans jullie beiden te beschermen en ik beloof dat ik op den duur je liefde waardig zal zijn.'

'Mijn vader zegt dat in China stelletjes trouwen zonder elkaar te kennen en later leren van elkaar te houden, maar ik weet zeker dat dat in mijn geval niet zo is, Severo. Het spijt me zeer...' antwoordde zij.

'Je zult niet met mij samen hoeven leven, Lynn. Zodra je bevallen bent, ga ik naar Chili. Mijn land is in oorlog en ik heb mijn plicht al te lang uitgesteld.'

'En als je niet terugkeert uit de oorlog?'

'Dan heeft je kind in elk geval mijn achternaam en de erfenis van mijn vader, die ik nog steeds heb. Het is niet veel, maar genoeg voor een opleiding. En jij, liefste Lynn, zult gerespecteerd worden...'

Diezelfde avond schreef Severo Nívea de brief die hij haar eerder niet had kunnen schrijven. Hij vertelde het haar in vier zinnen, zonder omwegen of excuses, want hij begreep dat zij het niet anders zou dulden. Hij durfde haar niet eens om vergeving te vragen voor de verspilling van tijd en liefde die die vier jaar van epistolaire verkering voor haar betekenden, want dat soort kleinzielige berekeningen waren het genereuze hart van zijn nicht onwaardig. Hij riep een bediende om de brief de volgende dag op de post te doen en ging vervolgens aangekleed op bed liggen, afgepeigerd. Hij had voor het eerst in lange tijd een droomloze slaap. Een maand later trouwden Severo del Valle en Lynn Sommers met een sobere plechtigheid, in aanwezigheid van haar familie en Williams, de enige bewoner van zijn huis die Severo had uitgenodigd. Hij wist dat de butler het aan zijn tante Paulina zou vertellen en besloot te wachten tot zij de eerste stap zou zetten en hem ernaar zou vragen. Hij vertelde het tegen niemand, want Lynn had hem gevraagd om uiterste geheimhouding totdat het kind geboren zou zijn en zij haar normale uiterlijk weer terug zou hebben; ze durfde zich niet te vertonen met die kalebasbuik en haar met vlekken bezaaide gezicht, zei ze. Die avond nam Severo met een zoen op haar voorhoofd afscheid van zijn kersverse echtgenote en vertrok zoals altijd om in zijn eenpersoonskamer te gaan slapen.

Diezelfde week werd in de wateren van de Stille Oceaan opnieuw een zeeslag geleverd, waarbij het Chileense eskader twee vijandelijke pantserschepen uitschakelde. De Peruaanse admiraal, Miguel Grau, dezelfde heer die maanden eerder het zwaard van kapitein Prat aan diens weduwe had teruggegeven, stierf even heldhaftig als hij. Voor Peru was het een ramp, want door het verlies van de controle op zee werd de communicatie afgesneden en raakten de troepen versnipperd en geïsoleerd. De Chilenen namen de heerschappij op zee over, konden hun troepen verplaatsen naar de sleutelposities in het noorden en het plan uitvoeren om over vijandelijk terrein op te rukken en Lima in te nemen. Severo del Valle volgde het nieuws even fanatiek als de rest van zijn landgenoten in de Verenigde Staten, maar zijn liefde voor Lynn overtrof ruimschoots zijn vaderlandsliefde en hij vervroegde zijn terugreis niet.

In de vroege ochtend van de tweede maandag van oktober werd Lynn wakker in een doorweekt nachthemd en slaakte een kreet van afschuw, want ze dacht dat ze in bed geplast had. 'Dat is niet best, de vliezen zijn te vroeg gebroken,' zei Tao Chi'en tegen zijn vrouw, maar tegen zijn dochter deed hij rustig en glimlachte hij. Tien uur later, toen er nog nauwelijks weeën waarneembaar waren en de familie doodmoe was van het mahjong spelen om Lynn af te leiden, besloot Tao Chi'en zijn toevlucht te nemen tot zijn kruiden. De aanstaande moeder grapte uitdagend: waren dat nou de barenspijnen waarvoor ze haar zo hadden gewaarschuwd? Ze waren beter te verdragen dan de buikkrampen die ze van het Chinese eten kreeg, zei ze. Ze was eerder verveeld dan dat ze zich onbehaaglijk voelde en ze had honger, maar haar vader liet haar alleen water en de medicinale kruidenthee drinken, terwijl hij acupunctuur op haar toepaste om de bevalling te bespoedigen. De combinatie van geneesmiddelen en gouden naalden had effect, en toen Severo del Valle zich bij het vallen van de avond aandiende voor zijn dagelijkse bezoek, trof hij een bleke Lucky aan de deur en schudde het huis op zijn grondvesten door het gekreun van Lynn en de druktemakerij van een Chinese vroedvrouw, die tegen haar schreeuwde en heen en weer rende met lappen en kannen water. Tao Chi'en liet de vroedvrouw toe omdat zij op dat terrein meer ervaring had dan hij, maar hij stond niet toe dat ze Lynn martelde door boven op haar te gaan zitten of met haar vuisten tegen haar buik te slaan, zoals ze van plan was. Severo del Valle bleef in de salon tegen de muur gedrukt staan in een poging niet op te vallen. Elke jammerklacht van Lynn ging hem door merg en been; hij wilde zo ver mogelijk weg vluchten, maar hij kon zich niet verroeren en kreeg geen woord uitgebracht. Op dat moment zag hij Tao Chi'en aankomen, onverstoorbaar, keurig gekleed als altijd.

'Kan ik hier wachten? Sta ik niet in de weg? Hoe kan ik helpen?' stamelde Severo, het zweet deppend dat over zijn hals liep.

'U loopt helemaal niet in de weg, jongeman, maar u kunt Lynn niet helpen, ze moet haar werk alleen doen. U kunt wel Eliza helpen, die is een beetje in de war.'

Eliza had de kwellingen van de bevalling zelf meegemaakt en wist, zoals elke vrouw, dat je op de drempel van de dood stond. Ze kende de ingespannen, geheimzinnige reis waarbij het lichaam zich opent om ruim baan te geven aan een nieuw leven; ze herinnerde zich het moment waarop je van een helling begint te rollen zonder te kunnen stoppen, kreunt en perst zonder enige beheersing, de angst, het lijden en de ongelooflijke verbazing wanneer het kind eindelijk loslaat en ter wereld komt. Tao Chi'en deed er met al zijn wijsheid als zhong yi langer over dan zij om te beseffen dat er in Lynns geval iets helemaal misging. De middelen uit de Chinese geneeskunde hadden hevige weeën veroorzaakt, maar het kindje lag verkeerd en werd tegengehouden door het bekken van de moeder. Het was een droge en zware bevalling, zo legde Tao Chi'en uit, maar zijn dochter was sterk en het ging er alleen om dat Lynn rustig bleef en niet vermoeider raakte dan nodig was; het was een race op uithoudingsvermogen, niet op snelheid, zei hij erbij. Tijdens een pauze liep Eliza Sommers, die net zo uitgeput was als Lynn zelf, de kamer uit en kwam in een gang Severo tegen. Ze wenkte hem en hij volgde haar, ontredderd, naar het kamertje met het altaar, waar hij nooit eerder was geweest. Op een lage tafel lag een eenvoudig kruisbeeld, er stond een klein beeldje van Kuan Yin, de Chinese godin van het mededogen, en in het midden lag een simpele inkttekening van een vrouw in een groene tuniek met twee bloemen achter haar oren. Hij zag twee brandende kaarsen en schoteltjes met water, rijst en bloemblaadjes. Eliza knielde voor het altaar op een oranje zijden kussentje en vroeg Christus, Boeddha en de geest van Lin, de eerste echtgenote, om haar dochter te komen helpen bij de bevalling. Severo bleef achter haar staan en mompelde zonder na te denken de katholieke gebeden die hij in zijn kindertijd geleerd had. Zo bleven ze daar een tijdje, verbonden door de angst en de liefde voor Lynn, totdat Tao Chi'en zijn vrouw riep om hem te helpen, want hij had de vroedvrouw naar huis gestuurd en maakte zich klaar om het kindje om te draaien en het met de hand te halen. Severo bleef met Lucky in de deur staan roken, terwijl Chinatown langzaam wakker werd.

In de vroege dinsdagochtend werd het kindje geboren. De moeder streed trillend en badend in het zweet om het ter wereld te brengen, maar schreeuwde niet meer, ze hijgde slechts, gespitst op de aanwijzingen van haar vader. Ten slotte zette ze de tanden op elkaar, greep zich vast aan de spijlen van het bed en perste met een geweldige beslistheid, waarna er een plukje donker haar te voorschijn kwam. Tao Chi'en pakte het hoofdje en trok vastberaden maar voorzichtig tot de schoudertjes naar buiten kwamen, draaide het lichaampje om en haalde het snel met een enkele beweging naar buiten, terwijl hij met de andere hand de paarse navelstreng van het halsje haalde. Eliza Sommers kreeg een bloederig hoopje, een piepklein meisje met een plat gezichtje en een blauwe huid, in haar armen. Terwijl Tao Chi'en de navelstreng doorknipte en zich inspande voor het tweede gedeelte van de bevalling, maakte de grootmoeder het kleinkind schoon met een spons en klopte op het rugje totdat het begon te ademen. Toen ze de schreeuw hoorde die de intrede in de wereld aankondigde en zag dat ze een normale kleur kreeg, legde ze haar op Lynns buik. Uitgeput steunde de moeder op een elleboog om haar te ontvangen, terwijl haar lichaam bleef stuwen, en legde haar aan haar borst, terwijl ze haar kuste en welkom heette in een allegaartje van Engels, Spaans, Chinees en verzonnen woorden. Een uur later riep Eliza Severo en Lucky om naar het meisje te komen kijken. Ze zagen haar vredig slapend in de wieg van bewerkt zilver die de familie Rodríguez de Santa Cruz had toebehoord, gekleed in gele zijde en met een rood mutsje dat haar het uiterlijk van een piepklein kaboutertje gaf. Lynn lag bleekjes en kalm te soezen onder schone lakens en Tao Chi'en, die naast haar zat, hield haar hartslag in de gaten.

'Welke naam geeft u haar?' vroeg Severo del Valle ontroerd.

'Dat moeten Lynn en u beslissen,' antwoordde Eliza.

'Ik?'

'Bent u niet de vader?' vroeg Tao Chi'en hem met een knipoog.

'Ze heet Aurora, omdat ze met de dageraad geboren is,' fluisterde Lynn zonder haar ogen te openen.

'In het Chinees is haar naam Lai-Ming, dat betekent dageraad,' zei Tao Chi'en.

'Welkom in de wereld, Lai-Ming, Aurora del Valle,' glimlachte Severo, terwijl hij het meisje een kus op het voorhoofd gaf. Dit was ongetwijfeld de gelukkigste dag uit zijn leven, en dat rimpelige, als een Chinese pop aangeklede wezentje voelde bijna als zijn bloedeigen dochter. Lucky nam zijn nichtje in zijn armen en blies zijn tabaks- en sojasausadem in haar gezicht.

'Wat doe je nou!' riep de grootmoeder uit, terwijl ze probeerde haar uit zijn handen te rukken.

'Ik blaas haar lucht in om mijn geluk aan haar over te dragen. Welk ander cadeau dat de moeite waard is kan ik aan Lai-Ming geven?' lachte de oom.

Rond etenstijd, toen Severo del Valle bij het huis op Nob Hill arriveerde met het nieuws dat hij een week geleden met Lynn Sommers getrouwd was en dat die dag hun dochter geboren was, waren zijn oom en tante zo verbijsterd dat het leek alsof hij een dode hond op de eettafel gelegd had.

'En iedereen maar Matías de schuld geven! Ik wist altijd wel dat hij de vader niet was, maar ik had nooit gedacht dat jij het zou zijn,' spoog Feliciano zodra hij een beetje van de verrassing was bekomen.

'Ik ben niet de biologische, maar de wettige vader. Het meisje heet Aurora del Valle,' verduidelijkte Severo.

'Dit is een onvergeeflijke brutaliteit! Je hebt deze familie, die je als een zoon heeft opgenomen, verraden!' brulde zijn oom.

'Ik heb niemand verraden. Ik ben uit liefde getrouwd.'

'Maar die vrouw was toch verliefd op Matías?'

'Die vrouw heet Lynn en ze is mijn echtgenote, ik eis van u dat u haar met het gepaste respect bejegent,' zei Severo droogjes, terwijl hij opstond.

'Je bent een idioot, Severo, een complete idioot!' schold Feliciano, en hij liep met grote woeste stappen de eetkamer uit.

De ondoorgrondelijke Williams, die op dat moment binnenkwam om toezicht te houden op het uitserveren van de nagerechten, kon een korte glimlach van medeplichtigheid niet onderdrukken voordat hij zich discreet terugtrok. Paulina hoorde ongelovig de uitleg van Severo aan dat hij binnen een paar dagen naar de oorlog in Chili zou vertrekken, dat Lynn bij haar ouders in Chinatown zou blijven wonen en dat hij, als de zaken goed uitpakten, in de toekomst zou terugkeren om zijn rol als echtgenoot en vader te aanvaarden.

'Ga zitten, neef, laten we eens als normale mensen met elkaar praten. Matías is de vader van dat meisje, nietwaar?'

'Vraag dat maar aan hem, tante.'

'Ik snap het al. Je bent getrouwd om het gezicht van Matías te redden. Mijn zoon is een cynicus en jij bent een romanticus... Je leven verwoesten voor een donquichotterie!' riep Paulina uit.

'U vergist zich, tante. Ik heb mijn leven niet verwoest; integendeel, ik denk dat dit voor mij de enige mogelijkheid is om gelukkig te zijn.'

'Met een vrouw die van een ander houdt? Met een dochter die niet van jou is?'

'De tijd zal helpen. Als ik terugkeer uit de oorlog, zal Lynn van me leren houden en het meisje zal denken dat ik haar vader ben.'

'Matías kan eerder terugkomen dan jij.'

'Dat verandert niets.'

'Matías hoeft maar een woord te zeggen en Lynn volgt hem naar het einde van de wereld.'

'Dat is een onvermijdelijk risico,' antwoordde Severo.

'Je bent gek geworden, jongen. Die mensen komen niet uit ons milieu,' stelde Paulina del Valle.

'Het is de keurigste familie die ik ken, tante,' verzekerde Severo haar.

'Ik zie dat je bij mij niets geleerd hebt. Om in deze wereld succes te hebben moet je dingen van tevoren incalculeren. Jij bent een advocaat met een glansrijke toekomst en hebt een van de oudste achternamen van Chili. Denk je dat de hogere kringen jouw vrouw zullen accepteren? En je nicht Nívea, wacht die soms niet op je?' vroeg Paulina.

'Dat is voorbij,' zei Severo.

'Geweldig, nu heb je het echt goed verknald, Severo, ik neem aan dat het voor spijt te laat is. We gaan proberen de zaken te herstellen voor zover we dat kunnen. Geld en sociale positie zijn erg belangrijk, hier en in Chili. Ik zal je helpen zo goed als ik kan, ik ben niet voor niets de grootmoeder van dat meisje... hoe zei je dat ze heette?'

'Aurora, maar haar grootouders noemen haar Lai-Ming.'

'Ze draagt de achternaam Del Valle, het is mijn plicht haar te helpen, aangezien Matías in deze treurige kwestie zijn handen in onschuld wast.'

'Dat is niet nodig, tante. Ik heb alles zo geregeld dat Lynn het geld van mijn erfenis krijgt.'

'Centen kun je nooit te veel hebben. Ik mag mijn kleinkind toch wel zien?'

'Dat zullen we aan Lynn en haar ouders vragen,' beloofde Severo del Valle.

Ze zaten nog in de eetkamer toen Williams verscheen met de dringende boodschap dat Lynn een bloeding had gehad en er gevreesd werd voor haar leven, en dat hij onmiddellijk moest komen. Severo snelde naar Chinatown. Toen hij bij de familie Chi'en aankwam, trof hij het kleine gezin rond het bed van Lynn aan, zo stil dat ze leken te poseren voor een tragisch schilderij. Heel even werd hij door een dwaze hoop bevangen toen hij alles schoon en opgeruimd zag, zonder sporen van de bevalling, geen vieze lappen of een geur van bloed, maar daarna zag hij het verdriet op de gezichten van Tao, Eliza en Lucky. De lucht in de kamer was ijl geworden; Severo haalde diep adem, hapte naar lucht, als op de top van een berg. Hij liep bevend naar het bed en zag Lynn met haar handen op haar borst liggen, haar oogleden gesloten en haar gelaatstrekken doorzichtig: een mooie, albasten, askleurige sculptuur. Hij pakte haar hand, hard en koud als ijs, boog zich over haar heen en constateerde dat haar ademhaling nauwelijks waarneembaar was en dat haar lippen en vingers blauw waren; hij kuste in een eindeloos gebaar haar handpalm, maakte haar nat met zijn tranen, verslagen door droefenis. Zij slaagde erin de naam van Matías uit te brengen, zuchtte meteen daarna twee keer en ging heen met dezelfde luchtigheid als waarmee ze door deze wereld gezweefd had. Een absolute stilte onthaalde het mysterie van de dood en gedurende een onmetelijke tijd wachtten ze roerloos, terwijl de geest van Lynn opsteeg. Severo voelde hoe een langdurige kreet uit het diepst van de aarde omhoogkwam en van zijn voeten tot zijn mond door hem heen trok, maar niet van zijn lippen kon komen. De schreeuw overmande zijn binnenste, nam hem volledig in bezit en kwam in zijn hoofd tot een geruisloze uitbarsting. Hij bleef daar geknield naast het bed stemloos om Lynn roepen, vol ongeloof over het noodlot dat plotseling de vrouw van wie hij jarenlang gedroomd had van hem had weggerukt, haar had meegenomen juist toen hij dacht haar voor zich gewonnen te hebben. Een eeuwigheid later voelde hij dat er op zijn schouder getikt werd en ontmoette hij de doffe ogen van Tao Chi'en, 'het is goed, het is goed', leek hij te mompelen, en verder naar achteren zag hij Eliza Sommers en Lucky elkaar snikkend omhelzen, en hij begreep dat hij een indringer was in het verdriet van dit gezin. Toen dacht hij aan het meisje. Hij liep wankelend als een dronkenman naar het zilveren wiegje, nam de kleine Aurora in zijn armen, droeg haar naar het bed en bracht haar bij het gezicht van Lynn zodat ze haar moeder vaarwel kon zeggen. Daarna nam hij haar op schoot en wiegde haar, ontroostbaar.

Toen Paulina del Valle hoorde dat Lynn Sommers gestorven was, ging er een golf van blijdschap door haar heen en slaakte ze zelfs een overwinningskreet, voordat de schaamte over een dusdanig lage emotie haar weer met beide benen op de grond zette. Ze had altijd een dochter willen hebben. Vanaf haar eerste zwangerschap droomde ze van het meisje dat haar naam, Paulina, zou dragen en haar beste vriendin en metgezel zou zijn. Bij elk van de drie jongens die ze op de wereld had gezet, voelde ze zich belazerd, maar nu, in de rijpheid van haar leven, viel dit geschenk haar in de schoot: een kleinkind dat zij als een dochter zou kunnen opvoeden, iemand die ze alle mogelijkheden die liefde en geld konden geven kon bieden, dacht ze, iemand die haar op haar oude dag gezelschap zou houden. Met Lynn Sommers uit beeld kon zij het kind in naam van Matías bemachtigen. Ze was die onverwachte buitenkans aan het vieren met een kop chocola en drie crèmegebakjes, toen Williams haar eraan herinnerde dat de kleine wettelijk gezien als dochter van Severo del Valle geregistreerd stond, de enige persoon met het recht om over haar toekomst te beslissen. Des te beter, concludeerde ze, want haar neef was er tenminste, terwijl het langetermijnwerk zou worden om Matías uit Europa te halen en hem te overreden zijn dochter op te eisen. Ze had Severo's reactie nooit voorzien toen ze hem haar plannen voorlegde.

'Wettelijk gezien ben jij de vader, dus jij kunt het meisje morgen meteen in huis halen,' zei Paulina.

'Dat doe ik niet, tante. Lynns ouders zullen hun kleindochter bij zich houden terwijl ik de oorlog in ga. Ze willen haar opvoeden en ik vind het goed,' antwoordde de neef op een stellige toon, die zij nog nooit van hem gehoord had.

'Ben je niet goed wijs? We kunnen mijn kleindochter niet in de handen van Eliza Sommers en die Chinees achterlaten!' riep Paulina uit.

'Waarom niet? Het zijn haar grootouders.'

'Wil je dat ze in Chinatown opgroeit? Wij kunnen haar onderwijs bieden, kansen, luxe, een respectabele achternaam. Geen van deze dingen kunnen zij haar geven.'

'Ze zullen haar liefde geven,' antwoordde Severo.

'Ik ook! Denk eraan dat je me veel verschuldigd bent, jongen. Dit is jouw kans om me terug te betalen en iets voor dat meisje te doen.'

'Het spijt me, tante, het is al besloten. Aurora zal bij haar grootouders van moederskant blijven.'

Paulina kreeg weer eens een van de vele driftbuien in haar leven. Ze kon niet geloven dat die neef van wie ze dacht dat hij haar onvoorwaardelijke bondgenoot was, die voor haar een zoon erbij was geworden, haar zo gemeen kon verraden. Ze krijste, schold, gebruikte vergeefse argumenten en maakte zich zo druk dat Williams er een dokter bij moest roepen om haar een aan haar omvang aangepaste dosis kalmeringsmiddelen toe te dienen en haar voor een flinke poos te laten inslapen. Toen ze dertig uur later wakker werd, was haar neef al aan boord van het stoomschip dat hem naar Chili zou brengen. Haar echtgenoot en de trouwe Williams konden haar er samen van overtuigen dat het niet aan de orde was om geweld te gaan gebruiken, zoals ze van plan was, want hoe corrupt de justitie in San Francisco ook was, er bestond geen wetmatige basis om een baby bij de grootouders van moederskant weg te halen, in aanmerking genomen dat de vermeende vader dat schriftelijk zo bepaald had. Ze adviseerden haar tevens geen gebruik te maken van het aloude middel om geld te bieden, want dat zou tegen haar kunnen werken en als een boemerang op haar kunnen terugkaatsen. De enige mogelijke weg totdat Severo del Valle zou terugkeren was die van de diplomatie, en daarna zouden ze tot een overeenkomst kunnen komen, adviseerden ze haar, maar zij wilde van geen argumenten weten en verscheen twee dagen later in de theesalon van Eliza Sommers met een voorstel waarvan ze zeker wist dat de andere grootmoeder het niet kon weigeren. Eliza ontving haar in het zwart gekleed vanwege haar dochter, maar opgefleurd door de troost van haar kleinkind, dat vreedzaam naast haar lag te slapen. Toen ze het zilveren wiegje dat van haar kinderen was geweest bij het raam zag staan, schrok Paulina, maar ze herinnerde zich meteen weer dat ze Williams toestemming had gegeven het aan Severo te geven en beet op haar lippen, want ze was niet daar om over een wieg te ruziën – hoe duur die ook was –, maar om over haar kleinkind te onderhandelen. 'Niet degene die gelijk heeft wint, maar degene die het best kan pingelen,' placht ze te zeggen. En in dit geval leek het haar niet alleen evident dat ze het gelijk aan haar kant had, maar was het ook nog eens zo dat niemand haar overtrof in de kunst van het afdingen.

Eliza haalde de baby uit de wieg en gaf haar aan Paulina. Ze hield dat piepkleine hoopje vast, zo licht dat het slechts een bundeltje lappen leek, en ze dacht dat haar hart explodeerde door een geheel nieuw gevoel. 'Mijn god, mijn god,' herhaalde ze beangstigd bij het voelen van die onbekende kwetsbaarheid die haar knieën deed knikken en een snik door haar borst joeg. Ze ging in een stoel zitten, met haar kleinkind half verdwaald op haar enorme schoot, en wiegde haar, terwijl Eliza Sommers de thee en de gebakjes bestelde die ze haar vroeger serveerde, in de tijden dat Paulina de trouwste bezoekster van haar patisserie was. Gedurende die minuten kon Paulina del Valle van de emoties bekomen en haar geschut in stelling brengen. Ze condoleerde Eliza met Lynns dood en erkende vervolgens meteen dat haar zoon Matías zonder twijfel de vader van Aurora was, je hoefde het kindje maar te zien om dat te weten: ze was hetzelfde als alle Rodríguez de Santa Cruz y del Valles. Ze betreurde het ten zeerste, zei ze, dat Matías om gezondheidsredenen in Europa was en nog geen aanspraak kon maken op het meisje. Vervolgens gaf ze haar wens te kennen om het kleinkind te krijgen, aangezien Eliza zoveel werkte, weinig tijd en nog minder middelen van bestaan had – het was voor haar ongetwijfeld onmogelijk Aurora hetzelfde bestaansniveau te bieden als ze bij haar thuis op Nob Hill zou krijgen. Ze zei het op de toon van iemand die een gunst verleent, waarbij ze de benauwdheid die haar keel dichtkneep en het trillen van haar handen verborg. Eliza Sommers antwoordde dat ze het genereuze voorstel op prijs stelde, maar ze was er zeker van dat zij met Tao Chi'en Lai-Ming onder haar hoede kon nemen, zoals Lynn hun gevraagd had voordat ze stierf. Uiteraard, voegde ze eraan toe, was Paulina altijd welkom in het leven van het meisje.

'We moeten geen verwarring stichten rond het vaderschap over Lai-Ming,' voegde Eliza Sommers eraan toe. 'Zoals u en uw zoon een aantal maanden geleden beweerden, had hij niets te maken met Lynn. U zult zich herinneren dat uw zoon uitdrukkelijk te kennen gaf dat elk van zijn vrienden de vader van het meisje kon zijn.'

'Dat zijn dingen die men in de hitte van de strijd zegt, Eliza. Matías zei het zonder erbij na te denken...' stamelde Paulina.

'Het feit dat Lynn met meneer Severo del Valle is getrouwd, bewijst dat uw zoon de waarheid vertelde, Paulina. Mijn kleindochter heeft geen bloedband met u, maar ik herhaal dat u haar kunt zien wanneer u wilt. Hoe meer mensen er van haar houden, des te beter voor haar.'

In het halfuur dat volgde stonden de twee vrouwen als gladiatoren tegenover elkaar, ieder in haar eigen stijl. Paulina del Valle ging van vleierij over op intimidatie, van een verzoek op het wanhopige redmiddel van de omkoperij, en toen alles mislukt was, op bedreiging, zonder dat de andere grootmoeder ook maar een centimeter van haar standpunt week, behalve om voorzichtig de kleine op te pakken en haar naar de wieg terug te brengen. Paulina wist niet wanneer de woede haar naar het hoofd gestegen was, ze de controle over de situatie volkomen verloor en uiteindelijk stond te gillen dat Eliza Sommers nog wel eens zou zien wie de familie Rodríguez de Santa Cruz was, hoeveel macht ze hadden in die stad en hoe ze haar en ook haar achterlijke gebakszaak en haar Chinees te gronde konden richten, want het was voor niemand gunstig om de vijand van Paulina del Valle te worden, en dat ze haar vroeg of laat het meisje zou afnemen, daar kon ze zo zeker van zijn als wat, want degene die haar in de weg stond moest nog geboren worden. Met één veeg gooide ze de exclusieve porseleinen kopjes en de Chileense gebakjes van tafel, die in een wolk van vederlichte suiker op de grond belandden, en ze liep briesend als een stier de deur uit. Eenmaal in de koets barstte ze, met het bloed kloppend tegen haar slapen en haar hart stampend onder de in het korset gevangen vetlagen, uit in een hevig snikken, zoals ze, sinds ze de knip op haar slaapkamerdeur gemaakt had en alleen was achtergebleven in het grote mythologische bed, niet meer gedaan had. Net als toen had haar beste gereedschap gefaald: haar vaardigheid om te onderhandelen als een Arabische koopman, waarmee ze op andere vlakken in haar leven zoveel succes had gehad. Door te veel te ambiëren had ze alles verloren.

DEEL TWEE

1880-1896

Er bestaat een portret van mij, gemaakt op drie- of vierjarige leeftijd, het enige uit die tijd dat de schommelingen van het lot en het besluit van Paulina del Valle om mijn afkomst uit te wissen, heeft overleefd. Het is een afbeelding op een versleten stuk karton in een reislijstje, zo'n oud etui van fluweel en metaal, die in de negentiende eeuw zo in de mode waren en nu door niemand meer gebruikt worden. Op de foto zie je een heel klein kindje, uitgedost als een Chinees bruidje, in een lang gewaad van geborduurd satijn met daaronder een broek in een andere tint; ze draagt tere schoentjes met een wit vilten zooltje en een dun plaatje hout ter bescherming; het donkere haar zit opgebold in een te hoge knot voor haar lengte en wordt bijeengehouden door twee dikke naalden, van goud of zilver wellicht, aan elkaar bevestigd door een kleine bloemenslinger. Het kleine meisje houdt een open waaier in haar hand en het lijkt alsof ze lacht, maar de gelaatstrekken zijn nauwelijks te onderscheiden, het gezicht is slechts een lichte maan en de ogen twee zwarte vlekjes. Achter het meisje zijn vaag de grote kop van een papieren draak en de fonkelende sterren van vuurwerk te zien. De foto werd genomen tijdens de viering van het

Chinese nieuwjaar in San Francisco. Ik kan me dat moment niet herinneren en herken het meisje op dat enig overgebleven portret niet.

Mijn moeder Lynn Sommers staat daarentegen op meerdere foto's, die ik door mijn vasthoudendheid en met behulp van goede connecties van de vergetelheid heb gered. Een paar jaar geleden ging ik naar San Francisco om mijn oom Lucky te leren kennen en ik struinde oude boekhandels en fotostudio's af op zoek naar de kalenders en ansichtkaarten waarvoor zij geposeerd had; soms, wanneer mijn oom Lucky ze vindt, krijg ik er nog een opgestuurd. Mijn moeder was heel mooi, dat is alles wat ik van haar kan zeggen, want haar herken ik ook niet op die afbeeldingen. Ik kan me haar uiteraard niet herinneren, aangezien ze stierf bij mijn geboorte, maar de vrouw op de kalenders is een vreemde, ik heb niets van haar, ik kan me haar niet voorstellen als mijn moeder, alleen als een licht- en schaduwspel op papier. Ze lijkt evenmin een zus van mijn oom Lucky; hij is een ordinair uitziende Chinees met korte beentjes en een groot hoofd, maar hij is een heel goed mens. Ik lijk meer op mijn vader, ik heb zijn Spaanse uiterlijk; helaas heb ik maar weinig meegekregen van het ras van mijn bijzondere grootvader Tao Chi'en. Als die grootvader niet de meest scherpe en constante herinnering in mijn leven was, de vroegste liefde, waar alle mannen die ik gekend heb tegenaan lopen omdat geen van hen hem kan evenaren, zou ik niet geloven dat ik Chinees bloed in mijn aderen heb. Tao Chi'en is altijd bij me. Ik zie hem voor me, lang en slank, gracieus, altijd onberispelijk en correct gekleed, grijs haar, een ronde bril en een onverbeterlijke vriendelijke blik in zijn amandelvormige ogen. In mijn herinneringen glimlacht hij altijd, soms hoor ik hem in het Chinees voor me zingen. Hij is om mij heen, vergezelt me, leidt me, zoals hij tegen mijn grootmoeder Eliza had gezegd dat hij na zijn dood zou doen. Er is een daguerreotype van die twee grootouders toen ze jong waren, voordat ze trouwden: zij gezeten op een stoel met hoge rugleuning en hij staand daarachter, beiden gekleed naar de Amerikaanse gewoonte van die tijd, recht in de camera kijkend met een lichte angst. Dat portret, dat uiteindelijk gered werd, staat op mijn nachtkastje en is het laatste wat ik zie voordat ik elke avond de lamp uitdoe, maar ik had het graag bij me gehad in mijn kindertijd, toen ik zo'n behoefte had aan de aanwezigheid van die grootouders.

Sinds ik me kan heugen, word ik gekweld door dezelfde nachtmerrie. De beelden uit die steeds terugkerende droom blijven me uren bij en verpesten mijn dag en mijn humeur. Het is altijd dezelfde opeenvolging: ik loop door de lege straten van een onbekende, exotische stad, aan de hand van iemand wiens gezicht ik niet kan onderscheiden, ik zie slechts zijn benen en de punten van een paar glimmende schoenen. Plotseling worden we omringd door kinderen in zwarte pyjama's die een woeste rondedans maken. Een donkere vlek, bloed wellicht, spreidt zich uit over de straatstenen, terwijl de kring van kinderen zich steeds dreigender en onverbiddelijk sluit om de persoon die me aan de hand heeft. Ze omsingelen ons, duwen ons, trekken aan ons, drijven ons uit elkaar; ik zoek de geliefde hand maar vind de leegte. Ik schreeuw zonder stem, val zonder geluid en word dan wakker met een wild bonzend hart. Soms zwijg ik dagenlang, verzwolgen door de herinnering aan de droom, en probeer ik door te dringen in de lagen van mysterie die hem omhullen om te zien of ik een nog niet eerder opgemerkt detail kan ontdekken dat me de sleutel tot zijn betekenis geeft. Op zulke dagen heb ik een soort koude koorts waarbij ik in mijn lichaam zit opgesloten en mijn geest gevangenzit in een ijzig gebied. In die verlammende toestand zat ik tijdens de eerste weken bij Paulina del Valle. Ik was vijf jaar toen ze me naar het enorme huis op Nob Hill brachten, en niemand nam de moeite me uit te leggen waarom mijn leven ineens een dramatische wending kreeg, waar mijn grootouders Eliza en Tao waren, wie die monumentale mevrouw vol juwelen was die me vanaf haar troon met ogen vol tranen aankeek. Ik schoot onder de tafel en bleef daar zitten als een geslagen hond, naar ze me verteld hebben. In die tijd was Williams de butler van de familie Rodríguez de Santa Cruz – dat is eigenlijk moeilijk voor te stellen – en hij bedacht de volgende dag de oplossing om mijn eten op een dienblad te zetten waaraan een touwtje bevestigd was; ze trokken zachtjes aan het touw en ik kroop achter het dienblad aan toen ik niet meer kon van de honger, totdat ze me zo uit mijn schuilplaats kregen, maar elke keer dat ik wakker werd met die nachtmerrie, verstopte ik me weer onder de tafel. Dat duurde een jaar, totdat we naar Chili gingen en die manie overging door de drukte rond de reis en de verhuizing naar Santiago.

Mijn nachtmerrie is in zwart-wit, stil en onherroepelijk, hij heeft een eeuwigheidswaarde. Ik denk dat ik nu voldoende informatie heb om de sleutels tot zijn betekenis te kennen, maar daarmee is hij niet opgehouden me te kwellen. Door mijn dromen ben ik anders, net als die mensen die vanwege een aangeboren kwaal of misvorming een constante inspanning moeten leveren om een normaal bestaan te kunnen leiden. Zij dragen zichtbare tekens – het mijne zie je niet, maar het bestaat, ik kan het vergelijken met epilepsieaanvallen, die ineens toeslaan en een spoor van verwarring achterlaten. 's Avonds ga ik angstig in bed liggen, ik weet niet wat er zal gebeuren terwijl ik slaap of hoe ik wakker zal worden. Ik heb verscheidene middeltjes tegen mijn nachtelijke demonen uitgeprobeerd, van sinaasappellikeur met een paar druppeltjes opium tot hypnose en andere vormen van zwarte magie, maar niets garandeert me een rustige slaap, behalve goed gezelschap. In iemands armen slapen is tot nu toe de enige betrouwbare remedie. Ik zou moeten trouwen, zoals iedereen me aanraadt, maar dat heb ik al eens gedaan en het was een ramp, ik kan het lot niet nogmaals tarten. Met dertig jaar en zonder echtgenoot ben ik niet veel meer dan een bizar wezen; mijn vriendinnen bezien me met medelijden, hoewel sommigen van hen misschien wel jaloers zijn op mijn onafhankelijkheid. Ik ben niet alleen, ik heb een geheime liefde zonder verplichtingen of voorwaarden, wat overal aanstootgevend zou zijn, maar vooral hier, waar we moeten wonen. Ik ben vrijgezel noch weduwe noch gescheiden, ik leef in het grijze gebied van de 'gescheiden vrouwen', waar alle ongelukkigen terechtkomen die de publiekelijke hoon verkiezen boven het leven met een man van wie ze niet houden. Hoe kan het anders zijn in Chili, waar het huwelijk voor eeuwig en onontbindbaar is? Tijdens sommige bijzondere nachten, wanneer de lichamen van mijn geliefde en mij, vochtig van het zweet en slap van gedeelde dromen, nog in die half bewusteloze toestand van volkomen tederheid liggen, gelukkig en argeloos als slapende kinderen, bezwijken we voor de verleiding om te praten over trouwen, ergens anders heen te gaan, bijvoorbeeld naar de

Verenigde Staten, waar veel ruimte is en niemand ons kent, om samen te leven als elk normaal stel, maar dan worden we wakker met de zon die door het raam komt en hebben we het er niet meer over, want we weten allebei dat we nergens anders zouden kunnen leven, alleen in dit Chili met zijn grote natuurrampen en menselijke bekrompenheid, maar ook met ruige vulkanen en besneeuwde toppen, met oeroude, smaragdgroene meren, met schuimende rivieren en geurige bossen, een land smal als een lint, vaderland van arme en nog onschuldige mensen, ondanks de vele en diverse misstanden. Hij zou er niet weg kunnen gaan, en ik zal er geen genoeg van krijgen dit land te fotograferen. Ik zou graag kinderen hebben, dat wel, maar ik heb uiteindelijk geaccepteerd dat ik nooit moeder zal zijn; ik ben niet onvruchtbaar, ik ben vruchtbaar in andere opzichten. Nívea del Valle zegt dat een mens zijn identiteit niet ontleent aan zijn voortplantingsvermogen, hetgeen uit haar mond ironisch klinkt, daar zij meer dan een dozijn kindertjes op de wereld heeft gezet. Het gaat er hier echter niet om te praten over de kinderen die ik niet zal hebben of over mijn minnaar, maar over de gebeurtenissen die mij hebben gemaakt tot wie ik ben. Ik begrijp dat ik bij het schrijven van dit verslag anderen moet verraden, dat is onvermijdelijk. 'Denk erom dat je de vuile was binnenhoudt,' blijft Severo del Valle tegen me zeggen, die net als wij met dit motto werd opgevoed. 'Schrijf oprecht en maak je niet druk om andermans gevoelens, want wat je ook zegt, haten zullen ze je toch wel,' raadt Nívea me daarentegen aan.

Laten we dus maar verder gaan.

Daar het onmogelijk is mijn nachtmerries uit te bannen, probeer ik er in elk geval enig voordeel uit te slepen. Ik heb vastgesteld dat ik me na een woelige nacht in een hallucinatoire toestand bevind en extreem gevoelig ben, een optimale gesteldheid om creatief te zijn. Mijn beste foto's zijn genomen op dagen als deze, wanneer ik alleen maar onder de tafel wil kruipen, zoals ik de eerste tijd bij mijn grootmoeder Paulina in huis deed. De droom over kinderen in zwarte pyjama's heeft me tot de fotografie gebracht, daar ben ik zeker van. Toen Severo del Valle me een camera cadeau deed, was het eerste waar ik aan dacht dat als ik die demonen zou kunnen fotograferen, ik ze zou verslaan. Op dertienjarige leeftijd probeerde ik dat vele malen. Ik bedacht ingewikkelde systemen met wieltjes en touwtjes om tijdens mijn slaap een op mij gerichte camera in werking te stellen, totdat duidelijk werd dat die kwaadaardige wezens ongevoelig waren voor de aanval van de technologie. Door het met oprechte aandacht te observeren, wordt een normaal uitziend voorwerp of lichaam iets heiligs. De camera kan geheimen onthullen die het blote oog of de geest niet waarnemen; alles verdwijnt, behalve datgene wat in het kader wordt opgenomen. De fotografie is een oefening in observatie, en het resultaat is altijd een gelukstreffer; tussen de duizenden en duizenden negatieven waarmee verscheidene laden in mijn studio gevuld zijn, zitten maar weinig bijzondere. Mijn oom Lucky Chi'en zou enigszins teleurgesteld zijn als hij zou weten hoe weinig effect zijn geluksadem op mijn werk heeft gehad. De camera is een simpel toestel, zelfs de meest onbekwame persoon kan hem gebruiken; het is de uitdaging er die combinatie van waarheid en schoonheid mee te creëren die men kunst noemt. Die zoektocht is vooral spiritueel. Ik zoek waarheid en schoonheid in de transparantie van een blaadje in de herfst, in de perfecte vorm van een slak op het strand, in de welving van een vrouwelijke rug, in de textuur van een oude boomstam, maar ook in andere vluchtige vormen van de werkelijkheid. Soms, wanneer ik in mijn donkere kamer met een afbeelding werk, verschijnt de ziel van iemand, de emotie van een gebeurtenis of de vitale essentie van een voorwerp. Dan barst in mijn borst de dankbaarheid los en laat ik mijn tranen lopen, ik kan het niet helpen. Naar die openbaring streven is het doel van mijn vak.

Severo del Valle kon op het schip verscheidene weken treuren om Lynn Sommers en nadenken over wat er van de rest van zijn leven moest worden. Hij voelde zich verantwoordelijk voor het meisje Aurora en had voordat hij zich inscheepte een testament opgesteld, zodat zijn spaargeld en de kleine erfenis die hij van zijn vader ontvangen had direct naar haar zouden gaan indien hij mocht komen te overlijden. In de tussentijd zou ze elke maand de rente ontvangen. Hij wist dat Lynns ouders beter dan wie ook voor haar zouden zorgen en ging ervan uit dat zijn tante Paulina, hoe groot haar arrogantie ook was, niet zou proberen haar met geweld van hen af te nemen, want haar man zou niet toestaan dat de kwestie zich tot een publiek schandaal zou ontwikkelen.

Gezeten op de voorsteven van het schip en met zijn blik verloren over de eindeloze zee, bedacht Severo dat hij nooit troost zou vinden voor het verlies van Lynn. Hij wilde niet leven zonder haar. Sneuvelen in de strijd was het beste wat de toekomst hem te bieden kon hebben: een spoedige en snelle dood was alles wat hij verlangde. De liefde voor Lynn en zijn besluit om haar te helpen hadden maandenlang zijn tijd en aandacht in beslag genomen, daarvoor had hij elke dag de terugkeer weer uitgesteld, terwijl alle Chilenen van zijn leeftijd en masse aanmonsterden om te strijden. Aan boord waren verscheidene jongemannen die net als hij het doel hadden om in de gelederen te worden opgenomen – het dragen van het uniform was een erezaak – en met wie hij bijeenkwam om de berichten uit de oorlog te bestuderen die via de telegraaf werden overgebracht. In de vier jaar die Severo in Californië had doorgebracht, was hij ontworteld geraakt. Hij had beantwoord aan de oproep voor de oorlog als een manier om te zwelgen in zijn verdriet, maar hij voelde niet de geringste krijgslust. Naarmate het schip echter richting het zuiden voer, werd hij aangestoken door het enthousiasme van de rest. Hij dacht weer aan Chili dienen zoals hij dat had willen doen in de tijd dat hij op school zat, toen hij in de cafés met andere studenten over politiek discussieerde. Hij veronderstelde dat zijn vroegere kameraden al maandenlang aan het vechten waren, terwijl hij in San Francisco zat te tobben en zijn tijd doodde met bezoekjes aan Lynn Sommers en mahjong spelen. Hoe zou hij zoiets lafs kunnen rechtvaardigen tegenover zijn vrienden en familie? Tijdens die overpeinzingen werd hij belaagd door het beeld van Nívea. Zijn nicht zou niet begrijpen waarom hij er zo lang over deed om terug te komen en zijn vaderland te verdedigen, want hij wist zeker dat ze, als zij een man was geweest, als eerste naar het front was gegaan. Gelukkig hoefde hij aan haar geen verantwoording af te leggen, hij wilde liever met kogels doorzeefd sterven dan haar terugzien; er was veel meer moed voor nodig om Nívea onder ogen te komen nadat hij haar zo slecht behandeld had dan om te strijden tegen de wreedste vijand. Het schip ging voort met een gekmakende traagheid, in dit tempo zou hij in Chili aankomen als de oorlog afgelopen was, schatte hij ongedurig. Hij was er zeker van dat de overwinning naar de zijnen zou gaan, ondanks het numerieke overwicht van de tegenstander en de hoogmoed en onbekwaamheid van de Chileense legerleiding. De opperbevelhebber van het leger en de admiraal van het eskader waren een stel opa's die het maar niet eens werden over de meest elementaire strategie, maar de Chilenen hadden een grotere militaire discipline dan de Peruanen en de Bolivianen. 'Lynn moest eerst sterven voordat ik zou besluiten terug te gaan naar Chili om mijn vaderlandse plicht te vervullen, ik ben een slappeling,' mompelde hij beschaamd in zichzelf.

De haven van Valparaíso schitterde in het stralende decemberlicht toen het stoomschip in de baai voor anker ging. Bij het binnenvaren van de territoriale wateren van Peru en Chili hadden ze een aantal schepen van de oorlogsvloot van beide landen manoeuvres zien houden, maar pas toen ze aanlegden in Valparaíso was het duidelijk dat het oorlog was. De haven zag er heel anders uit dan Severo zich herinnerde. De stad was gemilitariseerd, troepen waren ingekwartierd in afwachting van transport, de Chileense vlag wapperde op de gebouwen en er was een druk komen en gaan van sloepen en sleepboten rond verscheidene schepen van de oorlogsvloot, terwijl er maar weinig passagiersboten waren. De jongen had zijn moeder op de hoogte gesteld van de datum van zijn aankomst, maar hij verwachtte haar niet in de haven te zien, want sinds twee jaar woonde ze met de jongste kinderen in Santiago en de reis vanuit de hoofdstad was erg zwaar. Daarom nam hij ook niet de moeite om de kade af te speuren op zoek naar bekenden, zoals de meeste passagiers deden. Hij pakte zijn koffertje, gaf een matroos een paar muntstukken zodat die voor zijn hutkoffers zou zorgen en liep over de loopplank naar beneden, terwijl hij zijn longen volzoog met de zilte lucht van de stad waar hij geboren was. Toen hij voet aan wal zette, wankelde hij als een dronkenman; tijdens de weken varen was hij gewend geraakt aan de deining van de golven en nu kostte het hem moeite over vaste grond te lopen. Hij floot voor een sjouwer die hem moest helpen met de bagage en maakte aanstalten om een rijtuig te zoeken dat hem naar het huis van zijn grootmoeder Emilia zou brengen, waar hij van plan was een paar nachten te blijven voordat hij het leger in zou gaan. Op dat moment voelde hij dat er op zijn arm werd getikt. Hij draaide zich verrast om en stond oog in oog met de laatste persoon die hij op deze wereld wilde zien: zijn nicht Nívea. Hij had een paar seconden nodig om haar te herkennen en bij te komen van de schok. Het meisje dat hij vier jaar geleden had achtergelaten was uitgegroeid tot een onbekende vrouw, nog altijd klein, maar veel slanker en welgevormder. Het enige wat onveranderd was, was haar intelligente en geconcentreerde gelaatsuitdrukking. Ze droeg een zomerjurk van blauwe tafzijde en een strohoed met een breed lint van wit organdie onder haar kin geknoopt, dat haar ovale gezicht met fijne trekken, waarin de donkerbruine ogen onrustig en speels fonkelden, omlijstte. Ze was alleen. Severo kon haar niet begroeten, hij bleef haar met open mond aanstaren totdat hij zijn tegenwoordigheid van geest terug had en erin slaagde haar beduusd te vragen of ze zijn laatste brief ontvangen had, doelend op de brief waarin hij zijn huwelijk met Lynn Sommers aankondigde. Daar hij haar sindsdien niet meer geschreven had, veronderstelde hij dat ze niets wist van de dood van Lynn of de geboorte van Aurora; zijn nicht kon niet vermoeden dat hij weduwnaar en vader was geworden zonder ooit echtgenoot te zijn geweest.

'Daar hebben we het later wel over, laat me je nu welkom heten. Er staat een rijtuig te wachten,' onderbrak zij hem.

Toen de hutkoffers eenmaal op de koets geplaatst waren, gaf Nívea de koetsier de opdracht om hen langzaam langs de rotskust te rijden, dan hadden ze tijd om te praten voordat ze thuis arriveerden, waar de rest van de familie op hem wachtte.

'Ik heb me als een schurk tegenover je gedragen, Nívea. Het enige gunstige wat ik over mezelf kan vertellen is dat ik je nooit pijn heb willen doen,' prevelde Severo zonder haar te durven aankijken.

'Ik geef toe dat ik woedend op je was, Severo, ik moest op mijn tong bijten om je niet te vervloeken, maar ik koester geen wrok meer. Ik denk dat je meer hebt geleden dan ik. Ik vind het echt heel erg wat je vrouw is overkomen.'

'Hoe weet jij wat er gebeurd is?'

'Ik heb een telegram met het bericht ontvangen, het was getekend door ene Williams.'

De eerste reactie van Severo was boosheid – hoe durfde de butler zich op die manier in zijn privéleven te mengen –, maar daarna kon hij een opwelling van dankbaarheid niet onderdrukken, omdat dat telegram hem een pijnlijke uitleg bespaarde.

'Ik verwacht niet dat je me vergeeft, alleen dat je me vergeet, Nívea. Jij verdient het, meer dan wie ook, om gelukkig te zijn...'

'Wie heeft jou verteld dat ik gelukkig wil zijn, Severo? Dat is wel het laatste adjectief dat ik zou gebruiken om de toekomst die ik ambieer te omschrijven. Ik wil een interessant, avontuurlijk, alternatief, gepassioneerd leven – kortom, van alles; geluk komt op de laatste plaats.'

'Ach, nichtje van me, het is heerlijk om te zien hoe weinig je bent veranderd. Hoe dan ook, binnen een paar dagen marcheer ik met het leger naar Peru, en eerlijk gezegd hoop ik in het harnas te sterven, want mijn leven heeft geen zin meer.'

'En je dochter?'

'Ik begrijp dat Williams je alle details gegeven heeft. Heeft hij ook gezegd dat ik niet de vader van dat meisje ben?' vroeg Severo.

'Wie is het dan?'

'Dat doet er niet toe. Wettelijk gezien is ze mijn dochter. Ze is in handen van haar grootouders en ze zal geld genoeg hebben, ik heb haar goed verzorgd achtergelaten.'

'Hoe heet ze?'

'Aurora.'

'Aurora del Valle... mooie naam. Probeer ongeschonden uit de oorlog te komen, Severo, want als we trouwen zal dat meisje vast onze eerste dochter worden,' zei Nívea blozend.

'Wát zeg je?'

'Ik heb mijn hele leven op je gewacht, ik kan nog wel even wachten. Het heeft geen haast, ik heb een hoop te doen voordat ik ga trouwen. Ik werk.'

'Je werkt? Waarom?' riep Severo geschokt uit, want geen enkele vrouw die hij kende in zijn familie, of welke andere familie ook, werkte.

'Om te leren. Mijn oom José Francisco heeft me aangenomen om zijn bibliotheek te ordenen en me toestemming gegeven om alles te lezen wat ik wil. Ken je hem nog?'

'Ik ken hem een heel klein beetje. Is hij niet degene die getrouwd is met een vrouw met een grote erfenis en een paleis in Viña del Mar heeft?'

'Inderdaad, hij is familie van mijn moeder. Ik ken geen wijzere en aardigere man, die er ook nog eens goed uitziet... hoewel, niet zo goed als jij,' lachte ze.

'Lach me niet uit, Nívea.'

'Was je vrouw mooi?' vroeg het meisje.

'Heel mooi.'

'Je zult door je verdriet heen moeten, Severo. Misschien is de oorlog daar goed voor. Ze zeggen dat heel knappe vrouwen onvergetelijk zijn, ik hoop dat je leert zonder haar te leven, ook al vergeet je haar niet. Ik zal bidden dat je weer verliefd mag worden, en hopelijk op mij...' fluisterde Nívea terwijl ze zijn hand vastpakte.

En toen voelde Severo del Valle een verschrikkelijke pijn in zijn borstkas, als een lanssteek door zijn ribben, en een snik ontsnapte aan zijn lippen, gevolgd door een onbeheersbaar gehuil dat zijn hele lichaam deed schokken, terwijl hij hikkend de naam van Lynn herhaalde, Lynn, duizendmaal Lynn. Nívea trok hem tegen haar borst en sloot hem in haar armen, terwijl ze hem troostende klopjes op zijn rug gaf, als bij een kind.

De Salpeteroorlog begon op zee en ging verder op het vasteland, er werd man tegen man gevochten met bajonetten en kromme messen in de meest dorre en meedogenloze woestijnen ter wereld, in de provincies die vandaag de dag het noorden van Chili vormen, maar die voor de oorlog bij Peru en Bolivia hoorden. De Peruaanse en Boliviaanse legers waren nauwelijks voorbereid op een dergelijke strijd: ze waren met weinigen, slecht bewapend, en hun bevoorradingssysteem haperde zo vaak dat sommige veldslagen en schermutselingen werden beslist door gebrek aan drinkwater of omdat de wielen van de met kisten vol kogels beladen karren vastliepen in het zand. Chili was een expansionistisch land met een stabiele economie, het bezat het beste eskader van Zuid-Amerika en een leger van meer dan zeventigduizend man. Het had een reputatie van burgerzin, op een continent van onbehouwen caudillo's, systematische corruptie en bloedige revoluties; het sobere karakter van de Chilenen en de betrouwbaarheid van hun instellingen wekten jaloezie bij de buurlanden, hun scholen en universiteiten trokken buitenlandse professoren en studenten aan. De invloed van Engelse, Duitse en Spaanse immigranten had het onstuimige creoolse temperament enigszins kunnen matigen. Het leger kreeg een Pruisische opleiding en kende geen vrede, want gedurende de jaren die aan de Salpeteroorlog voorafgingen, had het gewapenderhand strijd geleverd tegen de indianen in het zuiden van het land, in een gebied genaamd La Frontera: tot daar had de arm van de beschaving gereikt, en verderop begon het onvoorspelbare territorium van de inlanders, waar zich tot voor zeer kort alleen missionarissen van de jezuïeten hadden gewaagd. De geduchte Araucaanse krijgers, die al sinds de tijd van de Spaanse verovering onophoudelijk strijd leverden, zwichtten niet voor kogels of de ergste gruweldaden, maar ze bezweken stuk voor stuk aan de alcohol. Door tegen hen te vechten raakten de soldaten getraind in wreed optreden. Al snel leerden de Peruanen en Bolivianen de Chilenen te vrezen, bloeddorstige vijanden die er niet voor terugschrokken om gewonden en krijgsgevangenen met een mes of met kogels over de kling te jagen. De Chilenen riepen overal waar ze kwamen zoveel haat en angst op dat ze internationaal gezien hevige antipathie opwekten – met een eindeloze reeks diplomatieke protesten en geschillen als logisch gevolg – en bij hun vijanden de wil om tot de dood te strijden tot het uiterste prikkelden, want zich overgeven had weinig zin. De Peruaanse en Boliviaanse troepen bestonden uit een handjevol officieren, contingenten middelmatige, slecht uitgeruste soldaten en massa's onder dwang geronselde indianen, die nauwelijks wisten waarvoor ze vochten en bij de eerste de beste mogelijkheid deserteerden. De Chileense gelederen daarentegen hadden een meerderheid van burgers, net zo fel in de strijd als de militairen, die uit vaderlandsliefde vochten en zich niet gewonnen gaven. Vaak waren de omstandigheden hels. Tijdens de tocht door de woestijn sleepten ze zich wanhopig voort in een wolk van zoutig stof, kapot van de dorst, met zand tot halverwege het bovenbeen, een meedogenloze zon die op hun hoofden weerkaatste en het gewicht van hun rugzakken en munitie op de rug, hun geweren stevig omklemd. De pokken, tyfus en de derdendaagse koorts maakten vele slachtoffers; in de militaire hospitalen lagen meer zieken dan oorlogsgewonden. Toen Severo del Valle zich bij het leger aansloot, waren zijn landgenoten bezig Antofagasta – de enige kustprovincie van Bolivia – en de Peruaanse provincies Tarapacá, Arica en Tacna te veroveren. Halverwege 1880 stierf midden in de woestijncampagne de minister van Oorlog en Scheepvaart aan een herseninfarct, waardoor de regering in totale ontreddering verkeerde. Uiteindelijk benoemde de president een burger in zijn plaats, don José Francisco Vergara, Nívea's oom, onvermoeibaar reiziger en gretig lezer, die op zesenveertigjarige leeftijd naar de sabel moest grijpen om de oorlog te leiden. Hij was een van de eersten die zagen dat, terwijl Chili voortgang boekte met de verovering van het noorden, Argentinië stilletjes in het zuiden Patagonië innam, maar niemand luisterde naar hem, want ze beschouwden dat gebied als net zo onbruikbaar als de maan. Vergara was briljant, had verfijnde manieren en een enorm geheugen; hij was overal in geïnteresseerd, van plantkunde tot poëzie, hij was onomkoopbaar en had absoluut geen politieke ambities. Hij bedacht de oorlogsstrategie met dezelfde rust en hetzelfde oog voor detail als waarmee hij zijn zaken bestuurde. Ondanks het wantrouwen van de beroepsmilitairen en tot verrassing van iedereen, leidde hij de Chileense troepen direct naar Lima. Zoals zijn nicht Nívea zei: 'Oorlog is een te ernstige zaak om aan militairen over te laten.' De uitspraak kwam buiten de huiselijke kring terecht en schopte het tot een van die onsterfelijke gezegden die deel gaan uitmaken van de historische anekdotiek van een land.

Aan het einde van het jaar bereidden de Chilenen zich voor op de beslissende aanval op Lima. Severo del Valle was al elf maanden aan het vechten, weggezonken in het vuil, het bloed en de meest genadeloze barbarij. In die tijd ging de herinnering aan Lynn aan flarden; hij droomde niet meer over haar, maar over de verminkte lichamen van de mannen met wie hij de dag ervoor nog samen in het kampement had gezeten. De oorlog bestond vooral uit oprukken in een geforceerd marstempo en geduld oefenen; de momenten van strijd waren bijna een welkome afwisseling voor de verveling van het mobiliseren en wachten. Wanneer hij kon gaan zitten om een sigaret te roken, maakte hij van de gelegenheid gebruik om Nívea een paar regels te schrijven, op de vriendschappelijke toon waarop hij altijd met haar omging. Hij had het niet over liefde, maar langzaam aan begon hij te begrijpen dat zij de enige vrouw in zijn leven zou zijn en dat Lynn Sommers alleen maar een langdurige fantasie was geweest. Nívea schreef hem regelmatig, hoewel niet al haar brieven aankwamen, om hem te vertellen over de familie, het leven en de stad, over haar spaarzame ontmoetingen met haar oom José Francisco en de boeken die hij haar aanried. Ze had het ook over de spirituele verandering die ze doormaakte, hoe ze langzaam afstand nam van bepaalde katholieke rituelen die haar uitingen van heidendom leken, om op zoek te gaan naar de wortels van een eerder filosofisch dan dogmatisch christendom. Ze was bang dat Severo, die volledig werd opgeslokt door een ruwe en wrede wereld, het contact met zijn ziel zou verliezen en een onbekende voor haar zou worden. Het idee dat hij verplicht was te doden was voor haar ondraaglijk. Ze probeerde er niet aan te denken, maar de verhalen over met messen doorboorde soldaten, onthoofde lichamen, verkrachte vrouwen en aan bajonetten geregen kinderen waren onmogelijk te negeren. Zou Severo deelnemen aan die gruwelijkheden? Zou een man die getuige is van dergelijke gebeurtenissen kunnen terugkeren naar de vrede, echtgenoot en huisvader kunnen worden? Zou zij hem ondanks alles kunnen liefhebben? Severo del Valle stelde zichzelf dezelfde vragen terwijl zijn regiment zich op weinige kilometers van de hoofdstad van Peru snel gereedmaakte voor de aanval. Eind december was het Chileense contingent klaar om in actie te komen in een vallei ten zuiden van Lima. Ze hadden zich terdege voorbereid, ze beschikten over een groot leger, muilezels en paarden, munitie, proviand en water, verscheidene zeilschepen voor het vervoer van de troepen, naast vier veldhospitalen met zeshonderd bedden en twee tot hospitaal omgebouwde schepen onder de vlag van het Rode Kruis. Een van de bevelhebbers kwam te voet met zijn voltallige brigade, nadat ze eindeloze moerassen en bergen waren overgestoken, en presenteerde zich als een Mongoolse vorst met een gevolg van vijftienhonderd Chinezen en hun vrouwen, kinderen en dieren. Toen hij ze zag, dacht Severo del Valle slachtoffer van een hallucinatie te zijn, waarin heel Chinatown San Francisco had verlaten om zich te verliezen in dezelfde oorlog als hij. De pittoreske bevelhebber had de Chinezen onderweg geronseld, het waren immigranten die in omstandigheden van slavernij werkten en, tussen twee vuren geplaatst en zonder loyaliteit jegens enige partij, besloten hadden zich bij de Chileense strijdkrachten aan te sluiten. Terwijl de christenen de mis bijwoonden voordat ze de strijd in gingen, organiseerden de Chinezen hun eigen ceremonie, waarna de aalmoezeniers iedereen met wijwater besprenkelden. 'Het is hier net een circus,' schreef Severo die dag aan Nívea, zonder te vermoeden dat het zijn laatste brief zou zijn. Om de soldaten moed in te spreken en het inschepen van duizenden en duizenden mannen, dieren, kanonnen en voedselvoorraden in goede banen te leiden, was minister Vergara in eigen persoon, staand in een verzengende zon, van zes uur 's ochtends tot laat in de avond aanwezig.

De Peruanen hadden op een paar kilometer van de stad twee verdedigingslinies opgesteld op voor de aanvallers moeilijk bereikbare plekken. Afgezien van de steile en zanderige hellingen waren er forten, borstweringen, geschutsbatterijen en met zandzakken afgeschermde loopgraven voor de schutters. Bovendien hadden ze mijnen onder het zand gelegd, die bij contact explodeerden. De twee verdedigingslinies waren onderling en ook met de stad Lima verbonden via de spoorlijn, om het vervoer van troepen, gewonden en provisie te garanderen. Zoals Severo en zijn kameraden al wisten voordat ze half januari 1881 de aanval inzetten, zou de overwinning – als die al werd behaald – vele levens kosten.

Die middag in januari waren de troepen gereed om de hoofdstad van Peru binnen te trekken. Nadat het eten was opgediend en het kampement was opgebroken, verbrandden ze de schotten die als kamers hadden gediend en splitsten ze zich op in drie groepen om, beschut door de dichte nevel, een verrassingsaanval uit te voeren op de vijandelijke verdedigingswerken. Ze gingen in stilte, ieder met zijn zware uitrusting op de rug en de geweren in de aanslag, klaar om 'frontaal op z'n Chileens' aan te vallen, zoals de generaals hadden besloten, zich ervan bewust dat het machtigste wapen in hun bezit de vermetelheid en wreedheid van de in een roes van geweld verkerende soldaten waren. Severo del Valle had de veldflessen met brandewijn en buskruit zien rondgaan, een ophitsende mix die de ingewanden in vuur en vlam zette, maar een ontembare moed gaf. Hij had het één keer geproefd, maar daarna moest hij twee dagen overgeven en werd hij gekweld door hoofdpijn, dus hij doorstond de strijd liever nuchter. De mars in de stilte en de duisternis van de pampa leek hem eindeloos, ondanks de korte pauzes. Na middernacht hield de enorme menigte soldaten stil om een uur te rusten. Ze wilden voordat het licht zou worden een kustplaats dicht bij Lima binnenvallen, maar van dat plan kwam door de tegenstrijdige orders en de verwarring onder de bevelhebbers helemaal niets terecht. Men wist maar weinig over de situatie in de voorste gelederen, waar het gevecht blijkbaar al was begonnen, dus waren de uitgeputte manschappen gedwongen verder te gaan zonder op adem te komen. Naar het voorbeeld van de anderen deed Severo zijn rugzak, borstwering en andere uitrusting af, bracht zijn wapen met bajonet in gereedheid en rende blindelings, uit volle borst schreeuwend als een razend wild dier, naar voren, want het ging er al niet meer om de vijand te verrassen, maar om hem te verjagen. De Peruanen wachtten de Chilenen op, en zodra ze hen onder schot hadden, vuurden ze een kogelregen op hen af. Bij de mist kwamen de rook en het stof, waardoor de horizon door een ondoordringbare deken bedekt werd, terwijl de lucht van hevige angst vervuld raakte door de kornetten die opriepen tot de aanval, het geschreeuw en de strijdkreten, het gebrul van de gewonden, het gehinnik en gebalk van de rijdieren en het gebulder van de kanonschoten. De grond lag vol mijnen, maar de Chilenen rukten toch op met de woeste kreet 'Afslachten!' op hun lippen. Severo del Valle zag twee van zijn makkers, die op een paar meter afstand op een explosief gestapt waren, in stukken de lucht in vliegen. Hij had de tijd niet om te bedenken dat de volgende explosie weleens voor hem zou kunnen zijn, er was geen tijd om ergens over na te denken, want de eerste huzaren sprongen al over de vijandelijke loopgraven, stortten zich met kromme messen tussen de tanden en bajonetten in de aanslag in de geulen, slachtend en stervend tussen stromen van bloed. De overlevende Peruanen trokken zich terug en de aanvallers klommen de heuvels op en braken door de trapsgewijs op de hellingen opgestelde verdediging heen. Zonder te weten wat hij deed, stond Severo del Valle ineens met zijn sabel een man in stukken te hakken en gaf hij vervolgens een andere, die op de vlucht sloeg, van dichtbij een nekschot. Hij was volkomen bezeten van razernij en angst; hij was net als alle anderen in een beest veranderd. Zijn uniform was gescheurd en zat onder het bloed, er hing een stuk darm van iemand aan zijn mouw, hij had geen stem meer van al het gegil en gevloek, hij had de angst en zijn identiteit verloren, hij was slechts een moordmachine die klappen uitdeelde zonder te zien waar ze vielen, met als enig doel de top van de heuvel te bereiken.

Na twee uur vechten wapperde om zeven uur 's ochtends de eerste Chileense vlag op een van de toppen en zag Severo, geknield op de heuvel, een menigte Peruaanse soldaten zich in wilde vlucht terugtrekken, om zich meteen te verzamelen op de binnenplaats van een boerderij, waar ze tijdens het formeren de frontale aanval van de Chileense cavalerie over zich heen kregen. Binnen een paar minuten was het een hel. Severo del Valle, die kwam aanrennen, zag de sabels in de lucht fonkelen en hoorde de geweersalvo's en de kreten van pijn. Toen hij bij de boerderij kwam, holden de vijanden al weg, opnieuw achtervolgd door de Chileense troepen. Op dat moment bereikte hem de stem van zijn bevelhebber, die hem beduidde de mannen van zijn detachement te groeperen om het dorp aan te vallen. Tijdens het opstellen van de gelederen kon hij even op adem komen; hij liet zich op de grond vallen, met zijn gezicht in het zand, hijgend, trillend, zijn handen stijf om zijn wapen geklemd. Hij bedacht dat de opmars waanzin was, want zijn regiment kon niet zonder hulp het hoofd bieden aan de talrijke vijandelijke troepen die in de huizen en gebouwen verschanst zaten, het zou een gevecht van huis tot huis worden; het was echter niet zijn opdracht om na te denken, maar om de bevelen van zijn superieur op te volgen en het Peruaanse dorp tot puin, as en dood te reduceren. Minuten later draafde hij voor zijn makkers uit, terwijl de projectielen hen om de oren floten. Ze trokken in twee colonnes binnen, een aan elke kant van de hoofdstraat. De meeste inwoners waren gevlucht bij de kreet 'De Chilenen komen!', maar degenen die gebleven waren, waren vastbesloten te vechten met wat ze maar bij de hand hadden, van keukenmessen tot pannen met kokende olie die ze van de balkons naar beneden gooiden. Severo's regiment had instructies om van huis tot huis te gaan tot ze het dorp ontruimd hadden, een geenszins eenvoudige taak, daar het vol zat met Peruaanse sluipschutters op de daken, in bomen, in de raamopeningen en op de deurdrempels. Severo had een droge keel en brandende ogen, hij zag nauwelijks een meter ver; de lucht, dicht van rook en stof, was verstikkend geworden, de verwarring was zo groot dat niemand wist wat te doen, ze deden gewoon degene na die voor hen liep. Plotseling voelde hij een regen van kogels om zich heen en hij begreep dat hij niet verder kon, hij moest dekking zoeken. Met een klap van zijn geweerkolf opende hij een deur en stormde met geheven sabel binnen, verblind door het contrast tussen de brandende zon buiten en de schemer binnen. Hij had een paar minuten nodig om zijn geweer te laden, maar kreeg die niet: een hartverscheurende schreeuw deed hem als verlamd staan en hij ontwaarde een gestalte die zich in een hoekje had schuilgehouden en zich nu zwaaiend met een bijl voor hem oprichtte. Hij kon zijn hoofd nog met zijn armen beschermen en zijn lichaam naar achteren gooien. De bijl kwam als een blikseminslag in zijn linkervoet terecht en nagelde hem aan de vloer. Severo del Valle wist niet wat er gebeurd was, hij reageerde puur instinctief. Hij duwde de bajonet op zijn geweer met zijn volle gewicht naar voren, stak hem in de buik van zijn aanvaller en trok hem vervolgens met brute kracht omhoog. Een straal bloed spoot recht in zijn gezicht. En toen besefte hij dat de vijand een meisje was. Hij had haar van onder tot boven opengereten en zij hield geknield haar ingewanden tegen die nu op de plankenvloer vielen. Hun blikken kruisten elkaar in een oneindig moment, verrast, elkaar in de eeuwige stilte van dat ogenblik vragend wie ze waren, waarom ze op deze manier tegenover elkaar stonden, waarom ze doodbloedden, waarom ze moesten sterven. Severo wilde haar ondersteunen, maar hij kon zich niet bewegen en voelde voor het eerst de verschrikkelijke pijn in zijn voet, die als een vuurtong door zijn been naar zijn borst steeg. Op dat moment stormde een andere Chileense soldaat de woning binnen, beoordeelde in één oogopslag de situatie en schoot zonder aarzelen de vrouw, die toch al op sterven na dood was, van dichtbij neer. Vervolgens pakte hij de bijl en bevrijdde Severo met een enorme ruk. 'Kom op, luitenant, we moeten wegwezen hier, de artillerie gaat schieten,' sommeerde hij hem, maar het bloed gutste uit Severo's voet, hij viel flauw, kwam nog even bij en werd vervolgens weer door duisternis omringd. De soldaat zette zijn veldfles aan zijn mond en dwong hem een flinke slok sterke drank te drinken, legde toen middels een onder de knie geknoopte zakdoek een geïmproviseerde slagaderpers aan, gooide de gewonde over zijn schouder en sleepte hem mee. Buiten werd hij door andere handen geholpen en veertig minuten later lag Severo, terwijl de Chileense artillerie met kanonschoten het dorpje van de kaart veegde en puin en verwrongen ijzer achterliet waar eens het vreedzame kustplaatsje had gelegen, op de binnenplaats van het hospitaal samen met honderden verminkte lijken en duizenden in plassen liggende en door vliegen geplaagde gewonden te wachten op de dood of een wonder dat hem zou redden. Hij was versuft door de angst en de pijn, nu en dan zonk hij weg in een barmhartige bewusteloosheid en wanneer hij bijkwam, zag hij de hemel weer zwart worden. Op de verzengende hitte overdag volgde de vochtige kou van de *camanchaca*, die de nacht in zijn deken van dichte mist hulde. Op heldere momenten herinnerde hij zich de gebeden die hij in zijn kindertijd geleerd had en smeekte hij om een snelle dood, terwijl het beeld van Nívea als een engel aan hem verscheen; hij dacht dat hij haar over hem heen gebogen zag, dat ze hem ondersteunde, zijn voorhoofd schoonmaakte met een vochtige doek, woorden van liefde tegen hem sprak. Hij herhaalde Nívea's naam terwijl hij stemloos om een glas water vroeg.

De strijd om Lima te veroveren duurde tot zes uur in de avond. In de dagen daarna, toen ze de balans van doden en gewonden konden opmaken, berekenden ze dat twintig procent van de strijders van beide legers in die uren gesneuveld was. Nog veel meer stierven er ten gevolge van ontstoken wonden. Er werden veldhospitalen geïmproviseerd in een school en in over de omgeving verspreide tenten. De wind voerde de stank van rottende lichamen tot op kilometers afstand mee. De artsen en verplegers hielpen uitgeput maar naar vermogen de mensen die werden binnengebracht, maar er waren meer dan tweeënhalfduizend gewonden onder de Chileense gelederen en men schatte dat er minstens zevenduizend overlevenden van de Peruaanse troepen waren. De gewonden hoopten zich op in gangen en op binnenplaatsen, verspreid over de grond, tot ze aan de beurt zouden zijn. De ernstigste gevallen werden het eerst geholpen, maar Severo del Valle lag, ondanks het enorme verlies van kracht, bloed en hoop, nog niet op sterven, dus lieten de ziekenbroeders hem steeds wachten om anderen voor te laten gaan. Dezelfde soldaat die hem over zijn schouder had gegooid om hem naar het hospitaal te brengen, reet met zijn mes Severo's laars open, trok hem zijn doorweekte overhemd uit en improviseerde daarmee een tampon voor de verbrijzelde voet, want verband, medicijnen, fenol om te desinfecteren, opium of chloroform waren niet voorhanden, alles was op of zoekgeraakt in de chaos van de strijd. 'Haal af en toe het verband los zodat uw been niet door koudvuur wordt aangetast, luitenant,' adviseerde de soldaat hem. Alvorens afscheid te nemen wenste hij hem geluk en schonk hem zijn meest waardevolle bezittingen: een pakje tabak en zijn veldfles met de overgebleven brandewijn. Severo del Valle wist niet hoe lang hij op die binnenplaats had gelegen, misschien een dag, misschien twee. Toen ze hem eindelijk kwamen ophalen om hem naar de dokter te brengen, was hij bewusteloos en uitgedroogd, maar toen ze hem optilden was de pijn zo verschrikkelijk dat hij brullend bijkwam. 'Hou vol, luitenant, het ergste moet namelijk nog komen,' zei een van de ziekenbroeders. Hij bevond zich in een grote zaal waarvan de vloer met zand was bedekt en waar om de zoveel tijd een paar ordonnansen nieuwe emmers zand leegden om het bloed te absorberen, en in diezelfde emmers werden de geamputeerde lichaamsdelen meegenomen om ze buiten te verbranden op een enorme brandstapel, die de vallei doordrong van de geur van geschroeid vlees. Op vier houten tafels met metalen blad werden de onfortuinlijke soldaten geopereerd, op de vloer stonden emmers met roodachtig water waarin men de sponzen om de wonden te stelpen uitspoelde, en bakken met in repen gescheurde lappen die als verband werden gebruikt, alles smerig en onder het zand en zaagsel. Op een zijtafel lagen angstaanjagende martelinstrumenten uitgespreid – tangen, scharen, zagen, naalden – besmeurd met geronnen bloed. De ruimte was vervuld van de kreten van mensen die geopereerd werden, en de geur van ontbinding, braaksel en uitwerpselen was ondraaglijk. De arts bleek een immigrant uit de Balkan met de gehardheid, zekerheid en snelheid van een ervaren chirurg. Hij had een baard van twee dagen, rode ogen van vermoeidheid en droeg een dik, groen leren schort, overdekt met vers bloed. Hij haalde het geïmproviseerde verband van Severo's been, maakte de slagaderpers los en had slechts één blik nodig om te zien dat de infectie begonnen was en te besluiten tot amputatie. Het leed geen twijfel dat hij in die dagen vele ledematen had afgezet, want hij knipperde niet eens met zijn ogen.

'Hebt u wat sterke drank, soldaat?' vroeg hij met een duidelijk buitenlands accent.

'Water...' riep Severo del Valle met een kurkdroge tong.

'Hierna krijgt u water. Ik heb nu iets nodig wat u een beetje versuft, maar we hebben hier geen druppel sterke drank meer,' zei de arts.

Severo wees naar de veldfles. De dokter dwong hem drie grote slokken te nemen, met de uitleg dat ze geen verdoving hadden, en gebruikte de rest om een paar lappen in te drenken voor het reinigen van zijn instrumenten; vervolgens maakte hij een gebaar naar de ordonnansen, die aan beide kanten van de tafel gingen staan om de patiënt vast te houden. Dit is mijn uur van de waarheid, kon Severo nog denken, en hij probeerde zich Nívea voor de geest te halen om niet te sterven met in zijn hart het beeld van het meisje dat hij met zijn bajonet had opengereten. Een verpleger legde een nieuwe slagaderpers aan en hield het been stevig vast ter hoogte van de dij. De chirurg nam een scalpel, liet het twintig centimeter onder de knie in het vlees zakken en sneed met een behendige rondgaande beweging tot het scheenbeen en het kuitbeen. Severo del Valle loeide van de pijn en verloor meteen het bewustzijn, maar de ordonnansen lieten hem niet los, ze hielden hem nog steviger tegen de tafel gedrukt, terwijl de arts met zijn vingers de huid en de spieren wegtrok en de botten blootlegde; hij pakte meteen een zaag en zaagde ze in drie trefzekere halen door. De verpleger haalde de afgesneden bloedvaten uit de stomp, die de arts met een ongelooflijke behendigheid aan elkaar vastmaakte, waarna hij behoedzaam de slagaderpers loswikkelde terwijl hij het geamputeerde bot met vlees en huid bedekte en alles hechtte. Direct daarop verbonden ze hem snel en droegen hem naar een hoek van de zaal om plaats te maken voor een andere gewonde die brullend naar de tafel van de chirurg werd gebracht. De hele operatie had nog geen zes minuten geduurd.

In de dagen na die veldslag trokken de Chileense troepen Lima binnen. Volgens de officiële berichten die in de Chileense kranten werden gepubliceerd, deden ze dat ordelijk; in de herinnering van de Limeños was het een slachtpartij, die zich voegde bij de uitwassen van de woedende verslagen Peruaanse soldaten, die zich verraden voelden door hun leiders. Een deel van de burgerbevolking was gevlucht en de machtige families zochten een veilig heenkomen in de schepen in de haven, in de consulaten en op een door buitenlandse mariniers beschermd strand, waar het corps diplomatique tenten had opgezet om de vluchtelingen onder neutrale vlag op te vangen. Degenen die bleven om hun bezittingen te verdedigen, zouden voor de rest van hun leven de herinnering aan de helse taferelen van de dronken en dol van geweld geworden soldatenbende met zich meedragen. Ze plunderden en verbrandden huizen, verkrachtten, sloegen en vermoordden wie er maar voor hun voeten kwam, inclusief vrouwen, kinderen en ouderen. Uiteindelijk gaf een deel van het Peruaanse regiment zich over en legde de wapens neer, maar veel soldaten stoven in wilde vlucht de bergen in. Twee dagen later vertrok de Peruaanse generaal Andrés Cáceres met een verbrijzeld been uit de bezette stad, geholpen door zijn vrouw en een paar trouwe officieren, om te verdwijnen in het ruige berggebied. Hij had gezworen tot aan zijn laatste ademtocht te zullen blijven vechten.

In de haven van El Callao gaven de Peruaanse kapiteins hun bemanning het bevel de schepen te verlaten en ze staken de kruitopslag aan, waarmee ze hun hele vloot tot zinken brachten. Severo del Valle werd wakker van de explosies. Hij bevond zich in een hoek, op het smerige zand van de operatiezaal, naast andere mannen die net als hij zojuist de foltering van de amputatie achter de rug hadden. Iemand had een deken over hem heen gelegd en een veldfles met water naast hem neergezet; hij strekte zijn hand uit, maar die beefde zo erg dat hij de dop er niet af kreeg en kreunend met de fles tegen zijn borst gedrukt bleef liggen totdat er een jonge verpleegster kwam, die de fles opende en hem hielp deze naar zijn lippen te brengen. Hij dronk de inhoud in één teug leeg en propte vervolgens op aanwijzing van de vrouw, die maandenlang zij aan zij met de mannen gevochten had en net zoveel wist van gewonden verzorgen als de artsen, een handvol tabak in zijn mond en kauwde er gretig op om de stuiptrekkingen ten gevolge van de shock van de operatie te temperen. 'Doden is niet zo moeilijk, overleven, dat kost pas moeite, jongen. Als je even niet oplet, zal de dood je verraden,' waarschuwde de verpleegster hem. 'Ik ben bang,' probeerde Severo te zeggen, en zij hoorde misschien zijn gestamel niet, maar ze vermoedde zijn angst, want ze haalde een klein zilveren medaillon van haar hals en stopte het in zijn handen. 'Moge de Heilige Maagd je bijstaan,' fluisterde ze, en over hem heen gebogen kuste ze hem kort op de lippen voordat ze wegliep. Severo bleef liggen met de aanraking van die lippen nog op zijn mond en het medaillon stevig in zijn handpalm geklemd. Hij rilde, klappertandde en gloeide van de koorts; hij viel af en toe weg of in slaap, en wanneer hij weer bij bewustzijn kwam, was hij versuft van de pijn. Uren later kwam dezelfde verpleegster met de donkerbruine vlechten terug en gaf hem wat vochtige doeken om het zweet en het geronnen bloed weg te vegen en een blikken bord met maïspap, een stuk oud brood en een kom met een lauwe, donkere vloeistof, cichoreikoffie, die hij niet eens probeerde te pakken, omdat hij daar door de zwakte en de misselijkheid niet toe in staat was. Hij verborg zijn hoofd onder de deken, gaf zich over aan het lijden en de wanhoop, kreunend en huilend als een klein kind totdat hij weer in slaap viel. 'Je hebt veel bloed verloren, mijn zoon, als je niet eet ga je dood,' zo maakte een aalmoezenier hem wakker, die daar rondliep om de gewonden te troosten en de stervenden het heilige oliesel te geven. Toen herinnerde Severo del Valle zich dat hij de oorlog in was gegaan om te sterven. Dat was zijn doel geweest toen hij Lynn Sommers had verloren, maar nu de dood daar was, als een gier over hem heen stond gebogen, wachtend op zijn kans om hem de laatste klap uit te delen, kwam de overlevingsdrang in alle heftigheid naar boven. Het verlangen aan de dood te ontkomen oversteeg de brandende foltering die van zijn been tot de laatste vezel in zijn lichaam door hem heen trok, het was sterker dan de beklemming, de onzekerheid en de angst. Hij begreep dat hij helemaal niet wilde sterven, maar er juist wanhopig naar verlangde op de wereld te blijven, in welke staat of toestand dan ook te leven, kreupel, verslagen, het maakte allemaal niets uit, als hij maar op deze wereld kon blijven. Zoals elke soldaat wist hij dat slechts een op de tien geamputeerde mannen het bloedverlies en het koudvuur overleefden, daaraan viel niet te ontkomen, het was allemaal een kwestie van geluk. Hij besloot een van die overlevenden te worden. Hij bedacht dat zijn fantastische nicht Nívea een ongeschonden man verdiende en niet een verminkte, hij wilde niet dat zij hem als een wrak zou zien, hij zou haar medelijden niet kunnen verdragen. Toch dook het meisje zodra hij zijn ogen sloot weer op aan zijn zijde, hij zag Nívea, onaangetast door het geweld van de oorlog of de lelijkheid van de wereld, over hem heen gebogen met haar intelligente gezicht, haar donkere ogen en haar ondeugende glimlach, en toen loste zijn trots op als zout in water. Hij had niet de geringste twijfel dat zij evenveel van hem zou houden met een half been minder als ze vroeger van hem had gehouden. Hij pakte de lepel met verstijfde vingers, probeerde het trillen te onderdrukken, dwong zichzelf zijn mond open te doen en slikte een hap van die walgelijke maïspap door, inmiddels koud geworden en vol vliegen.

In januari 1881 trokken de Chileense regimenten zegevierend Lima binnen en probeerden van daaruit Peru de geforceerde vrede van de nederlaag op te leggen. Toen de barbaarse wanorde van de eerste weken bedaard was, lieten de trotse overwinnaars een contingent van tienduizend man achter om de bezette natie te besturen, terwijl de rest de reis richting zuiden aanvaardde om hun welverdiende lauwerkransen af te halen, totaal voorbijgaand aan de duizenden verslagen soldaten die het was gelukt de bergen in te vluchten en die van plan waren van daaruit verder te vechten. De overwinning was zo verpletterend geweest dat de generaals zich niet konden voorstellen dat de Peruanen hen nog gedurende drie lange jaren zouden blijven bestoken. De spil van dat hardnekkige verzet was de legendarische kapitein Cáceres, die als door een wonder aan de dood was ontsnapt en met een verschrikkelijke wond de bergen in was gegaan om de nog altijd brandende vlam van onverschrokkenheid aan te wakkeren in een haveloos leger van spooksoldaten en geronselde indianen. Met dit leger voerde hij een bloedige guerrillaoorlog met hinderlagen en schermutselingen. De soldaten van Cáceres, met het uniform als vodden aan het lijf, vaak ongeschoeid, ondervoed en wanhopig, vochten met messen, lansen, knuppels, stenen en een paar verouderde geweren, maar ze hadden het voordeel dat ze het terrein kenden. Ze hadden het slagveld om een gedisciplineerde en goed bewapende vijand weerstand te bieden goed uitgekozen, hoewel er niet altijd voldoende provisie was, want de toegang tot dat steile gebergte was werk voor condors. Ze verschansten zich op de besneeuwde toppen, in grotten en kloven, op hooggelegen plekken waar de lucht zo ijl en de eenzaamheid zo uitgestrekt was dat alleen zij, mannen uit de bergen, er konden overleven. Bij de Chileense soldaten sprongen de trommelvliezen, ze vielen flauw als gevolg van zuurstoftekort en bevroren in de ijskoude bergengtes van de Andes. Terwijl zij nauwelijks naar boven kwamen omdat hun hart het niet aankon, klauterden de indianen van de hoogvlakte als lama's met een vracht zo zwaar als hun eigen gewicht op de rug, slechts gevoed door het bittere adelaarsvlees en een bal groene cocabladeren die in hun mond rondging. Het werden drie jaren van oorlog zonder wapenstilstand en zonder krijgsgevangenen, met duizenden doden. De Peruaanse strijdkrachten wonnen slechts één frontale strijd: om een dorpje zonder strategisch belang, dat verdedigd werd door zevenenzeventig Chileense soldaten van wie er verscheidene aan tyfus leden. De verdedigers hadden slechts honderd kogels de man, maar vochten de hele nacht zo dapper tegen honderden soldaten en indianen dat de Peruaanse officiers, toen er bij het troosteloze ochtendgloren nog maar drie schutters over waren, de Chilenen smeekten zich over te geven, omdat ze het een schande vonden hen te doden. Dat deden ze niet, ze bleven strijd leveren en stierven met de bajonet in de hand terwijl ze de naam van hun vaderland schreeuwden. Er waren drie vrouwen bij hen, die door de inheemse bendes naar het midden van het met bloed besmeurde plein werden gesleurd, werden verkracht en in stukken gehakt. Een van hen was 's nachts, terwijl haar man buiten vocht, in de kerk bevallen, en ook de pasgeboren baby werd afgemaakt. De lijken werden verminkt, de buiken opengesneden en de darmen eruit gehaald, en naar men in Santiago vertelde, aten de indianen de ingewanden op, gebraden aan het spit. Die beestachtigheid was niet uitzonderlijk, de barbarij ging bij beide partijen in die guerrillaoorlog gelijk op. De uiteindelijke overgave en het ondertekenen van de vredesovereenkomst werden in oktober 1883 bereikt, nadat de troepen van Cáceres in een laatste veldslag overwonnen werden, een slachtpartij met messen en bajonetten waarbij meer dan duizend doden op het slagveld achterbleven. Chili nam Peru drie provincies af. Bolivia verloor zijn enige toegang naar de zee en werd gedwongen een wapenstilstand voor onbepaalde tijd te ondertekenen, die twintig jaar zou moeten duren voordat er een vredesovereenkomst getekend werd.

Severo del Valle werd samen met duizenden andere gewonden per schip naar Chili gebracht. Terwijl velen in de geïmproviseerde veldhospitalen door koudvuur of besmet met tyfus of dysenterie overleden, kon hij herstellen dankzij Nívea, die, zodra ze hoorde wat er was gebeurd, contact had opgenomen met haar oom, minister Vergara, en hem niet meer met rust liet voor hij Severo liet opsporen, hem redde uit een hospitaal waar hij een nummer was tussen de duizenden gewonden in rampzalige omstandigheden, en hem met het eerste beschikbare transport naar Valparaíso stuurde. Ook verleende hij zijn nichtje speciale toestemming om toegang te krijgen tot het militaire terrein bij de haven en wees hij een luitenant aan om haar te helpen. Toen Severo del Valle op een brancard van boord werd gehaald, herkende zij hem niet: hij was twintig kilo afgevallen en zag er weerzinwekkend uit; hij leek een geel, harig lijk, met een baard van meerdere weken en de angstige, uitzinnige ogen van een gek. Nívea zette zich over haar ontzetting heen met dezelfde strijdlustige wilskracht die haar op alle andere terreinen van haar leven overeind hield en begroette hem met een vrolijk 'Hallo neef, leuk je te zien!', waarop Severo niet kon antwoorden. Toen hij haar zag was hij zo opgelucht dat hij zijn gezicht met zijn handen bedekte zodat ze hem niet zou zien huilen. De luitenant had het transport voorbereid en bracht de gewonde en Nívea overeenkomstig de ontvangen orders rechtstreeks naar de residentie van de minister in Viña del Mar, waar zijn vrouw een vertrek had ingericht. 'Mijn echtgenoot zegt dat je hier moet blijven tot je weer kunt lopen, jongen,' zei ze. De arts van de familie Vergara wendde alle wetenschappelijke middelen aan om hem te genezen, maar toen de wond na een maand nog niet heelde en Severo in koortsaanvallen bleef vechten voor zijn leven, begreep Nívea dat zijn geest ziek was door de verschrikkingen van de oorlog en dat het enige middel tegen zoveel wroeging de liefde was; toen besloot ze tot extreme maatregelen over te gaan.

'Ik ga mijn ouders toestemming vragen om met je te trouwen,' zei ze tegen Severo.

'Ik ben stervende, Nívea,' zuchtte hij.

'Jij hebt altijd wel weer een excuus, Severo! De doodsstrijd is nooit een obstakel geweest om te trouwen.'

'Wil je weduwe worden zonder echtgenote geweest te zijn? Ik wil niet dat jou overkomt wat mij met Lynn is gebeurd.'

'Ik word geen weduwe, want jij gaat niet dood. Zou je me nederig willen vragen met je te trouwen, neef? Bijvoorbeeld tegen me zeggen dat ik de vrouw van je leven ben, jouw engel, jouw muze of iets dergelijks? Verzin iets, man! Zeg tegen me dat je niet zonder mij kunt leven, dat is in elk geval waar, of niet soms? Ik geef toe dat ik het niet echt leuk vind om de enige romanticus in deze relatie te zijn.'

'Je bent gek, Nívea. Ik ben niet eens een volwaardige man, ik ben een miserabele invalide.'

'Mis je nog iets meer dan een stuk been?' vroeg ze verontrust.

'Vind je dat soms weinig?'

'Als de rest op z'n plek zit, lijkt het me dat je weinig bent kwijtgeraakt, Severo,' lachte ze.

'Trouw dan met me, alsjeblieft,' prevelde hij, enorm opgelucht en met een brok in zijn keel, te zwak om haar te omhelzen.

'Niet huilen, neef, kus me; daar heb je je been niet voor nodig,' antwoordde zij, terwijl ze zich over het bed boog op de manier zoals hij dat vele malen in zijn ijlkoorts gezien had.

Drie dagen later trouwden ze met een korte ceremonie in een van de mooiste salons van de ambtswoning van de minister, in aanwezigheid van de twee families. Gezien de omstandigheden was het een besloten huwelijksfeest, maar alleen al met de meest nabije familieleden waren ze met vierennegentig personen. Severo verscheen bleek en mager op de bruiloft, gezeten in een rolstoel, met een Byron-kapsel en gladgeschoren wangen. Hij droeg een pak en een overhemd met een gesteven boord, gouden manchetknopen en een zijden stropdas. Er was geen tijd geweest om een bruidsjurk te maken of een gepaste uitzet voor Nívea samen te stellen, maar haar zussen en nichten hadden twee hutkoffers gevuld met de kleding voor in huis die ze jarenlang voor hun eigen uitzet hadden geborduurd. Ze droeg een witte satijnen jurk en een tiara met parels en diamanten, geleend door de vrouw van haar oom. Op de bruidsfoto staat ze stralend naast de rolstoel van haar man. Die avond was er een familiediner waar Severo niet bij was, omdat hij door de emoties van de dag was uitgeput. Nadat de genodigden zich hadden teruggetrokken, werd Nívea door haar tante naar de slaapkamer gebracht die ze voor haar hadden klaargemaakt. 'Het spijt me heel erg dat je eerste nacht als getrouwde vrouw zo moet zijn...' stamelde de lieve vrouw blozend. 'Maakt u zich geen zorgen, tante, ik troost mezelf wel met het bidden van de rozenkrans,' antwoordde het meisje. Ze wachtte tot het huis sliep, en toen ze zeker wist dat zich, behalve de zilte zeewind tussen de bomen in de tuin, niets of niemand meer roerde, stond Nívea op, liep in haar nachthemd de lange gangen van dat onbekende paleis door en ging de kamer van Severo binnen. De non die was aangenomen om over de slaap van de zieke te waken, lag wijdbeens in een fauteuil in een diepe slaap, maar Severo lag wakker op haar te wachten.

Zij bracht een vinger naar haar lippen om hem tot stilte te manen, deed de gaslampen uit en ging in bed liggen.

Nívea was bij de nonnen opgegroeid en kwam uit een ouderwetse familie, waar men nooit sprak over lichaamsfuncties, en al helemaal niet over de functies die verband hielden met de voortplanting, maar ze was twintig jaar, had een vurig hart en een goed geheugen. Ze kon zich de stiekeme spelletjes met haar neef in de donkere hoekjes, de vorm van Severo's lichaam, de spanning van het immer onbevredigde genot, de aantrekkingskracht van de zonde, heel goed herinneren. In die tijd werden ze door preutsheid en schuldgevoel geremd en kwamen ze beiden bevend, afgemat en met een gloeiende huid uit de verboden hoekjes. In de jaren die ze gescheiden hadden doorgebracht, had ze tijd gehad om elk met haar neef gedeeld moment nog eens aan zich voorbij te laten trekken en de nieuwsgierigheid uit de kindertijd om te zetten in een diepgaande liefde. Bovendien had ze het maximale profijt gehaald uit de bibliotheek van haar oom José Francisco Vergara, een liberaal en modern denkende man die zijn intellectuele onrust op geen enkele wijze liet intomen en al helemaal geen religieuze censuur tolereerde. Terwijl Nívea de wetenschappelijke boeken, de kunst- en oorlogsboeken rangschikte, ontdekte ze bij toeval een geheim vak en trof daar een niet te veronachtzamen verzameling romans van de zwarte lijst van de Kerk en erotische teksten aan, inclusief een grappige collectie Japanse en Chinese tekeningen met ondersteboven en in anatomisch opzicht onmogelijke posities liggende stelletjes, die niettemin de grootste geheelonthouder en zeker een zo fantasierijke persoon als zij konden inspireren. De meest didactische teksten waren evenwel de pornografische, zeer slecht uit het Engels in het Spaans vertaalde romans van een zekere *Anonieme Dame*, die het meisje een voor een verborgen in haar tas meenam, behoedzaam las en stiekem weer op dezelfde plaats terugzette, een onnodige voorzorgsmaatregel, want haar oom was op veldtocht en verder kwam niemand in het paleis in de bibliotheek. Geleid door die boekjes onderzocht ze haar eigen lichaam, ze leerde de rudimenten van de oudste kunst van de mensheid en bereidde zich voor op de dag dat ze de theorie in praktijk kon brengen. Ze wist uiteraard dat ze een vreselijke zonde beging – genot is altijd een zonde –, maar ze zag ervan af het onderwerp met haar biechtvader te bespreken omdat ze vond dat het plezier dat ze ervan had en in de toekomst nog zou hebben het risico van de hel meer dan waard was. Ze bad opdat de dood haar niet plotseling zou overvallen, zodat ze de uren van genot die de boeken haar boden nog zou kunnen opbiechten alvorens haar laatste adem uit te blazen. Ze had zich nooit kunnen voorstellen dat die training in afzondering haar zou helpen om de man die ze liefhad het leven terug te geven, en al helemaal niet dat ze dat op drie meter afstand van een slapende non zou moeten doen. Vanaf de eerste nacht met Severo bracht Nívea, voordat ze haar man welterusten ging zeggen en naar haar slaapkamer ging, de zuster een kop warme chocolademelk en koekjes. In de chocolademelk zat een dosis valeriaan waarmee je een kameel in slaap zou krijgen. Severo del Valle had nooit gedacht dat zijn kuise nicht tot zoveel en zulke buitengewone hoogstandjes in staat was. Zijn beenwond, die stekende pijnen veroorzaakte, de koorts en de zwakte beperkten hem tot een passieve rol, maar wat hem aan kracht ontbrak, compenseerde zij met initiatief en wijsheid. Severo had niet het geringste vermoeden gehad dat dergelijke acrobatische toeren mogelijk waren en hij wist zeker dat ze niet christelijk waren, maar dat verhinderde niet dat hij er met volle teugen van genoot. Als hij Nívea niet van kleins af aan gekend had, had hij gedacht dat ze in een Turks serail was getraind, maar als hij al verontrust was over de wijze waarop die jongedame zulke verschillende seksueel vakkundige trucjes had geleerd, dan was hij zo verstandig het haar niet te vragen. Hij volgde haar gewillig in de reis der zinnen voor zover zijn lichaam hem dat toeliet en gaf zich gaandeweg met hart en ziel over. Ze zochten elkaar onder de lakens op de manieren zoals ze door de pornografieschrijvers uit de bibliotheek van de eerbiedwaardige minister van Oorlog beschreven stonden en op andere wijzen die ze, geprikkeld door verlangen en liefde, zelf verzonnen, zij het met de beperking van de in verband gewikkelde stomp en de non die in haar stoel zat te snurken. Verstrengeld in elkaars armen, met nog pulserende lichamen, hun monden gelijktijdig ademend bij elkaar, werden ze verrast door het ochtendgloren, en zodra dat eerste schijnsel van de dag door het raam schemerde, glipte zij als een schaduw terug naar haar slaapkamer. De spelletjes van vroeger veranderden in heuse marathons van wellust, ze streelden elkaar gulzig, kusten elkaar, likten en penetreerden elkaar overal, dit alles in het donker en in uiterste stilte, hun zuchten smorend en in de kussens bijtend om de vrolijke geilheid te onderdrukken die hen tijdens die te korte nachten steeds weer tot het opperste genot voerde. De tijd vloog: nauwelijks doemde Nívea als een geest op in de kamer om bij Severo in bed te gaan liggen of het was alweer ochtend. Geen van tweeën deed een oog dicht, ze mochten geen minuut verliezen van die gelukkige ontmoetingen. De volgende dag sliep hij als een pasgeborene tot twaalf uur 's middags, maar zij stond vroeg en wazig als een slaapwandelaarster op en volgde de normale routine. 's Avonds rustte Severo in zijn rolstoel op het terras en keek naar de zon die in de zee onderging, terwijl zijn echtgenote tijdens het borduren van tafelkleedjes naast hem in slaap viel. In het bijzijn van anderen gedroegen ze zich als broer en zus, ze raakten elkaar niet aan en keken nauwelijks naar elkaar, maar de lucht om hen heen was geladen met begeerte. Overdag telden ze de uren en keken ze dol van verlangen uit naar het uur waarop ze elkaar in bed weer konden omhelzen. Wat ze 's nachts deden, zou de dokter, de twee families en de hele maatschappij met afschuw vervuld hebben, om over de non nog maar te zwijgen. Intussen hadden vrienden en verwanten het over Nívea's onbaatzuchtigheid, die zo kuise, katholieke jonge vrouw die veroordeeld was tot een platonische liefde, en over de morele kracht van Severo, die een been had verloren en wiens leven was verwoest bij het verdedigen van zijn vaderland. In de kringen van de roddeltantes ging het gerucht dat het niet alleen een been was wat hij op het slagveld verloren had, maar ook zijn klok- en hamerspel. Arme jongelui, fluisterden ze onder gezucht, zonder te vermoeden hoe leuk dat losbandige stel het had. Nadat ze de non een week met chocolademelk onder narcose hadden gebracht en de liefde hadden bedreven als Egyptenaren, was de wond van de amputatie geheeld en was de koorts verdwenen. Binnen twee maanden liep Severo met krukken en begon hij over een houten been, terwijl Nívea verborgen in een van de tweeëntwintig badkamers van het paleis van haar oom haar ingewanden uit haar lijf braakte. Toen er niets anders meer op zat dan tegenover de familie te bekennen dat Nívea zwanger was, was de algehele verbazing zo groot dat men zelfs zei dat die zwangerschap een wonder was. Het meest geschokt was ongetwijfeld de non, maar Severo en Nívea vermoedden altijd al dat de brave vrouw ondanks de weergaloze doses valeriaan de kans had gehad een hoop te leren; ze deed alsof ze sliep om zichzelf het plezier hen te begluren niet te onthouden. De enige die zich kon voorstellen hoe ze het gedaan hadden en die zich schaterend verheugde over het vakmanschap van het stel, was minister Vergara. Toen Severo de eerste stappen met zijn kunstbeen kon zetten en Nívea's buik niet meer verhuld kon worden, hielp hij hen om zich in een nieuw huis te vestigen en gaf hij Severo del Valle werk. 'Het land en de liberale partij hebben mannen met jouw lef nodig,' zei hij, hoewel, in alle eerlijkheid, het lef van Nívea kwam.

Ik heb mijn grootvader Feliciano Rodríguez de Santa Cruz nooit gekend, hij stierf een paar maanden voordat ik in zijn huis kwam wonen. Hij kreeg een beroerte toen hij tijdens een banket in zijn huis op Nob Hill aan het hoofd van de tafel zat en zich verslikte in een wildpasteitje en Franse rode wijn. Met een paar mensen tilden ze hem van de vloer en legden hem halfdood op een sofa, met zijn mooie hoofd als van een Arabische prins in de schoot van Paulina del Valle, die om hem moed in te spreken bleef herhalen: 'Niet doodgaan, Feliciano, weduwen worden immers nergens uitgenodigd... Haal adem, joh! Als je ademhaalt, beloof ik dat ik de knip van mijn slaapkamerdeur zal halen.' Ze zeggen dat Feliciano nog kon glimlachen voordat zijn hart uit elkaar spatte. Er bestaan talloze portretten van die forse, vrolijke Chileen; je kunt je hem makkelijk levend voorstellen, want op geen ervan poseert hij voor de schilder of de fotograaf, op allemaal wekt hij de indruk in een spontaan gebaar verrast te zijn. Als hij lachte kwam er een hele rij haaientanden bloot, hij gebaarde als hij praatte, bewoog zich met de zekerheid en zelfingenomenheid van een piraat. Na zijn dood stortte Paulina del Valle in; ze was zo depressief dat ze niet bij de begrafenis of een van de vele eerbetonen die de stad hem bewees aanwezig kon zijn. Daar haar drie kinderen afwezig waren, moesten de butler Williams en de raadslieden van de familie zich met de uitvaart belasten. De twee jongste zonen kwamen een paar weken later, maar Matías was in Duitsland en kwam, met het excuus van zijn gezondheid, niet opdagen om zijn moeder te troosten. Voor het eerst in haar leven was Paulina haar koketterie, haar eetlust en de interesse in de kasboeken kwijt, ze weigerde de deur uit te gaan en bleef dagenlang in bed. Ze stond niet toe dat iemand haar in die toestand zag, de enigen die wisten van haar gehuil waren haar kamermeisjes en Williams, die deed alsof hij niets doorhad en slechts op veilige afstand afwachtte om haar te helpen als ze daar om vroeg. Op een middag bleef ze toevallig staan voor de grote vergulde spiegel die de halve muur van haar badkamer in beslag nam en zag wat er van haar geworden was: een dikke, sjofele heks met een schildpadhoofdje en een verwarde bos grijs haar. Ze slaakte een kreet van afschuw. Geen man ter wereld – en zeker Feliciano niet – was zo'n offer waard. Ze had een dieptepunt bereikt, het was tijd om eens op de grond te stampen en weer boven water te komen. Ze rinkelde met het belletje om haar kamermeisjes te roepen en gebood hun haar te helpen met baden en haar kapper te halen. Vanaf die dag kwam ze met een ijzeren wilskracht over haar verdriet heen, slechts geholpen door bergen snoep en langdurig in bad zitten. Meestal werd ze met haar mond vol en ondergedompeld in bad door de avond overvallen, maar ze huilde niet meer. Rond Kerstmis kwam ze met enkele overtollige kilo's en onberispelijk opgedoft uit haar opsluiting, waarop ze verrast vaststelde dat de wereld doorging zonder haar en dat niemand haar gemist had, hetgeen een extra prikkel was om definitief het bed uit te komen. Ze zou niet toestaan dat men haar negeerde, besloot ze, ze was net zestig en wilde nog zo'n dertig jaar leven, al was het maar om haar naasten dwars te zitten. Ze zou een paar maanden in het zwart gekleed gaan, dat was wel het minste wat ze uit respect voor Feliciano kon doen, maar hij zou haar niet graag zien als zo'n Griekse weduwe die zichzelf voor de rest van haar leven onder zwarte doeken begraaft. Ze maakte plannen voor een nieuwe garderobe in pastelkleuren voor het volgende jaar en voor een plezierreisje door Europa. Ze had ook altijd al naar Egypte gewild, maar Feliciano vond dat een land van zand en mummies waarin al het interessante drieduizend jaar geleden gebeurd was. Nu ze alleen was zou ze die droom kunnen verwezenlijken. Al snel besefte ze echter hoe erg haar bestaan veranderd was en hoe laag de society van San Francisco haar had zitten; al haar rijkdom was niet genoeg om haar haar Spaanse afkomst en haar keukenmeidenaccent te vergeven. Zoals ze voor de grap gezegd had, nodigde niemand haar uit, ze was niet meer de eerste die een invitatie voor de feesten ontving, haar naam werd niet meer genoemd op de society-pagina's en in de opera zei men haar nauwelijks gedag. Ze was buitengesloten. Het bleek bovendien heel moeilijk haar zaken uit te breiden, want zonder haar man aan haar zijde was er niemand in het financiële milieu die haar respecteerde. Ze maakte een nauwkeurige berekening van haar bezittingen en kwam erachter dat haar drie zoons het geld sneller over de balk smeten dan zij het kon verdienen, er waren overal schulden, en voordat hij overleed had Feliciano enkele zeer slechte investeringen gedaan zonder haar te raadplegen. Ze was niet zo rijk als ze dacht, maar ze voelde zich verre van verslagen. Ze riep Williams en gebood hem een binnenhuisarchitect in te huren om de salons opnieuw in te richten, een chef-kok om een serie nieuwjaarsbanketten te plannen, een reisagent om over Egypte te praten en een kleermaker om haar nieuwe jurken te ontwerpen. Ze was zich net met deze urgentiemaatregelen van de schok van het weduwschap aan het herstellen, toen een in wit popeline gekleed meisje met een kanten mutsje en lakleren laarsjes aan de hand van een in rouwdracht geklede vrouw in haar huis verscheen. Het waren Eliza Sommers en haar kleinkind Aurora, die Paulina del Valle in vijf jaar niet gezien had.

'Ik breng u het meisje, precies zoals u wilde, Paulina,' zei Eliza droevig.

'Lieve hemel, wat is er gebeurd?' vroeg Paulina volkomen verrast.

'Mijn man is gestorven.'

'We zijn dus allebei weduwe...' mompelde Paulina.

Eliza Sommers vertelde dat ze niet voor haar kleinkind zou kunnen zorgen omdat ze het lichaam van Tao Chi'en naar China moest brengen, zoals ze hem altijd beloofd had. Paulina del Valle riep Williams en gelastte hem met het meisje de tuin in te lopen en haar de pauwen te laten zien, terwijl zij praatten.

'Wanneer bent u van plan terug te komen, Eliza?'

'Het kan een erg lange reis worden.'

'Ik wil me niet aan het meisje gaan hechten en haar binnen een paar maanden weer aan u terug moeten geven. Mijn hart zou breken.'

'Ik beloof u dat dat niet zal gebeuren, Paulina. U kunt mijn kleinkind een veel beter leven bieden dan ik. Ik hoor nergens thuis. Zonder Tao heeft het geen zin om in Chinatown te wonen, ik pas ook niet tussen de Amerikanen en in Chili heb ik niets te zoeken. Ik ben overal een buitenlandse, maar ik wil dat Lai-Ming wortels heeft, een familie en een goede opleiding. Severo del Valle, haar wettige vader, zou haar eigenlijk onder zijn hoede moeten nemen, maar hij is erg ver weg en heeft andere kinderen. Aangezien u het meisje altijd al graag wilde hebben, dacht ik...'

'Dat hebt u heel goed gedaan, Eliza!' onderbrak Paulina haar.

Paulina del Valle luisterde tot het einde toe naar de tragedie die zich over Eliza Sommers had uitgestort en informeerde naar alle bijzonderheden over Aurora, inclusief de rol die Severo del Valle in haar toekomst speelde. Op onverklaarbare wijze waren de wrok en de trots gaandeweg vervlogen en stond ze ontroerd de vrouw te omhelzen die ze enige tijd daarvoor nog als haar ergste vijand had beschouwd, en ze bedankte haar voor de ongelooflijke edelmoedigheid het kleinkind naar haar te brengen en bezwoer haar dat ze een echte grootouder zou zijn, vast niet zo goed als zij en Tao Chi'en waren geweest, maar bereid om de rest van haar leven aan de zorg voor

Aurora te wijden en haar gelukkig te maken. Dat zou haar belangrijkste taak in deze wereld worden.

'Lai-Ming is een slim meisje. Ze zal spoedig vragen wie haar vader is. Tot voor kort geloofde ze dat haar vader, haar grootvader, haar beste vriend en God één en dezelfde persoon waren: Tao Chi'en,' zei Eliza.

'Wat wilt u dat ik op haar vraag antwoord?' wilde Paulina weten.

'Vertel haar de waarheid, die is altijd het makkelijkst te begrijpen,' ried Eliza haar aan.

'Dat mijn zoon Matías haar biologische vader is en mijn neef Severo haar wettige vader?'

'Waarom niet? En zeg haar dat haar moeder Lynn Sommers heette en een lieve en mooie jonge vrouw was,' prevelde Eliza met gebroken stem.

De twee grootmoeders waren het erover eens dat ze het meisje, om haar niet verder in verwarring te brengen, het best voorgoed van haar familie van moederskant konden scheiden, dat ze geen Chinees meer zou praten of wat voor contact dan ook met haar verleden zou hebben. Op vijfjarige leeftijd ben je je van zoiets niet bewust, besloten ze; met de tijd zou de kleine Lai-Ming haar afkomst en het trauma van de recente gebeurtenissen vergeten. Eliza Sommers beloofde op geen enkele manier contact met het meisje te zoeken en Paulina del Valle beloofde haar te adoreren zoals ze de dochter geadoreerd zou hebben die ze zo graag gewild maar nooit gekregen had. Ze namen afscheid met een korte omhelzing en Eliza ging door een dienstingang naar buiten, zodat haar kleinkind haar niet zou zien weggaan.

Ik betreur het ten zeerste dat die twee lieve vrouwen, mijn grootmoeders Eliza Sommers en Paulina del Valle, over mijn lot beslisten zonder mij er ook maar enigszins in te betrekken. Met dezelfde enorme vastberadenheid als waarmee ze op haar achttiende met een kaalgeschoren hoofd uit een klooster wegliep om met haar verloofde te vluchten, en op haar vijfentwintigste een fortuin vergaarde door prehistorisch ijs per schip te vervoeren, deed mijn grootmoeder Paulina haar uiterste best om mijn afkomst uit te wissen. En als een misstapje van het lot niet op het laatste moment haar plannen had gedwarsboomd, was het haar ook gelukt. Ik kan me de eerste indruk die ik van haar had goed herinneren. Ik zie mezelf een tegen een helling gebouwd paleis binnengaan, door tuinen met spiegels van water en gesnoeide struiken lopen, ik zie de marmeren treden met aan weerskanten de beide bronzen leeuwen op ware grootte, de dubbele deur van donker hout en de enorme hal die verlicht werd door het gebrandschilderde glas van een majestueuze lichtkoepel op het dak. Ik was nooit op een dergelijke plek geweest, ik voelde evenzeer fascinatie als angst. Al snel stond ik voor een vergulde zetel met medaillon, waarin Paulina del Valle zat, een koningin op haar troon. Daar ik haar nog vele malen in diezelfde zetel heb gezien, kan ik me vrij makkelijk voorstellen hoe ze er op die eerste dag uitgezien moet hebben: uitgedost met een weelde aan juwelen en gehuld in genoeg stof om er gordijnen van te maken, overweldigend. Aan haar zijde viel de rest van de wereld in het niet. Ze had een prachtige stem, een geweldige natuurlijke elegantie en rechte, witte tanden, met dank aan een perfect porseleinen kunstgebit. In die tijd had ze vast al grijs haar, maar ze verfde het in de donkerbruine kleur uit haar jeugd en gebruikte om het meer volume te geven allerlei kundig aangebrachte haarstukjes, waardoor haar knot wel een toren leek. Niet eerder had ik een mens van die afmetingen gezien, uitstekend aangepast aan de omvang en weelde van haar huis. Nu ik eindelijk weet wat er gebeurd is in de dagen voorafgaand aan dat moment, begrijp ik dat het niet eerlijk is mijn schrik alleen aan die reusachtige grootmoeder toe te schrijven; toen ze me naar haar huis brachten was de angst onderdeel van mijn bagage, net als het kleine koffertje en de Chinese pop die ik stevig vasthield. Na met me door de tuin te hebben gewandeld en me in de enorme, lege eetkamer tegenover een coupe ijs te hebben gezet, bracht Williams me naar de aquarellenzaal, waar ik dacht dat mijn grootmoeder Eliza op me zat te wachten. In haar plaats trof ik echter Paulina del Valle aan, die voorzichtig alsof ze een schuwe kat probeerde te vangen op me af kwam en tegen me zei dat ze veel van me hield en dat ik van nu af aan in dat grote huis zou wonen en heel veel poppen zou krijgen en ook een pony en een kinderwagen.

'Ik ben je grootmoeder,' verklaarde ze.

'Waar is mijn echte grootmoeder?' schijn ik te hebben gevraagd.

'Ik ben je echte grootmoeder, Aurora. De andere grootmoeder is weggegaan voor een lange reis,' legde Paulina me uit.

Ik zette het op een lopen, rende door de hal met de koepel, verdwaalde in de bibliotheek, kwam in de eetkamer terecht en ging onder de tafel zitten, waar ik sprakeloos van verwarring ineendook. Het was een enorm meubelstuk met een blad van groen marmer en bewerkte poten met kariatiden, dat niet van zijn plek te krijgen was. Al snel kwamen Paulina del Valle, Williams en twee bedienden me paaien, maar ik schoot weg als een wezel zodra er een hand bij me in de buurt kwam. 'Laat haar, mevrouw, ze komt er alleen wel onderuit,' opperde Williams, maar daar er uren verstreken en ik verschanst onder de tafel bleef zitten, brachten ze me nog een bord ijs, een kussen en een deken. 'Wanneer ze slaapt, halen we haar daar weg,' had Paulina del Valle gezegd, maar ik sliep niet, integendeel, ik ging hurkend zitten plassen, me volledig bewust van de fout die ik beging, maar te bang om een toilet te zoeken. Ik bleef zelfs onder de tafel zitten terwijl Paulina zat te eten; vanuit mijn schuilplaats zag ik haar dikke benen, haar kleine satijnen schoentjes waar de vetrollen van haar voeten uit puilden, en de zwarte pantalons van de bedienden die af en aan liepen. Zij boog een paar keer met verschrikkelijk veel moeite omlaag om me een knipoog te geven, waarop ik reageerde door mijn gezicht tegen mijn knieën te verbergen. Ik stierf van de honger, de vermoeidheid en de behoefte om naar de wc te gaan, maar ik was net zo trots als Paulina del Valle zelf en gaf me niet makkelijk gewonnen. Even later schoof Williams een dienblad met het derde ijsje, koekjes en een groot stuk chocoladetaart onder de tafel. Ik wachtte tot hij wegliep en toen ik me veilig voelde, wilde ik gaan eten, maar hoe verder ik mijn hand uitstrekte, hoe verder het dienblad, dat de butler met een touwtje wegtrok, van me af was. Toen ik eindelijk een koekje kon pakken, bevond ik me al buiten mijn schuilplaats, maar aangezien er niemand in de eetkamer was, kon ik de lekkernijen in alle rust opschrokken en zodra ik een geluid hoorde meteen weer onder de tafel schieten. Hetzelfde herhaalde zich uren later, toen de dag aanbrak, tot ik achter het dienblad aan kruipend bij de deur kwam, waar Paulina del Valle op me stond te wachten met een gelig jong hondje, dat ze in mijn armen legde.

'Hier, hij is voor jou, Aurora. Dit hondje voelt zich ook alleen en bang,' zei ze.

'Ik heet Lai-Ming.'

'Jij heet Aurora del Valle,' antwoordde zij stellig.

'Waar is de wc?' murmelde ik met mijn benen over elkaar.

En zo begon mijn relatie met die kolossale grootmoeder die het lot me had toebedeeld. Ze gaf me een kamer naast de hare en vond het goed dat het hondje bij me in bed sliep, dat ik Caramelo noemde omdat hij een karamelachtige kleur had. Rond middernacht werd ik wakker uit de nachtmerrie over die kinderen in zwarte pyjama's, en zonder er tweemaal over na te denken vloog ik naar het legendarische bed van Paulina del Valle, net zoals ik vroeger 's ochtends altijd bij mijn grootvader in bed kroop om te knuffelen. Ik was eraan gewend in de sterke armen van Tao Chi'en te worden opgenomen, niets stelde me zo gerust als zijn zeegeur en de reeks lieve woordjes in het Chinees die hij half slapend tegen me zei. Ik wist niet dat normale kinderen niet over de drempel van de slaapkamer van volwassenen kwamen, en al helemaal niet bij hen in bed gingen liggen; ik was opgevoed met innig lichamelijk contact, ik werd eindeloos gekust en gewiegd door mijn grootouders van moederskant, ik kende geen andere vorm van troost of rust dan een omhelzing. Toen Paulina del Valle me zag, stuurde ze me geschokt weg, waarop ik zachtjes in koor met de arme hond ging zitten janken, en onze toestand moet zo meelijwekkend zijn geweest dat ze ons gebaarde te komen. Ik sprong in haar bed en trok de lakens over mijn hoofd. Ik veronderstel dat ik meteen in slaap viel; in ieder geval werd ik ineengedoken tegen haar grote, met gardeniawater geparfumeerde borsten wakker, met het hondje aan mijn voeten. Het eerste wat ik deed toen ik tussen de dolfijnen en de Florentijnse najaden ontwaakte, was vragen naar mijn grootouders Eliza en Tao. Ik zocht ze overal in huis en in de tuinen en ging daarna bij de deur zitten wachten tot ze me kwamen halen. Zo ging het de hele week door, ondanks de cadeautjes, de wandelingen en de knuffels van Paulina. Op zaterdag liep ik weg. Ik was nog nooit alleen op straat geweest en kon me niet oriënteren, maar mijn instinct zei me dat ik de heuvel af moest lopen, en zo kwam ik in het centrum van San Francisco, waar ik enkele uren rondzwierf, tot ik een paar Chinezen met een kar vol vuile was zag lopen en ze op veilige afstand volgde, omdat ze op mijn oom Lucky leken. Ze liepen richting Chinatown – daar bevonden zich alle wasserijen van de stad – en zodra ik die al te bekende wijk binnenging, voelde ik me veilig, hoewel ik de straatnamen of het adres van mijn grootouders niet wist. Ik was verlegen en te bang om om hulp te vragen, zodat ik zonder vast doel bleef rondlopen, geleid door de etensgeuren, de klank van de taal en de aanblik van de honderden kleine winkeltjes die ik zo vaak aan de hand van mijn grootvader Tao Chi'en had bezocht. Op een zeker moment werd ik overmand door vermoeidheid, ging op de drempel van een vervallen gebouw liggen en viel in slaap. Ik werd wakker door een hevig geschud en het gebrom van een oude vrouw met fijne, met houtskool getekende wenkbrauwen halverwege haar voorhoofd, waardoor ze een masker leek te dragen. Ik slaakte een kreet van schrik, maar het was al te laat om te vluchten, want ze had me met twee handen te pakken. Ze nam me spartelend mee en sloot me op in een obscuur, smerig hol. De kamer stonk ontzettend en door de angst en de honger ben ik denk ik ziek geworden, want ik begon over te geven. Ik had er geen idee van waar ik was. Zodra de misselijkheid over was, begon ik luidkeels om mijn grootvader te roepen, waarop de vrouw terugkwam en me twee klappen in mijn gezicht gaf die mijn adem deden stokken; nog nooit hadden ze me geslagen, en ik denk dat het eerder verbazing was dan pijn. Ze beval me in het Kantonees mijn mond te houden, anders zou ze me met een bamboestok slaan; vervolgens kleedde ze me uit, keek me helemaal na – met speciale aandacht voor mijn mond, mijn oren en mijn geslachtsdelen –, deed me een schone bloes aan en nam mijn vieze kleren mee. Ik bleef weer alleen achter in het kot, dat in duisternis werd ondergedompeld naarmate het licht door het enige ventilatiegat minder werd.

Ik geloof dat dat avontuur me getekend heeft, want er zijn vijfentwintig jaar verstreken en ik beef nog steeds als ik terugdenk aan die eindeloze uren. Er werden in die tijd nooit meisjes alleen in Chinatown gezien, de families hielden ze nauwlettend in de gaten, want in een onbewaakt ogenblik konden ze zo in het labyrint van de kinderprostitutie verdwijnen. Ik was daar te jong voor, maar vaak ontvoerden of kochten ze kinderen van mijn leeftijd om ze van jongs af aan in allerlei verdorvenheden te trainen. De vrouw kwam uren later, toen het al helemaal donker was, samen met een jongere man terug. Ze bekeken me bij het licht van een lamp en begonnen hevig te discussiëren in hun eigen taal, die ik kende, maar waarvan ik weinig verstond omdat ik uitgeput en doodsbang was.

Ik meende verscheidene malen de naam van mijn grootvader Tao Chi'en te horen. Ze gingen weg en weer was ik alleen, rillend van de kou en de angst, ik weet niet hoe lang. Toen de deur weer openging, werd ik verblind door de lamp, ik hoorde mijn naam in het Chinees, Lai-Ming, en ik herkende de onmiskenbare stem van mijn oom Lucky. Ik werd in zijn armen getild en verder wist ik niets meer, want ik was verdoofd door de opluchting. Ik kan me de reis per koets of het moment waarop ik in het grote huis op Nob Hill weer tegenover mijn grootmoeder Paulina stond niet herinneren. Ik weet evenmin wat er in de weken daarna gebeurde, want ik kreeg waterpokken en werd doodziek; het was een verwarrende tijd met veel veranderingen en tegenstrijdigheden.

Nu ik de zaken uit mijn verleden op een rijtje krijg, kan ik zonder enige twijfel stellen dat het geluk van mijn oom Lucky me gered heeft. De vrouw die me op straat ontvoerd had, ging naar een vertegenwoordiger van haar tong, want in Chinatown gebeurde niets zonder medeweten en goedkeuring van die bendes. De hele gemeenschap behoorde tot de diverse tongs: gesloten, fanatieke broederschappen die van hun leden loyaliteit en commissie eisten en in ruil daarvoor bescherming boden, connecties voor werk en de belofte de lichamen van de leden naar China terug te brengen als ze op Amerikaanse bodem zouden overlijden. De man had me vaak aan de hand van mijn grootvader gezien en behoorde door een gelukkig toeval tot dezelfde tong als Tao Chi'en. Hij had mijn oom erbij gehaald. De eerste impuls van Lucky was om me naar zijn huis te brengen zodat zijn nieuwe echtgenote, die hij onlangs via een catalogus uit China had laten komen, zich over mij zou ontfermen, maar daarna zag hij in dat de instructies van zijn ouders gerespecteerd moesten worden. Nadat ze me aan Paulina del Valle had overgedragen, was mijn grootmoeder Eliza met het lichaam van haar man naar Hongkong vertrokken. Zowel zij als Tao Chi'en bleef altijd volhouden dat de Chinese wijk van San Francisco een te kleine wereld was voor mij, ze wilden dat ik bij de Verenigde Staten zou horen. Hoewel hij het met dat principe niet eens was, kon Lucky Chi'en de wil van zijn ouders niet negeren, daarom betaalde hij mijn ontvoerders het afgesproken bedrag en bracht me terug naar het huis van Paulina del Valle. Ik zou hem pas twintig jaar later weerzien, toen ik naar hem op zoek ging om de laatste bijzonderheden over mijn geschiedenis te weten te komen.

De trotse familie van mijn grootouders van vaderskant woonde zesendertig jaar in San Francisco zonder er al te veel sporen achter te laten. Ik ben ze gaan natrekken. Het deftige pand op Nob Hill is vandaag de dag een hotel en niemand weet nog wie de eerste eigenaars waren. Toen ik in de bibliotheek oude kranten nalas, ontdekte ik hoe vaak de familie op de society-pagina's genoemd werd, evenals het verhaal van het standbeeld van De Republiek en de naam van mijn moeder. Er is ook een stukje over de dood van mijn grootvader Tao Chi'en, een zeer lovend overlijdensbericht, geschreven door een zekere Jacob Freemont, en een condoleance van het Medisch College met dank voor de bijdragen van de zhong yi Tao Chi'en aan de westerse geneeskunde. Dit is een zeldzaamheid, want de Chinese bevolking was destijds vrijwel onzichtbaar – ze werden geboren, leefden en stierven in de marge van het Amerikaanse gebeuren –, maar het prestige van Tao

Chi'en had de grenzen van Chinatown en Californië overschreden; hij was zelfs bekend in Engeland, waar hij een aantal lezingen over acupunctuur had gegeven. Zonder die gedrukte getuigenissen zou het merendeel van de hoofdrolspelers in deze geschiedenis verdwenen zijn, meegevoerd op de wind van de vage herinneringen.

Naast het feit dat ik was weggelopen naar Chinatown op zoek naar mijn grootouders van moederskant had Paulina del Valle nog andere beweegredenen om naar Chili terug te keren. Ze begreep dat er geen dure feestjes of andere uitspattingen meer kwamen die haar de sociale positie die ze had bekleed toen haar man nog leefde zouden teruggeven. Ze was alleen oud aan het worden, ver van haar kinderen, haar familieleden, haar taal en haar geboorteland. Het geld dat ze nog had, was niet genoeg om de levensstijl die ze er in haar herenhuis met vijfenveertig kamers op na hield vol te houden, maar in Chili, waar alles behoorlijk goedkoper was, was het een fortuin. Bovendien was haar een vreemd kleinkind in de schoot geworpen waarvan ze vond dat het van haar Chinese verleden losgemaakt moest worden, wilde ze van haar een Chileense jongedame maken. Paulina kon de gedachte dat ik opnieuw zou vluchten niet verdragen en nam een Engels kindermeisje aan om me dag en nacht in de gaten te houden. Ze schrapte haar plannen voor de reis naar Egypte en de nieuwjaarsbanketten, maar zette haast achter de vervaardiging van haar nieuwe garderobe, verdeelde vervolgens op systematische wijze haar geld over de Verenigde Staten en Engeland, en stuurde naar Chili slechts het hoognodige om zich er te vestigen, omdat de politieke situatie haar onstabiel leek. Ze schreef een lange verzoeningsbrief aan haar neef Severo waarin ze hem vertelde wat er met Tao Chi'en gebeurd was en over Eliza's besluit om het meisje aan haar over te dragen, waarbij ze uitgebreid inging op de voordelen die het zou hebben als zij de kleine zou opvoeden. Severo del Valle begreep haar motieven en accepteerde het voorstel – want hij had al twee kinderen en zijn vrouw was in verwachting van een derde –, maar hij weigerde de voogdij aan haar over te dragen, zoals zij wilde.

Paulina's advocaten hielpen haar de financiën rond te krijgen en het huis te verkopen, terwijl haar butler Williams zich belastte met de praktische organisatie van de verhuizing van de familie naar het zuiden van de wereld en met het inpakken van de bezittingen van zijn bazin, want zij wilde niets verkopen; stel je voor dat boze tongen zouden beweren dat ze het uit noodzaak deed. Volgens de planning zou Paulina met mij, het Engelse kindermeisje en een paar andere betrouwbare bedienden een passagiersschip nemen, terwijl Williams de bagage naar Chili zou sturen en na ontvangst van een vette premie in Engelse ponden vrij zou zijn. Dat zou zijn laatste optreden in dienst van zijn bazin zijn. Een week voordat ze zou vertrekken, vroeg de butler toestemming om haar persoonlijk te spreken.

'Neemt u mij niet kwalijk, mevrouw, mag ik u vragen waarom ik in uw achting ben gedaald?'

'Waar hebt u het over, Williams! U weet hoezeer ik u waardeer en hoe dankbaar ik ben voor uw diensten.'

'Toch wilt u me niet meenemen naar Chili...'

'Ach, lieve hemel! Dat was niet eens in me opgekomen. Wat zou een Britse butler in Chili moeten? Niemand heeft er daar een. Ze zouden u en mij uitlachen. Hebt u weleens op de kaart gekeken? Dat land ligt heel ver weg en niemand spreekt er Engels, u zou daar niet zo'n prettig leven hebben. Ik heb het recht niet u om een dergelijk offer te vragen, Williams.'

'Als ik zo vrij mag zijn, mevrouw, het zou een groter offer zijn om bij u weg te gaan.'

Paulina del Valle staarde haar bediende aan met grote ogen van verbazing. Voor het eerst besefte ze dat Williams meer was dan een automaat in zwarte slipjas met witte handschoenen. Ze zag een man van ongeveer vijftig met brede schouders en een vriendelijk gezicht, weelderig, peperkleurig haar en doordringende ogen; hij had ruwe stuwadoorshanden en gele tanden van de nicotine, hoewel ze hem nooit had zien roken of tabak pruimen. Ze zwegen een hele poos, terwijl zij hem observeerde en hij haar recht aankeek zonder enig blijk van onbehagen.

'Mevrouw, het is mij geenszins ontgaan welke moeilijkheden het weduwschap voor u met zich meegebracht heeft,' zei Williams uiteindelijk op zijn gebruikelijke indirecte manier van spreken.

'Maakt u een grapje?' glimlachte Paulina.

'Daar ben ik helemaal niet voor in de stemming, mevrouw.'

'Aha,' kuchte zij, gezien de lange pauze die op het antwoord van haar butler volgde.

'U zult zich afvragen wat dit allemaal te betekenen heeft,' ging hij verder.

'Laten we zeggen dat u mij nieuwsgierig hebt gemaakt, Williams.'

'Het komt mij voor dat het, aangezien ik niet als uw butler naar Chili kan gaan, wellicht niet zo'n slecht idee zou zijn als ik als uw echtgenoot zou gaan.'

Paulina del Valle dacht dat de grond onder haar openspleet en ze met stoel en al naar het binnenste der aarde zonk. Haar eerste gedachte was dat er bij de man een draadje loszat, een andere verklaring was er niet, maar toen ze zag hoe waardig en kalm de butler was, slikte ze de beledigingen die op haar lippen lagen weer in.

'Staat u mij toe mijn standpunt toe te lichten, mevrouw,' voegde Williams eraan toe. 'Ik ben uiteraard niet van plan de taak van echtgenoot in sentimenteel opzicht te vervullen. Ik ding ook niet naar uw fortuin, dat geheel veilig zou zijn, daarvoor zult u de passende wettelijke maatregelen wel treffen. Mijn rol aan uw zijde zou praktisch dezelfde zijn: u helpen bij al wat ik kan met de grootst mogelijke terughoudendheid. Ik neem aan dat in Chili, net zozeer als in de rest van de wereld, een alleenstaande vrouw tegen veel problemen aan loopt. Het zou voor mij een eer zijn om voor u op te komen.'

'En wat wint u bij deze merkwaardige overeenkomst?' vroeg Paulina, zonder de bijtende toon te kunnen verbloemen.

'Aan de ene kant zou ik respect krijgen. Aan de andere kant geef ik toe dat de gedachte u niet meer terug te zien me heeft gekweld sinds u plannen begon te maken om weg te gaan. Ik ben al de helft van mijn leven aan uw zijde, ik ben eraan gewend geraakt.'

Paulina was opnieuw een eeuwigheid sprakeloos, terwijl ze bleef peinzen over het vreemde voorstel van haar bediende. Zoals het gebracht werd, was het een goede transactie met voordelen voor beiden: hij zou een hoge levensstandaard genieten, die hij anders nooit zou hebben, en zij zou aan de arm lopen van een vent die, welbeschouwd, uiterst voorkomend was. In feite leek hij een lid van de Britse adel. Alleen al bij de gedachte aan het gezicht van haar familieleden in Chili en de jaloezie van haar zussen schaterde ze het uit.

'U telt minstens tien jaar en dertig kilo minder dan ik, bent u niet bang zich belachelijk te maken?' vroeg ze schuddend van het lachen.

'Ik niet. En u, bent u niet bang dat ze u zien met iemand van mijn stand?'

'Ik ben nergens bang voor in dit leven, en ik vind het geweldig mijn naasten te choqueren. Wat is uw voornaam, Williams?'

'Frederick.'

'Frederick Williams... Goede naam, zeer aristocratisch.'

'Ik moet u helaas zeggen dat dat het enige aristocratische is wat ik heb, mevrouw,' glimlachte Williams.

En zo kwam het dat een week later mijn grootmoeder Paulina en haar kersverse echtgenoot, de kapper, het kindermeisje, twee dienstmeisjes, een valet, een knecht en ik per trein met een lading hutkoffers naar New York vertrokken en van daaruit op een Brits schip de overtocht naar Europa maakten. We hadden ook Caramelo bij ons, die in de fase zat waarin honden overal tegenop rijden, in dit geval tegen de vossenmantel van mijn grootmoeder. Aan de rand van de mantel hingen complete vossenstaarten, die Caramelo, in de war door de passiviteit waarmee ze zijn avances in ontvangst namen, aan flarden beet. Woedend wilde Paulina het beest en de mantel overboord gooien, maar de vreselijke scène die ik maakte, redde beide de huid. Mijn grootmoeder zat in een suite met drie kamers en Williams had eenzelfde ruimte aan de andere kant van het gangpad. Overdag onderhield ze zich door aan één stuk door te eten, bij elke activiteit van jurk te verwisselen en mij rekenkunde te onderwijzen zodat ik in de toekomst haar kasboeken onder mijn hoede kon nemen; ook vertelde ze me de geschiedenis van de familie, zodat ik wist waar ik vandaan kwam, zonder ooit de identiteit van mijn vader op te helderen, alsof ik door spontane generatie in de Del Valle-clan was opgedoken. Als ik naar mijn moeder of vader vroeg, antwoordde ze dat ze overleden waren en dat het niet van belang was, want met een grootmoeder als zij had ik meer dan genoeg. Intussen speelde Frederick Williams bridge en las hij Engelse kranten, zoals de meeste heren in de eerste klasse. Hij had zijn bakkebaarden laten groeien en een volle snor met gedraaide punten gekweekt, waardoor hij er belangrijk uitzag, en hij rookte pijp en Cubaanse sigaren. Hij had aan mijn grootmoeder opgebiecht dat hij een verstokte roker was en dat niet roken in het openbaar het moeilijkste van zijn butlerwerk was geweest; nu kon hij eindelijk van zijn tabak genieten en de pepermuntjes die hij groot inkocht en waarvan hij inmiddels een maagperforatie had, weggooien. In die tijd, waarin goed gesitueerde mannen pronkten met een dikke buik en een dubbele onderkin, was het eerder slanke en atletische postuur van Williams in gegoede kringen een zeldzaamheid, hoewel zijn onberispelijke omgangsvormen veel overtuigender waren dan die van mijn grootmoeder. 's Avonds kwamen ze, voordat ze naar de danszaal liepen, langs de hut die het kindermeisje en ik deelden, om me welterusten te wensen. Ze waren een bezienswaardigheid: zij gekapt en opgemaakt door haar kapper, in galajurk en flonkerend van de juwelen als een dikke diva, hij omgetoverd in een elegante prins-gemaal. Soms keek ik om het hoekje de zaal in om hen vol verwondering te begluren: Frederick Williams leidde Paulina del Valle over de dansvloer met de trefzekerheid van iemand die gewend was zware pakketten te verplaatsen.

We kwamen een jaar later in Chili aan, toen het wankelende fortuin van mijn grootmoeder dankzij de speculatie met suiker tijdens de Salpeteroorlog weer stabiel was. Haar theorie bleek te kloppen: mensen eten inderdaad meer zoetigheid in zware tijden. Onze aankomst viel samen met de theatervoorstelling van de weergaloze Sarah Bernhardt in haar beroemdste rol, *La Dame aux Camélias*. De gevierde actrice kon het publiek niet ontroeren, zoals in de rest van de geciviliseerde wereld was gebeurd, want de preutse Chileense samenleving had niets met de aan tuberculose lijdende courtisane, iedereen vond het normaal dat ze zich opofferde voor de geliefde ter wille van het geroddel, ze zagen geen reden voor al die dramatiek en al die verwelkte camelia's. De befaamde actrice vertrok in de overtuiging een land van ernstig zwakzinnigen te hebben bezocht, een mening die Paulina del Valle volledig deelde. Mijn grootmoeder had met haar gevolg door verschillende steden in Europa getoerd, maar haar droom om naar Egypte te gaan was niet in vervulling gegaan, omdat ze dacht dat er geen kameel zou zijn die haar gewicht had kunnen dragen en ze de piramiden onder een zon van gloeiende lava zou moeten bezoeken. In 1886 was ik zes jaar, ik sprak een mengeling van Chinees, Engels en Spaans, maar ik kon de vier basisbewerkingen van de rekenkunde uitvoeren en was ongelooflijk behendig in het omzetten van Franse franken in ponden en deze weer in Duitse marken of Italiaanse lires. Ik huilde niet meer de hele tijd om mijn grootvader Tao en mijn grootmoeder

Eliza, maar dezelfde onverklaarbare nachtmerries bleven me regelmatig kwellen. Er was een zwarte leegte in mijn geheugen, iets wat altijd aanwezig en dreigend was en wat ik niet kon duiden, iets onbekends wat me angst aanjoeg, vooral in het donker of te midden van een menigte. Ik kon er niet tegen omringd te zijn door mensen, dan begon ik te krijsen als een bezetene en moest mijn grootmoeder Paulina me stevig als een berin in haar armen nemen om me rustig te krijgen. Ik was gewend naar haar bed te vluchten wanneer ik bang wakker werd, en zo groeide er tussen ons tweeën een intimiteit die me – daar ben ik zeker van – heeft gered van de waanzin en de angstgevoelens waarin ik anders zou zijn weggezakt. Door de noodzaak om mij te troosten veranderde Paulina del Valle op een voor iedereen – behalve voor Williams – onzichtbare manier. Ze werd verdraagzamer en liever, en viel zelfs een beetje af, want ze holde continu achter me aan en was zo druk dat ze het snoepen vergat. Ik geloof dat ze me aanbad. Dat zeg ik zonder valse bescheidenheid, aangezien ze me daarvoor veel bewijzen leverde; ze hielp me opgroeien in alle voor die tijd mogelijke vrijheid, ze prikkelde mijn nieuwsgierigheid en liet me de wereld zien. Ze duldde geen sentimenteel gedrag of gejammer van me; 'je moet niet achteromkijken' was een van haar lijfspreuken. Ze haalde grapjes met me uit, behoorlijk flauwe soms, tot ik leerde haar terug te pakken, waarmee de toon voor onze relatie was gezet. Op een keer vond ik op de binnenplaats een onder het wiel van een rijtuig geplette hagedis, die diverse dagen in de zon had gelegen en al gemummificeerd was, vereeuwigd in de droevige aanblik van een van zijn ingewanden ontdaan reptiel. Ik pakte hem op en bewaarde hem, zonder te weten waarvoor, tot ik er de ideale bestemming voor bedacht had. Ik zat aan een bureau mijn wiskundehuiswerk te maken en mijn grootmoeder was net nietsvermoedend de kamer binnengekomen, toen ik een onbeheersbare hoestaanval voorwendde en zij me op mijn rug kwam kloppen. Ik klapte dubbel van het hoesten met mijn gezicht in mijn handen en tot afgrijzen van de arme vrouw 'hoestte' ik de hagedis op. Mijn grootmoeder schrok zo erg toen ze het enge beest zag dat kennelijk uit mijn longen had losgelaten dat ze pardoes op haar achterwerk viel, maar daarna lachte ze net zo hard als ik en bewaarde het gedroogde beestje als aandenken tussen de bladzijden van een boek. Het is moeilijk te begrijpen waarom die sterke vrouw zo bang was mij de waarheid over mijn verleden te vertellen. Ik heb het idee dat ze ondanks haar uitdagende houding ten opzichte van conventies nooit de vooroordelen van haar klasse heeft kunnen ontstijgen. Om me voor afwijzing te behoeden hield ze het bestaan van mijn kwart Chinees bloed, het eenvoudige sociale milieu van mijn moeder en het feit dat ik eigenlijk een bastaardkind was, angstvallig geheim. Dat is het enige wat ik de reuzin die mijn grootmoeder was kan verwijten.

In Europa leerde ik Matías Rodríguez de Santa Cruz y del Valle kennen. Paulina hield zich niet aan de afspraak met mijn grootmoeder Eliza Sommers om mij de waarheid te vertellen en zei, in plaats van hem aan me voor te stellen als mijn vader, dat hij weer een andere oom was, een van de vele die elk Chileens kind heeft, aangezien elke bloedverwant of vriend van de familie die oud genoeg was om de titel met een zekere waardigheid te dragen automatisch oom of tante genoemd werd, daarom zei ik ook altijd *oom* Frederick tegen de beste Williams. Ik kwam er enkele jaren later achter dat Matías mijn vader was, toen hij naar Chili terugkeerde om te sterven en het me zelf vertelde. De man maakte geen noemenswaardige indruk op me: hij was slank, bleek en knap; hij leek jong als hij zat, maar veel ouder wanneer hij probeerde zich te bewegen. Hij liep met een stok en werd altijd begeleid door een bediende die de deuren voor hem opendeed, hem zijn jas aantrok, zijn sigaretten aanstak, het glas water aangaf dat naast hem op een tafel stond, want zijn arm uitstrekken was een te grote inspanning. Mijn grootmoeder Paulina vertelde me dat die oom artritis had, een zeer pijnlijke aandoening, waardoor hij breekbaar was als glas, zei ze, en daarom moest ik hem ook heel tactvol benaderen. Mijn grootmoeder zou jaren later sterven zonder te weten dat haar oudste zoon niet aan artritis, maar aan syfilis leed.

De familie Del Valle was stom van verbazing toen mijn grootmoeder in Santiago aankwam. Vanuit Buenos Aires waren we over land door Argentinië naar Chili gegaan, een ware safari gezien de omvang van de bagage die uit Europa kwam plus de elf koffers met inkopen die in Buenos Aires gedaan waren. We reisden per koets, met de vracht op een stoet lastdieren geplaatst en begeleid door gewapende wachters onder bevel van oom Frederick, want aan weerszijden van de grens zaten struikrovers; helaas werden we niet overvallen en kwamen we in Chili aan zonder iets interessants te kunnen vertellen over de tocht door de Andes. Onderweg waren we het kindermeisje kwijtgeraakt, dat verliefd was geworden op een Argentijn en liever daar bleef, en een bediende die aan tyfus was bezweken, maar mijn oom Frederick kreeg in elke etappe van onze pelgrimstocht weer huishoudelijke hulp geregeld. Paulina had besloten zich in Santiago, de hoofdstad, te vestigen, want na al die jaren in de Verenigde Staten dacht ze dat het havenstadje Valparaíso, waar ze geboren was, te klein voor haar zou zijn. Bovendien was ze eraan gewend geraakt ver van haar clan te wonen, en de gedachte haar familieleden elke dag te zien – een geduchte gewoonte in elke normale Chileense familie – schrikte haar af. Toch was ze in Santiago evenmin van hen bevrijd, aangezien ze verscheidene zussen had die waren getrouwd met 'de juiste mensen', zoals de leden van de high society elkaar onderling noemden, in de veronderstelling, neem ik aan, dat de rest van de wereld onder de categorie 'de verkeerde mensen' viel. Haar neef Severo del Valle, die ook in de hoofdstad woonde, kwam zodra we gearriveerd waren samen met zijn vrouw aanlopen om ons te begroeten. Aan de eerste ontmoeting met hen bewaar ik een duidelijker herinnering dan aan mijn vader in Europa, want ze onthaalden me met zulke buitensporige blijken van genegenheid dat ik ervan schrok. Het meest opvallende aan Severo was dat hij ondanks zijn kreupelheid en zijn wandelstok een prins van de plaatjes in de sprookjesboeken was – zelden heb ik een knappere man gezien – en aan Nívea dat ze een dikke, ronde buik had. In die tijd werd de voortplanting als onfatsoenlijk beschouwd en sloten vrouwen uit de bourgeoisie zich op in hun huizen, maar zij probeerde haar gesteldheid niet te verhullen, ze pronkte er juist mee, onverschillig voor de opschudding die ze veroorzaakte. Op straat probeerden de mensen niet naar haar te kijken, alsof ze mismaakt was of naakt liep. Ik had nog nooit zoiets gezien en toen ik vroeg wat er met die mevrouw aan de hand was, legde mijn grootmoeder Paulina me uit dat het arme mens een meloen had ingeslikt. In tegenstelling tot haar mooie man leek Nívea wel een muisje, maar je hoefde maar een paar minuten met haar te praten om door haar bekoring en haar enorme energie bevangen te raken.

Santiago was een prachtige, in een vruchtbare vallei gelegen stad, omgeven door hoge bergen die paarsachtig waren in de zomer en bedekt met sneeuw in de winter, een rustige, slaperige en naar een mengeling van bloeiende tuinen en paardenmest geurende plaats. De stad ademde een Franse sfeer uit met haar oude bomen, haar pleinen, fonteinen in Moorse stijl, gaanderijen en steegjes, haar elegante vrouwen, haar uitgelezen winkels waar de meest exclusieve spullen uit Europa en het oosten werden verkocht, haar lanen en boulevards waar de rijken pronkten met hun rijtuigen en hun schitterende paarden. Door de straten liepen verkopers luidkeels de eenvoudige koopwaar aan te prijzen die ze in hoge manden droegen, er renden troepen zwerfhonden rond en op de daken nestelden duiven en mussen. De kerkklokken gaven het verloop van de uren aan, behalve tijdens de siësta, wanneer de straten leeg waren en de mensen rustten. Het was een statige stad, heel anders dan San Francisco met haar onmiskenbare stempel van grensplaats en haar kosmopolitische, levendige sfeer. Paulina del Valle kocht een herenhuis in de Ejército Liberador, de meest aristocratische straat, vlak bij de Alameda de las Delicias, waar elke lente de Napoleontische koets met opgetooide paarden en de erewacht van de president van de republiek doorheen reed op weg naar het militaire defilé voor de vaderlandse feesten in het Parque de Marte. Het huis haalde het qua luxe niet bij het deftige pand in San Francisco, maar voor Santiago was het van een irritante weelderigheid. Het was echter niet het vertoon van voorspoed of het gebrek aan discretie dat de kleine hoofdstedelijke society met open mond deden staan, maar de echtgenoot met pedigree die Paulina del Valle 'zich had aangeschaft', zoals ze zeiden, en de roddels die de ronde deden over het enorme vergulde bed met mythologische zeefiguren, waarin dat stel oudjes wie weet wat voor zonden beging. Williams werden adellijke titels en kwade bedoelingen toegeschreven. Wat voor reden zou zo'n verfijnde, knappe Britse lord hebben om te trouwen met een om haar slechte karakter bekendstaande vrouw die veel ouder was dan hij? Hij moest wel een failliete graaf zijn, een fortuinjager die op haar geld uit was en haar daarna zou laten zitten. Eigenlijk wenste iedereen dat dat zo was, om mijn arrogante grootmoeder een toontje lager te laten zingen, maar niemand stootte haar echtgenoot voor het hoofd uit trouw aan de Chileense traditie van gastvrijheid jegens buitenlanders. Bovendien oogstte Frederick Williams bij vriend en vijand respect vanwege zijn uitstekende omgangsvormen, de prozaïsche manier waarop hij tegen het leven aankeek en zijn monarchistische ideeën; hij dacht dat alle kwalen van de maatschappij te wijten waren aan gebrek aan discipline en gebrek aan respect voor hiërarchieën. Zijn devies, na zoveel jaren als bediende gewerkt te hebben, luidde: 'Ieder zijn plaats en plaats voor iedereen.' Toen hij de echtgenoot van mijn grootmoeder werd, vervulde hij de rol van oligarch even vanzelfsprekend als hij voorheen zijn post van bediende bekleedde; vroeger probeerde hij zich nooit te mengen onder de bovenlaag, en later ging hij niet om met de onderlaag; het klassenonderscheid was voor hem noodzakelijk om chaos en platvloersheid te voorkomen. In die familie van fanatieke bruten – want dat waren de Del Valles – oogstte Williams verbijstering en bewondering met zijn overdreven beleefdheid en zijn onverstoorbare kalmte, de vruchten van zijn jaren als butler. Hij sprak een paar woorden Spaans en zijn onvrijwillige zwijgzaamheid werd verward met wijsheid, trots en mysterie. De enige die de vermeende Britse edele kon ontmaskeren, was Severo del Valle, maar dat deed hij niet omdat hij de vroegere bediende waardeerde en bewondering had voor de tante die met iedereen de spot dreef door te pralen met haar stijlvolle echtgenoot.

Mijn grootmoeder Paulina stortte zich in een openbare liefdadigheidscampagne om de jaloezie en kwaadsprekerij die haar rijkdom uitlokte het zwijgen op te leggen. Ze wist hoe ze dat moest doen, want ze had de eerste jaren van haar leven in dat land doorgebracht, waar het redden van behoeftigen een verplichte taak is voor welgestelde vrouwen. Hoe meer ze zich opofferen voor de armen door langs ziekenhuizen, inrichtingen, weeshuizen en huurkazernes te gaan, des te hoger staan ze in het algemeen aanzien; ze lopen dan ook overal hun aalmoezen uit te delen. Het verzaken van deze plicht bracht zoveel dreigende blikken en priesterlijke berispingen met zich mee dat zelfs Paulina del Valle niet had kunnen ontkomen aan het schuldgevoel en de angst verdoemd te worden. Ze oefende mij in deze werken van mededogen, maar ik geef toe dat ik het altijd ongemakkelijk vond om in ons luxe rijtuig vol levensmiddelen en met twee lakeien in een armoedige wijk aan te komen, om de geschenken uit te delen aan een stel in lompen geklede mensen die ons bedankten met grote uitingen van nederigheid, maar met een intens fonkelende haat in hun ogen.

Mijn grootmoeder moest me thuis onderwijzen, want ik liep weg bij alle religieuze instellingen waar ze me aanmeldde. De familie Del Valle overtuigde haar er keer op keer van dat een internaat de enige manier was om een normaal kind van me te maken; ze beweerden dat ik het gezelschap van andere kinderen nodig had om over mijn ziekelijke verlegenheid heen te komen en dat de harde hand van de nonnen me klein moest krijgen. 'Je hebt dat meisje te veel verwend, je maakt er een verschrikkelijk schepsel van,' zeiden ze, en mijn grootmoeder ging uiteindelijk geloven wat al overduidelijk was. Ik sliep met Caramelo in bed, at en las waar ik zin in had, ik bracht de dag door met fantasiespelletjes en had weinig discipline, want er was niemand in mijn buurt die de moeite nam mij die op te leggen; met andere woorden: ik had een behoorlijk gelukkige kindertijd. Ik hield het niet uit in de internaten met hun besnorde nonnen en hun massa's schoolmeisjes, die mij mijn beklemmende nachtmerrie over de kinderen in zwarte pyjama's in herinnering brachten; evenmin verdroeg ik de strenge regels, de sleur van het lesrooster en de kou in die koloniale kloosters. Dezelfde routine herhaalde zich ik weet niet hoe vaak: Paulina del Valle kleedde me op mijn paasbest, dreunde op dreigende toon de instructies op, sleurde me zo ongeveer mee en liet me met mijn hutkoffers achter in de handen van de een of andere potige novice, waarna ze er zo snel als haar gewicht dat toeliet vandoor ging, geplaagd door schuldgevoelens. Het waren scholen voor rijke meisjes waar onderdanigheid geëist werd en de gemeenheid regeerde. De doelstelling was ons enig onderricht te geven, zodat we niet helemaal onwetend zouden zijn – een vernislaagje ontwikkeling deed het goed op de huwelijksmarkt –, maar niet genoeg om vragen te gaan stellen. Het ging erom de eigen wil te breken ten bate van het algemeen welzijn, ons tot goede katholieken, onzelfzuchtige moeders en gehoorzame echtgenotes te maken. De nonnen moesten ons om te beginnen leren ons lichaam in bedwang te houden, bron van ijdelheid en andere zonden; we mochten niet lachen, rennen, buiten spelen. We gingen eens per maand in bad, gekleed in lange hemden om onze schaamdelen niet bloot te stellen aan het oog van God, dat overal is. Ze gingen ervan uit dat het onderwijs erin geslagen moest worden, dus het was strengheid alom. Ze maakten ons bang voor God, de duivel, alle volwassenen, voor het rietje waarmee ze ons op de vingers tikten, voor de kiezelstenen waarop we moesten knielen om boete te doen, voor onze eigen gedachten en verlangens; ze maakten ons bang voor de angst. Nooit kregen we een woord van lof omdat ze vreesden dat we dan kapsones zouden krijgen, maar straffen om ons karakter te temperen waren er te over. Tussen die dikke muren moesten mijn klasgenootjes in uniform het uithouden, hun vlechtjes zo strak dat hun hoofdhuid soms bloedde en met winterhanden van de eeuwige kou. Het contrast met thuis, waar ze in de vakanties als prinsesjes vertroeteld werden, moest wel zo gigantisch zijn dat zelfs de nuchterste persoon gek zou worden. Ik kon het niet verdragen. Eén keer werd ik geholpen door een tuinman om over het hek te springen en te vluchten. Ik weet niet hoe ik alleen in de Ejército Liberador ben gekomen, waar Caramelo me hysterisch van plezier tegemoetkwam, maar Paulina del Valle bijna een hartinfarct kreeg toen ze me in de modderige kleren en met gezwollen ogen zag aankomen. Ik bleef een paar maanden thuis totdat mijn grootmoeder door de druk van buitenaf gedwongen werd het experiment te herhalen. De tweede keer zat ik een hele nacht verstopt tussen de bosjes in de tuin met de bedoeling om te sterven van de honger en de kou. Ik stelde me de gezichten van de nonnen en van mijn familie voor wanneer ze mijn lijk zouden ontdekken, en ik huilde van zelfmedelijden, arm martelaarsmeisje op zo'n prille leeftijd. De volgende dag bracht de school Paulina del Valle op de hoogte van mijn vermissing, en ze arriveerde als een wervelwind om tekst en uitleg te eisen. Terwijl zij en Frederick Williams door een blozende novice naar de werkkamer van moeder-overste werden gebracht, sloop ik van het struikgewas waarin ik me schuil had gehouden naar het rijtuig dat op de binnenplaats stond te wachten, stapte erin zonder dat de koetsier het zag en verborg me onder de bank. Frederick Williams, de koetsier en moeder-overste moesten met z'n drieën mijn grootmoeder helpen instappen, ze gilde dat als ik niet snel terecht zou komen, ze weleens zouden zien wie Paulina del Valle was. Toen ik voordat we thuiskwamen uit mijn schuilplaats opdook, vergat ze haar tranen van verdriet, pakte me bij mijn nekvel en gaf me een pak slag dat twee straten voortduurde, tot oom Frederick haar kalmeerde. Discipline was evenwel niet de sterkste kant van de beste vrouw; toen ze te weten kwam dat ik sinds de vorige dag niet had gegeten en de nacht onder de blote hemel had doorgebracht, overstelpte ze me met kussen en nam ze me mee om ijsjes te eten. Bij de derde instelling waar ze me wilde inschrijven werd ik resoluut afgewezen, omdat ik tijdens het gesprek met de directrice beweerde dat ik de duivel had gezien en dat hij groene poten had. Uiteindelijk gaf mijn grootmoeder zich gewonnen.

Severo del Valle overtuigde haar ervan dat er geen reden was mij te kwellen, aangezien ik het noodzakelijke net zo goed thuis bij privéleraren kon leren. Een hele serie Engelse, Franse en Duitse gouvernantes passeerde in mijn jeugd de revue, die het stuk voor stuk aflegden tegen het vervuilde water van Chili en de driftbuien van Paulina del Valle; de onfortuinlijke vrouwen keerden met chronische diarree en slechte herinneringen terug naar hun land van herkomst. Mijn educatie verliep behoorlijk stormachtig, totdat er een uitzonderlijke Chileense onderwijzeres in mijn leven kwam, mejuffrouw Matilde Pineda, die me bijna al het belangrijke wat ik weet heeft bijgebracht, behalve gezond verstand, want dat had ze zelf niet. Ze was gedreven en idealistisch, schreef filosofische poëzie die ze nooit heeft kunnen publiceren, had een onstilbare honger naar kennis en bezat de onverdraagzaamheid jegens andermans zwakheden die te intelligente mensen kenmerkt. Luiheid was uit den boze; in haar bijzijn was de zin 'Ik kan het niet' verboden. Mijn grootmoeder had haar aangenomen omdat ze zichzelf agnoste, socialiste en voorstandster van het vrouwenkiesrecht noemde, drie zeer goede redenen om haar in geen enkele onderwijsinstelling aan te nemen. 'Eens zien of u de conservatieve en patriarchale schijnheiligheid in deze familie een beetje tegenwicht kunt bieden,' gaf Paulina del Valle haar tijdens het eerste gesprek te kennen, gesteund door Frederick Williams en Severo del Valle, de enigen die mejuffrouw Pineda's talent bespeurden; alle anderen beweerden dat ze het monster zou voeden dat reeds in mij groeide. De tantes bestempelden haar meteen al als 'rebelse proleet' en waarschuwden mijn grootmoeder tegen die laaggeboren vrouw die 'erbij wilde horen', zoals ze zeiden. Williams daarentegen, de meest klassebewuste man die ik heb gekend, vatte sympathie voor haar op. Zes dagen per week, zonder ook maar één keer te verzuimen, stond de onderwijzeres om zeven uur 's ochtends in het grote huis van mijn grootmoeder, waar ik om door een ringetje te halen op haar zat te wachten, opgedoft, met schone nagels en pas gemaakte vlechtjes. We ontbeten in een kleine, doordeweekse eetkamer terwijl we de belangrijkste berichten uit de kranten bespraken; daarna gaf ze me een paar uur gewoon les en de rest van de dag gingen we naar het museum en naar de boekhandel Siglo de Oro om boeken te kopen en thee te drinken met de boekhandelaar, don Pedro Tey; we bezochten kunstenaars, gingen de natuur observeren, deden scheikundige experimenten, lazen sprookjes, schreven poëzie en voerden klassieke theaterstukken op met uit karton gesneden figuren. Zij was degene die mijn grootmoeder op het idee bracht een damesclub op te richten om de armenzorg in goede banen te leiden, en om in plaats van de armen gebruikte kleding of restjes uit hun keukens te schenken, een fonds te creëren, het te beheren als een bank en de vrouwen leningen te verschaffen waarmee ze een klein handeltje konden beginnen: een kippenfokkerijtje, een naaiatelier; ze konden kuipen kopen om voor anderen de was te doen of een rijtuig aanschaffen voor vervoersdiensten – kortom, het hoognodige om uit de volstrekte armoede te komen waarin ze zich met hun kinderen staande hielden. De mannen niet, zei mejuffrouw Pineda, want die zouden de lening gebruiken om drank te kopen en zij werden sowieso al geholpen door de sociale plannen van de regering, terwijl niemand zich serieus om de vrouwen en kinderen bekommerde. 'De mensen willen geen geschenken, ze willen op een waardige manier de kost verdienen,' legde mijn onderwijzeres uit, en Paulina del Valle begreep het direct en stortte zich op het project met hetzelfde enthousiasme als waarmee ze de meest hebzuchtige plannen om geld te maken omhelsde. 'Met de ene hand grijp ik wat ik kan en met de andere geef ik, zo sla ik twee vliegen in één klap: ik heb plezier en ik verdien de hemel,' schaterde mijn bijzondere grootmoeder. Ze breidde het initiatief uit en richtte niet alleen de Damesclub op, die ze met haar gebruikelijke efficiëntie leidde – de andere vrouwen waren doodsbang voor haar –, maar financierde tevens scholen en mobiele dokterspraktijken en zette een systeem op om overgebleven, nog goede etenswaren van de marktkramen en de bakkerijen in te zamelen en uit te delen in weeshuizen en inrichtingen.

Wanneer Nívea op bezoek kwam – altijd zwanger en met diverse kleine kinderen in de armen van de respectieve kindermeisjes – liet Matilde Pineda het schoolbord in de steek en dronken we, terwijl de dienstmeisjes zich over de kudde koters ontfermden, thee en maakten zij tweeën plannen voor een rechtvaardiger en nobeler maatschappij. Ondanks het feit dat Nívea tijd noch financiële middelen overhad, was ze de jongste en actiefste vrouw in mijn grootmoeders club. Soms gingen we bij haar vroegere docente, zuster María Escapulario, op bezoek, die de leiding had over een tehuis voor oude nonnen omdat ze haar niet meer toestonden haar passie, het onderwijs, uit te oefenen; de congregatie had besloten dat haar vooruitstrevende ideeën niet aanbevelenswaardig waren voor schoolmeisjes en dat ze minder schade aanrichtte met het verzorgen van seniele oude vrouwtjes dan met het zaaien van rebellie in onschuldige kinderzieltjes. Zuster

María Escapulario beschikte over een kleine cel in een uitgewoond gebouw met een betoverende tuin, waar ze ons altijd dankbaar ontving omdat ze hield van intellectuele gesprekken, een genoegen dat ze in dat tehuis niet kon vinden. Uit de stoffige boekwinkel Siglo de Oro brachten we de boeken mee waar zij om had gevraagd. Ook gaven we haar koekjes of een taart voor bij de thee, die zij zette op een paraffinebrander en serveerde in beschadigde kopjes. In de winter bleven we in de cel, de non gezeten op de enige stoel, Nívea en mejuffrouw Pineda op het slechte bed en ik op de grond, maar als het lekker weer was wandelden we door de heerlijke tuin tussen de eeuwenoude bomen, de slingerjasmijnen, klimrozen, camelia's en zoveel andere soorten schitterende bloemen en planten die kriskras door elkaar stonden dat de mengeling van geuren me vaak bedwelmde. Ik miste geen woord van die gesprekken, hoewel ik er hoogstwaarschijnlijk weinig van begreep; ik heb nooit meer zulke hartstochtelijke betogen gehoord. Ze fluisterden geheimen tegen elkaar, stierven van het lachen en spraken over alles behalve godsdienst, uit respect voor de ideeën van mejuffrouw Matilde Pineda, die beweerde dat God een verzinsel van mannen was om andere mensen, en vooral vrouwen, onder de duim te houden. Zuster María Escapulario en Nívea waren katholiek, maar geen van tweeën leek er fanatiek in, in tegenstelling tot de meeste mensen die ik destijds om me heen had. In de Verenigde Staten had niemand het over godsdienst, in Chili was het daarentegen onderwerp van gesprek bij het natafelen. Mijn grootmoeder en oom Frederick namen me af en toe mee naar de mis om ons gezicht te laten zien, want zelfs Paulina del Valle, met al haar lef en rijkdom, kon zich de luxe niet veroorloven afwezig te zijn. De familie en de gemeenschap zouden het niet hebben getolereerd.

'Ben jij katholiek, grootmoeder?' vroeg ik haar steeds als ik een wandeling of boek moest laten schieten om naar de mis te gaan.

'Denk jij dat je in Chili níét katholiek kunt zijn?' antwoordde ze.

'Mejuffrouw Pineda gaat niet naar de mis.'

'En moet je zien hoe slecht het dat arme mens vergaat. Met haar intelligentie zou ze schooldirectrice kunnen zijn, als ze naar de mis zou gaan...'

Tegen alle logica in paste Frederick Williams zich zowel binnen de enorme familie Del Valle als in Chili prima aan. Hij moet stalen ingewanden gehad hebben, want hij was de enige die geen wormen kreeg van het drinkwater en meerdere empanada's kon eten zonder dat hij er brandend maagzuur van kreeg. Geen enkele Chileen die wij kenden, behalve Severo del Valle en don José Francisco Vergara, sprak Engels – de tweede taal van de beschaafde mensen was Frans, ondanks de grote Britse populatie in de havenstad Valparaíso –, dus moest Williams wel Spaans leren. Mejuffrouw Pineda gaf hem les en na een paar maanden kon hij zich met moeite verstaanbaar maken in een onbeholpen maar functioneel Spaans, hij kon de kranten lezen en sociale contacten leggen in de Club de la Unión, waar hij vaak bridge speelde samen met Patrick Egan, de gezant van de Noord-Amerikaanse legatie. Mijn grootmoeder zorgde ervoor dat hij in de Club werd opgenomen door te zinspelen op zijn aristocratische afkomst van het Engelse hof, waarvan niemand de moeite nam die te verifiëren, aangezien adellijke titels sinds de onafhankelijkheid waren afgeschaft en men bovendien maar naar de man hoefde te kijken om haar te geloven. De leden van de Club de la Unión behoorden per definitie tot de 'bekende families' en waren 'fatsoenlijke mannen' – vrouwen kwamen de drempel niet over –, en als ze de identiteit van Frederick Williams achterhaald hadden, zou elk van die hoge pieten een duel zijn aangegaan uit schaamte beetgenomen te zijn door een vroegere butler uit Californië, die zich had ontwikkeld tot het meest verfijnde, het elegantste en ontwikkeldste lid, die de beste bridgespeler was en zich zonder twijfel tot een van de rijksten mocht rekenen. Williams hield zich op de hoogte van de handel om mijn grootmoeder Paulina raad te geven, en van de politiek, een verplicht thema in de sociale omgang. Hij verklaarde zich stellig conservatief, zoals bijna iedereen in onze familie, en betreurde het feit dat er in Chili geen monarchie bestond zoals die van Groot-Brittannië, want de democratie vond hij platvloers en weinig efficiënt. Tijdens de verplichte zondagslunches in het huis van mijn grootmoeder discussieerde hij met Nívea en Severo, de enige liberalen in de clan. Hun ideeën liepen uiteen, maar de drie waardeerden elkaar en ik denk dat ze de andere leden van de primitieve Del Valle-stam stiekem uitlachten. Bij de zeldzame gelegenheden dat don José Francisco Vergara present was, met wie hij in het Engels had kunnen praten, bleef Frederick Williams op eerbiedige afstand; hij was de enige die hem met zijn intellectuele superioriteit kon intimideren, mogelijk de enige die er meteen achter zou zijn gekomen dat hij vroeger een bediende was geweest. Ik denk dat velen zich afvroegen wie ik was en waarom Paulina me geadopteerd had, maar het onderwerp werd in mijn bijzijn niet aangeroerd; tijdens de zondagse familielunches kwam er een twintigtal neven en nichten van uiteenlopende leeftijden, en geen van hen heeft me ooit naar mijn ouders gevraagd; de wetenschap dat ik hun achternaam droeg was voor hen voldoende om me te accepteren.

Mijn grootmoeder had meer moeite om zich aan te passen in Chili dan haar echtgenoot, ondanks het feit dat haar achternaam en haar fortuin alle deuren voor haar openden. De kleingeestigheid en hypocrisie in dat milieu benauwden haar, ze miste de vrijheid van vroeger; ze had niet voor niets dertig jaar in Californië gewoond. Zodra ze echter de deuren van haar grote huis had opengesteld, werd ze meteen de belangrijkste figuur van het sociale leven in Santiago, omdat ze de grote klasse en het talent ervoor bezat en ze wist hoezeer de rijken in Chili gehaat worden, en meer nog als ze verwaand zijn. Geen lakeien in livrei zoals ze die in San Francisco had, maar sobere dienstmeisjes in zwarte jurkjes met witte schortjes; geen geld over de balk smijten met grootse avondpartijen, maar bescheiden feestjes met een familiaire tint, zodat ze niet het predikaat van kapsonestante of nieuwe rijke, het ergst mogelijke epitheton, opgeplakt zou krijgen. Ze beschikte uiteraard wel over haar opulente rijtuigen, haar benijdenswaardige paarden en haar privéloge in de stadsschouwburg met zaaltje en buffet, waar ze haar gasten ijs en champagne serveerde. Ondanks haar leeftijd en zwaarlijvigheid bepaalde Paulina del Valle de mode, want ze was net in Europa geweest en men nam aan dat zij op de hoogte was van de moderne smaak en de hedendaagse trends. Voor die sobere en godvrezende gemeenschap werd ze het oriëntatiepunt van buitenlandse invloeden:

ze was de enige vrouw uit haar kring die Engels sprak, tijdschriften en boeken uit New York en Parijs ontving, stoffen, schoenen en hoeden rechtstreeks uit Londen liet komen en in het openbaar dezelfde Egyptische cigarillo's rookte als haar zoon Matías. Ze kocht kunst en serveerde aan haar tafel nooit eerder geziene gerechten, want zelfs de meest hooghartige families aten nog zoals de ruwe kapiteins uit de tijd van de Spaanse verovering: soep, stoofpot, gebraden vlees, bonen en zware koloniale nagerechten. De eerste keer dat mijn grootmoeder foie gras en verschillende soorten uit Frankrijk geïmporteerde kazen serveerde, konden alleen de heren die in Europa geweest waren ze eten. Bij het ruiken van de camembert en de Port-Salut moest een dame met braakneigingen naar het toilet rennen. Het huis van mijn grootmoeder was een ontmoetingsplaats voor kunstenaars en jonge literaten van beide seksen, die bij elkaar kwamen om hun werk te laten zien, met inachtneming van het gebruikelijke klassenkader: als de betrokkene niet blank was en geen bekende achternaam had, moest hij wel heel veel talent hebben, wilde hij geaccepteerd worden, in dat opzicht verschilde Paulina niet van de rest van de Chileense jetset. In Santiago vonden de gespreksavonden voor intellectuelen plaats in cafés en clubs waar alleen maar mannen kwamen, want men ging ervan uit dat vrouwen beter in de soep konden roeren dan verzen schrijven. Het initiatief van mijn grootmoeder om vrouwelijke kunstenaars in haar salon op te nemen, was dan ook een enigszins liederlijke nieuwigheid.

Mijn leven veranderde in het grote huis aan de Ejército Liberador. Voor het eerst sinds de dood van mijn grootvader Tao Chi'en had ik een gevoel van stabiliteit, het gevoel ergens te leven waar geen beweging of verandering was, in een soort stevig in de aarde verankerde vesting. Ik nam het hele gebouw stormenderhand in, ik onderzocht elk gangetje en veroverde elk hoekje, zelfs het dak, waarop ik uren doorbracht met kijken naar de duiven, en de dienstvertrekken, hoewel het me verboden was daar een voet binnen te zetten. Het enorme pand grensde aan twee straten en had twee ingangen – een voordeur aan de Ejército Liberador en een dienstingang in de straat aan de achterkant – het telde tientallen salons, slaapkamers, tuinen, terrassen, schuilplaatsen, zolders, trappen. Je had er een rode, een blauwe en een gouden salon, die alleen voor belangrijke gelegenheden gebruikt werden, en een schitterende glazen serre waarin het familieleven zich afspeelde tussen bloempotten van Chinees aardewerk, varens en kooitjes met kanaries. In de belangrijkste eetkamer besloeg een fresco uit Pompeji alle vier de muren, er stonden verscheidene wandmeubels met daarin een verzameling porselein en zilverwerk, een *chandelier* met kristallen tranen en er was een groot venster met een fontein van mozaïek in Moorse stijl, waar altijd water uit stroomde.

Toen mijn grootmoeder er eenmaal van had afgezien om mij naar school te sturen en de lessen met mejuffrouw Pineda routine werden, was ik gelukkig. Elke keer als ik een vraag stelde, wees die fantastische lerares me, in plaats van antwoord te geven, de weg om het antwoord te vinden. Ze leerde me mijn gedachten te ordenen, onderzoek te doen, te lezen en te luisteren, alternatieven te zoeken, nieuwe oplossingen voor oude problemen te vinden, logisch te argumenteren. Ze leerde me vooral niet blindelings te geloven, te twijfelen en me zelfs datgene af te vragen wat een onweerlegbare waarheid leek, zoals de superioriteit van de man over de vrouw of van een ras of sociale klasse over een andere. Dit waren vernieuwende ideeën in een patriarchale maatschappij waarin over indianen nooit gesproken werd en men maar één trede in de hiërarchie van sociale klassen hoefde te dalen om uit het collectieve geheugen te verdwijnen. Zij was de eerste intellectuele vrouw die mijn levenspad kruiste. Nívea kon, met al haar intelligentie en ontwikkeling, niet aan haar tippen; ze onderscheidde zich door haar intuïtie en haar enorme groothartigheid, ze was haar tijd een halve eeuw vooruit, maar ze nam nooit een intellectuele pose aan, zelfs niet tijdens de gespreksavonden bij mijn grootmoeder, waar ze uitblonk door haar hartstochtelijke pleidooien voor het vrouwenkiesrecht en haar theologische twijfels. Uiterlijk gezien kon mejuffrouw Pineda niet Chileenser zijn: ze was het resultaat van zo'n Spaans-indiaanse mix die kleine vrouwen voortbrengt met brede heupen, donkere ogen en donker haar, hoge jukbeenderen en een zware tred, alsof ze aan de grond vastgenageld zijn. Haar intellect was ongewoon voor haar tijd en afkomst; ze kwam uit een geharde familie uit het zuiden, haar vader was werknemer bij de spoorwegen en van haar acht broers en zussen was zij de enige die haar studie had kunnen afmaken. Ze was leerlinge en vriendin van don Pedro Tey, de eigenaar van boekhandel Siglo de Oro, een Catalaan met stugge manieren maar een klein hartje, die haar advies gaf bij het lezen en haar boeken leende of schonk, want zij kon ze niet betalen. Bij elke gedachtewisseling, hoe banaal ook, zei Tey het tegenovergestelde. Ik hoorde hem bijvoorbeeld beweren dat Zuid-Amerikanen een stel criminelen zijn met een neiging tot verkwisten, feesten en luieren, maar mejuffrouw Pineda hoefde maar te knikken of hij sloeg om als een blad aan een boom en zei dat ze in elk geval beter waren dan zijn landgenoten, die altijd met een kwaaie kop rondlopen en om elke pietluttigheid een duel aangaan. Ook al was het onmogelijk het ergens over eens te worden, die twee konden het heel goed met elkaar vinden. Don Pedro Tey moet minstens twintig jaar ouder geweest zijn dan mijn onderwijzeres, maar wanneer ze begonnen te praten, vervaagde het leeftijdsverschil: hij werd jonger van enthousiasme en zij steeds nobeler en volwassener.

In tien jaar tijd kregen Severo del Valle en Nívea zes kinderen, en ze zouden nog doorgaan tot ze er vijftien hadden. Ik ken Nívea nu meer dan twintig jaar en heb haar altijd met een baby op de arm gezien; haar vruchtbaarheid zou een vloek zijn als ze niet zo veel van kinderen zou houden. 'Ik zou er wat voor geven als u mijn kinderen kon onderwijzen!' verzuchtte Nívea wanneer ze mejuffrouw Pineda zag. 'Het zijn er erg veel, mevrouw Nívea, en aan Aurora heb ik mijn handen vol,' antwoordde mijn onderwijzeres. Severo was uitgegroeid tot een gerenommeerd advocaat, tot een van de jongste pijlers van de maatschappij en een vooraanstaand lid van de liberale partij. Hij was het op veel punten oneens met de politiek van de eveneens liberale president, en daar hij niet in staat was zijn kritiek te verhullen, vroegen ze hem nooit om in de regering zitting te nemen. Die opvattingen zouden hem er korte tijd later toe brengen een groep dissidenten te vormen die bij het uitbreken van de burgeroorlog naar de oppositie overliep, net zoals Matilde Pineda en haar vriend van boekhandel Siglo de Oro deden. Ik nam voor oom Severo een speciaal plekje in tussen de tientallen neefjes en nichtjes om hem heen. Hij noemde me zijn 'pleegkind' en vertelde me dat hij me de achternaam Del Valle gegeven had, maar elke keer als ik hem vroeg naar de identiteit van mijn echte vader, antwoordde hij ontwijkend. 'Laten we doen alsof ik dat ben,' zei hij dan. Mijn grootmoeder kreeg migraine van het onderwerp en als ik Nívea belaagde, stuurde ze me door naar Severo. Zo was de cirkel weer rond.

'Grootmoeder, ik kan niet leven met zoveel geheimzinnigheden,' zei ik eens tegen Paulina del Valle.

'Waarom niet? Mensen met een rotjeugd zijn creatiever,' antwoordde ze.

'Of ze worden gestoord...' opperde ik.

'Tussen de Del Valles zitten geen gevaarlijke gekken, Aurora, alleen excentriekelingen, zoals in elke zichzelf respecterende familie,' verzekerde ze me.

Mejuffrouw Matilde Pineda bezwoer me dat ze mijn herkomst niet kende en voegde eraan toe dat ik me niet druk moest maken – het gaat er in dit leven niet om waar iemand vandaan komt, maar waar hij naartoe gaat –, maar toen ze me de genetische theorie van Mendel onderwees, moest ze toegeven dat er goede redenen zijn om uit te zoeken wie onze voorouders zijn. En als mijn vader nou eens een gek was die ergens maagden de strot liep door te snijden?

De evolutie begon op de dag dat ik in de puberteit kwam. Ik werd wakker en mijn nachthemd was bevlekt met een substantie die op chocola leek; ik verstopte me in de badkamer om me beschaamd te wassen, toen ik ontdekte dat het geen poep was, zoals ik dacht: ik had bloed tussen mijn benen. Doodsbang liep ik naar mijn grootmoeder om het haar te vertellen, maar voor één keer vond ik haar niet in haar grote keizerlijke bed, hetgeen raar was omdat ze nooit voor twaalf uur opstond. Ik rende de trap af, gevolgd door een blaffende Caramelo, stormde als een verschrikt paard het kantoor binnen en botste frontaal op Severo en Paulina del Valle, hij gekleed alsof hij op reis ging en zij in haar paarse satijnen ochtendjas, waarin ze eruitzag als een bisschop in de Goede Week.

'Ik ga dood!' schreeuwde ik, terwijl ik haar besprong.

'Dit is niet het juiste moment,' antwoordde mijn grootmoeder droogjes.

Al jaren klaagden de mensen over de regering en al vele maanden hoorden we zeggen dat president Balmaceda zich tot dictator aan het opwerken was, waarmee hij zou breken met zevenenvijftig jaar respect voor de grondwet. Deze grondwet, die destijds door de aristocratie was opgesteld met de achterliggende gedachte dat zij altijd zou blijven regeren, verschafte de uitvoerende macht bijzonder ruime bevoegdheden; toen de macht echter in handen van iemand met tegengestelde ideeën viel, kwam de bovenlaag van de bevolking in opstand. Balmaceda, een briljant man met moderne ideeën, had het eigenlijk niet slecht gedaan. Hij had meer dan welke vorige machthebber ook het onderwijs gestimuleerd, de Chileense salpeter tegen buitenlandse bedrijven beschermd, ziekenhuizen en talloze publieke werken, vooral spoorwegen, verwezenlijkt, hoewel hij aan meer begon dan hij kon afmaken; Chili had militaire en maritieme macht, het was een welvarend land en zijn munt was de hardste van Latijns-Amerika. Toch vergaf de aristocratie Balmaceda niet dat hij de middenklasse op een hoger plan had gebracht en probeerde met hen te regeren, net zomin als de clerus instemde met de scheiding tussen Kerk en Staat, het burgerlijk huwelijk als vervanging van het kerkelijk huwelijk en de wet die toestemming gaf om doden van elk geloof op het kerkhof te begraven. Vroeger was het een hele toestand om een besluit te nemen over de lichamen van mensen die bij leven niet katholiek waren geweest, of van atheïsten en zelfmoordenaars, die vaak in ravijnen of in zee belandden. Door deze maatregelen keerden de vrouwen zich en masse van de president af. Hoewel ze geen politieke macht hadden, waren ze thuis de baas, en ze hadden een geweldige invloed. De middenklasse, die door Balmaceda was gesteund, keerde hem eveneens de rug toe, waarop hij hooghartig reageerde, want hij was zoals elke haciënda-eigenaar in die tijd gewend bevelen uit te delen en gehoorzaamd te worden. Zijn familie bezat immense stukken grond: een hele provincie inclusief stations, spoorwegen, dorpen en honderden boeren; de mannen van zijn clan heetten niet bepaald goedaardige bazen te zijn, maar lompe tirans die met het wapen onder het hoofdkussen sliepen en van hun pachters een blind respect verwachtten. Misschien wilde hij daarom wel het land besturen, als was het zijn eigen leengoed. Hij was een lange, knappe, mannelijke man met een hoog voorhoofd en een adellijke uitstraling, een droomprins, opgegroeid op de rug van een paard met in de ene hand een rijzweep en in de andere een enorm pistool. Hij had op het seminarie gezeten, maar hij had er de aard niet naar het priesterambt te bekleden: hij was hartstochtelijk en ijdel. Ze noemden hem *El Chascón* (Piekhaar) vanwege zijn neiging van kapsel, snor en bakkebaarden te veranderen; men sprak over zijn fatterige kleding uit Londen. Men maakte zijn hoogdravende retoriek en zijn liefdesverklaringen aan Chili belachelijk, ze zeiden dat hij zich zo sterk identificeerde met het vaderland dat hij het zich niet kon voorstellen zonder zichzelf aan het hoofd ervan. 'Van mij of van niemand!' was de uitdrukking die ze hem toeschreven. Door al die jaren regeren raakte hij geïsoleerd, en uiteindelijk vertoonde hij labiel, manisch-depressief gedrag, maar zelfs onder zijn ergste vijanden genoot hij de reputatie een goed staatsman van onbesproken rechtschapenheid te zijn, zoals bijna alle presidenten van Chili, die, in afwijking van de caudillo's in andere Latijns-Amerikaanse landen, armer uit de regering kwamen dan ze erin gingen. Hij had een toekomstvisie, droomde ervan een grote natie te creëren, maar hij had de pech dat hij aan het einde van een tijdperk leefde en dat zijn partij, die te lang aan de macht was geweest, op zijn retour was. Het land en de wereld waren aan het veranderen en het liberale bewind was gecorrumpeerd. De presidenten wezen zelf hun opvolgers aan en de burgerlijke en militaire gezagdragers pleegden verkiezingsfraude; altijd won de regeringspartij, dankzij het met recht grof genoemde geweld: zelfs doden en afwezigen stemden op de officiële kandidaat, er werden stemmen gekocht en zwevende kiezers kregen de angst erin gemept. De president stond tegenover de onverzoenlijke oppositie van conservatieven, een paar groepen dissidente liberalen, de gehele geestelijkheid en de meerderheid van de pers. Voor het eerst dienden de extremen van het politieke spectrum één gemeenschappelijk belang: de regering omverwerpen. Dagelijks werden op de Plaza de Armas samengestroomde demonstranten van de oppositie door de politie te paard met geweld uiteengedreven, en tijdens de laatste rondreis van de president door de provincies moesten de soldaten hem met sabelhouwen verdedigen tegen opgewonden menigtes die hem uitjoelden en met groenten bekogelden. Hij bleef onverstoorbaar bij die tekenen van onvrede, alsof hij niet doorhad dat het land wegzakte in ordeloosheid. Volgens Severo del Valle en mejuffrouw Matilde Pineda had tachtig procent van de mensen een hekel aan de regering, en het zou het meest fatsoenlijk zijn als de president zijn ontslag zou indienen, want het klimaat van spanning was ondraaglijk geworden en kon elk moment als een vulkaan tot uitbarsting komen. Dat gebeurde op die ochtend in januari 1891, toen de marine muitte en het congres de president afzette.

'Er gaat zich een verschrikkelijke repressie ontketenen, tante,' hoorde ik Severo del Valle zeggen. 'Ik ga vechten in het noorden. Ik vraag u Nívea en de kinderen te beschermen, want dat zal ik wie weet hoe lang niet kunnen doen...'

'Je hebt al een been verloren in de oorlog, Severo. Als je het andere verliest ben je net een dwerg.'

'Ik heb geen keus, in Santiago vermoorden ze me net zo goed.'

'Doe niet zo melodramatisch, we zitten niet in de opera!'

Severo del Valle was echter beter geïnformeerd dan zijn tante, zoals een paar dagen later bleek, toen de terreur losbarstte. De reactie van de president was het congres ontbinden, zichzelf tot dictator benoemen en een zekere Joaquín Godoy aanstellen voor het organiseren van de repressie, een sadist die vond dat 'de rijken moeten boeten omdat ze rijk zijn, de armen omdat ze arm zijn en de geestelijken, die moeten allemaal afgeknald worden!'

Het leger bleef trouw aan de regering, en wat begonnen was als een politieke rel, liep uit op een afschuwelijke burgeroorlog toen de strijdkrachten van beide kampen tegenover elkaar kwamen te staan. Godoy zette, met de uitgesproken steun van de legerleiding, de *congresistas* van de oppositie die hij te pakken kon krijgen gevangen. De burgerrechten werden ingetrokken, de huiszoekingen en de systematische folteringen begonnen, terwijl de president zich opsloot in zijn paleis, walgend van deze methodes maar ervan overtuigd dat er geen andere waren om zijn politieke vijanden te doen zwichten. 'Ik zou liever niet op de hoogte zijn van deze maatregelen,' hoorde men hem meer dan eens zeggen. In de straat van boekhandel Siglo de Oro kon men 's nachts niet slapen en overdag niet rondlopen door het gebrul van de gegeselden. Uiteraard werd niets van dit alles besproken in het bijzijn van de kinderen, maar ik hoorde alles omdat ik elke kier van het huis kende en me amuseerde met het afluisteren van de gesprekken tussen de volwassenen, aangezien er in die maanden niet veel anders te doen was. Terwijl buiten de oorlog woedde, leefden we binnen als in een luxe gesloten klooster. Mijn grootmoeder Paulina ving Nívea en haar regiment kindertjes, voedsters en kindermeisjes op en deed de deur op de grendel, maar ze was er zeker van dat niemand een dame van haar sociale positie, getrouwd met een Brits staatsburger, zou durven overvallen. Uit voorzorg plantte Frederick Williams een Engelse vlag op het dak en hield hij zijn wapens in het vet.

Severo del Valle vertrok net op tijd naar het noorden om te vechten, want de dag daarop drongen ze zijn huis binnen. Als ze hem hadden aangetroffen, was hij in de kerkers van de politieke politie terechtgekomen, waar men bij het martelen geen onderscheid maakte tussen rijk en arm. Nívea was net als Severo del Valle aanhangster geweest van het liberale bewind, maar ze veranderde in een fervent tegenstandster toen de president op frauduleuze wijze zijn opvolger wilde aanwijzen en daarmee over het congres heen wilde walsen. In de maanden van de revolutie had ze, terwijl ze zwanger was van een tweeling en zes kinderen opvoedde, de tijd en energie gehad om voor de oppositie te werken, en wel op dusdanige wijze dat het haar, als ze was betrapt, het leven had gekost. Ze deed het achter de rug van mijn grootmoeder Paulina om, die ons strikte orders had gegeven om onzichtbaar te blijven en niet de aandacht van de autoriteiten te trekken, maar met volledig medeweten van Williams. Mejuffrouw Matilde Pineda stond lijnrecht tegenover Williams – zo socialistisch als de een was, zo monarchistisch was de ander –, maar ze werden verenigd door de haat jegens de regering. In een van de achterkamers, waar mijn grootmoeder nooit kwam, installeerden ze met hulp van don Pedro Tey een kleine drukpers waarmee ze schotschriften en revolutionaire pamfletten produceerden, die mejuffrouw Matilde Pineda vervolgens onder haar mantel meenam om huis aan huis te verspreiden. Ze lieten me zweren dat ik niemand een woord zou vertellen over wat er in die kamer gebeurde, wat ik ook niet deed, want ik zag het geheim als een boeiend spel, hoewel ik natuurlijk geen idee had van het gevaar dat onze familie boven het hoofd hing. Na afloop van de burgeroorlog begreep ik dat het een reëel gevaar was, want ondanks Paulina del Valles positie was niemand veilig voor de lange arm van de politieke politie. Het huis van mijn grootmoeder was niet de vrijplaats die we dachten; de omstandigheid dat zij een weduwe met geld, connecties en een belangrijke naam was, zou haar niet voor een huiszoeking of misschien wel de gevangenis hebben behoed. De verwarring van die maanden en het feit dat het merendeel van de bevolking zich tegen de regering had gekeerd en het onmogelijk was zoveel mensen in de hand te houden, werkten in ons voordeel. Zelfs binnen de politie zaten aanhangers van de revolutie, die dezelfde mensen die ze moesten oppakken weer hielpen ontsnappen. In elk huis waar mejuffrouw Matilde Pineda aanklopte om haar schotschriften te overhandigen, werd ze met open armen ontvangen.

Voor één keer stonden Severo del Valle en zijn familieleden aan dezelfde kant, want in het conflict sloten de conservatieven zich aan bij een deel van de liberalen. De familie trok zich terug op hun landgoederen, zo ver mogelijk van Santiago, maar de jonge Del Valles gingen vechten in het noorden, waar een door de muitende marine gesteund contingent vrijwilligers samenkwam. Het regeringsgezinde leger was van plan die meute in opstand gekomen burgers in een kwestie van dagen te verslaan; de weerstand waarmee het te maken zou krijgen had het nooit verwacht. De militairen en de revolutionairen trokken richting noorden om de salpetermijnen in te nemen – de grootste bron van inkomsten voor het land –, waar de regimenten van het gewone leger ingekwartierd waren. Bij de eerste ernstige confrontatie zegevierden de regeringstroepen, en na de veldslag maakten ze de gewonden en krijgsgevangenen af, zoals ze tien jaar eerder in de Salpeteroorlog ook vaak hadden gedaan. De verontwaardiging onder de revolutionairen over die beestachtige slachtpartij was zo groot dat toen ze opnieuw tegenover elkaar stonden, ze een klinkende overwinning boekten. Toen was het hun beurt de verliezers af te slachten. Halverwege maart controleerden de congresistas, zoals de opstandelingen genoemd werden, vijf noordelijke provincies en hadden ze een junta geformeerd, terwijl president Balmaceda in het zuiden met de minuut meer aanhangers verloor. Wat er was overgebleven van de loyale troepen in het noorden moest terugwijken naar het zuiden om zich daar aan te sluiten bij de hoofdmacht; vijftienduizend mannen staken te voet het Andesgebergte over, drongen Bolivia binnen, liepen door naar Argentinië en gingen opnieuw via de bergen richting Santiago. Ze kwamen doodmoe, met een flinke baard en haveloos in de hoofdstad aan, ze hadden duizenden kilometers gelopen door een genadeloos landschap van valleien en bergtoppen, van helse hitte en eeuwige sneeuw, en hadden onderweg lama's en vicuña's van de hoogvlakte, kalebassen en gordeldieren van de pampa's en vogels van de hoogste toppen bij elkaar moeten scharrelen. Ze werden als helden onthaald. Zo'n huzarenstukje had men sinds de lang vervlogen tijden van de woeste Spaanse veroveraars niet meer gezien, maar niet iedereen nam deel aan de ontvangst, want de oppositie was aangezwollen tot een onhoudbare lawine. In ons huis bleven de luiken gesloten en de orders van mijn grootmoeder luidden dat niemand zijn neus buiten de deur mocht steken, maar ik kon mijn nieuwsgierigheid niet bedwingen en klom op het dak om de parade te zien.

De arrestaties, plunderingen, folteringen en beslagleggingen hielden de tegenstanders in spanning, er was geen familie die niet verdeeld was, niemand ontkwam aan de angst. De troepen voerden razzia's uit om jongeren te rekruteren, ze stormden binnen tijdens begrafenissen en bruiloften, in boerderijen op het platteland en in fabrieken om mannen met de leeftijd om wapens te dragen aan te houden en onder dwang mee te voeren. De landbouw en de industrie kwamen bij gebrek aan arbeidskrachten lam te liggen. De arrogantie van de militairen werd ondraaglijk en de president begreep dat hij die een halt moest toeroepen, maar toen hij dat eindelijk wilde doen was het te laat; de soldaten voelden zich ongenaakbaar en hij was bang dat ze hem zouden afzetten om een militaire dictatuur te vestigen, wat duizendmaal beangstigender was dan de door Godoys politieke politie opgelegde repressie. 'Niets is zo gevaarlijk als macht die gepaard gaat met straffeloosheid,' waarschuwde Nívea ons. Ik vroeg mejuffrouw Matilde Pineda wat het verschil was tussen de regering en de revolutionairen, en het antwoord was dat ze beiden vochten voor legitimiteit. Toen ik het mijn grootmoeder vroeg, antwoordde ze: geen, het zijn allemaal schoften.

De terreur stond bij ons voor de deur toen de verklikkers don Pedro Tey aanhielden om hem naar de ijzingwekkende kerkers van Godoy te brengen. Ze vermoedden – en terecht – dat hij verantwoordelijk was voor de politieke schotschriften tegen de regering die overal circuleerden. Op een avond in juni, zo'n avond met miezerige regen en een verraderlijke wind, ging tijdens het avondeten in de doordeweekse eetkamer ineens de deur open en kwam mejuffrouw Matilde Pineda onaangekondigd in een doorweekte mantel binnenstormen, in de war en lijkbleek.

'Wat is er?' vroeg mijn grootmoeder, geïrriteerd door de onbeleefdheid van de onderwijzeres.

Mejuffrouw Pineda zei zonder omhaal dat de schoften van Godoy boekhandel Siglo de Oro waren binnengevallen, degenen die zich daar bevonden in elkaar hadden geslagen en vervolgens don Pedro Tey hadden meegenomen in een geblindeerd rijtuig. Mijn grootmoeder bleef met haar vork in de lucht zitten wachten op iets wat de schaamteloze entree van de vrouw zou rechtvaardigen; ze kende meneer Tey nauwelijks en snapte niet waarom het bericht zo dringend was. Ze had er geen idee van dat de boekhandelaar bijna dagelijks via de achterdeur bij ons binnenkwam en zijn revolutionaire pamfletten produceerde op een drukpers die onder haar eigen dak was verstopt. Nívea, Williams en mejuffrouw Pineda voorzagen echter de gevolgen als de ongelukkige Tey eenmaal tot een bekentenis gedwongen zou worden. Ze wisten dat hij vroeg of laat zou doorslaan, want de methodes van Godoy lieten daar geen twijfel over bestaan. Ik zag de drie wanhopige blikken uitwisselen, en hoewel ik geen inzicht had in de draagwijdte van wat er gaande was, kon ik me de aanleiding wel voorstellen.

'Komt het door de machine die we in de achterkamer hebben staan?' vroeg ik.

'Welke machine?' vroeg mijn grootmoeder.

'Geen een machine,' antwoordde ik, denkend aan de geheime afspraak, maar Paulina del Valle liet me niet verder praten, pakte me bij mijn oor en schudde me door elkaar met een voor haar ongebruikelijke woede.

'Welke machine, vroeg ik je, duivelse snotneus!' schreeuwde ze tegen me.

'Laat het meisje met rust, Paulina. Zij heeft hier niets

mee te maken. Het gaat om een drukpers...' zei Frederick Williams.

'Een drukpers? Hier, in mijn huis?' tierde mijn grootmoeder.

'Ik ben bang van wel, tante,' prevelde Nívea.

'Wel verdomme! En wat gaan we nu doen?' De matriarch liet zich in haar stoel vallen en mompelde met haar hoofd in haar handen dat haar eigen familie haar had verraden, dat we de prijs voor zo'n enorme roekeloosheid gingen betalen, we waren een stel idioten, zij had Nívea met open armen ontvangen en kijk toch eens hoe ze haar terugbetaalde, wist Frederick soms niet dat dit hun de huid kon kosten, we waren niet in Engeland of in Californië, wanneer begreep hij nou eens hoe de dingen in Chili werkten, en dat ze mejuffrouw Pineda nooit van haar leven meer wilde zien en haar verbood nog een voet in haar huis te zetten of het woord tot haar nicht te richten.

Frederick Williams vroeg om de koets en kondigde aan dat hij vertrok 'om het probleem op te lossen', hetgeen, in plaats van haar gerust te stellen, de schrik van mijn grootmoeder alleen maar groter maakte. Mejuffrouw Matilde Pineda maakte een gebaar van afscheid naar me en vertrok, en pas vele jaren later zag ik haar weer terug. Williams ging rechtstreeks naar de Noord-Amerikaanse legatie en vroeg mister Patrick Egon, zijn vriend en bridgepartner, te spreken, die op dat moment een officieel banket voor de leden van het corps diplomatique leidde. Egon steunde de regering, maar hij was ook een democraat in hart en nieren, zoals bijna alle yankees, en hij verafschuwde de methodes van Godoy. Hij luisterde naar wat Williams hem onder vier ogen vertelde en ondernam meteen actie voor een gesprek met de minister van Binnenlandse Zaken, die hem diezelfde avond nog ontving, maar hem zei dat het niet in zijn macht lag om voor de gevangene te bemiddelen. Hij kreeg echter wel een gesprek met de president geregeld voor de volgende ochtend vroeg. Het werd de langste nacht die men in het huis van mijn grootmoeder heeft meegemaakt. Niemand ging naar bed. Ik lag die nacht samen met Caramelo opgerold in een fauteuil in de hal, terwijl de dienstmeisjes en de knechten af en aan liepen met koffers en hutkoffers, de kindermeisjes en voedsters op en neer liepen met de slapende kindertjes van Nívea in hun armen, de keukenmeiden met manden vol eten sjouwden. Zelfs twee kooien met de lievelingsvogeltjes van mijn grootmoeder belandden in de koetsen. Williams en de tuinman, een betrouwbare man, demonteerden de drukpers, begroeven de onderdelen achter op de derde patio en verbrandden alle compromitterende papieren. Bij het ochtendgloren stonden twee rijtuigen van de familie en vier gewapende knechten te paard gereed om ons Santiago uit te brengen. De rest van het bedienend personeel had zijn toevlucht genomen tot de dichtstbijzijnde kerk, waar ze later door andere koetsen zouden worden opgehaald. Frederick Williams wilde niet met ons mee.

'Ik ben verantwoordelijk voor wat er gebeurd is en ik blijf om het huis te beschermen,' zei hij.

'Uw leven is veel waardevoller dan dit huis en alles wat ik verder heb, alstublieft, ga met ons mee,' smeekte Paulina del Valle.

'Ze durven me niets te doen, ik ben Brits staatsburger.'

'Wees niet naïef, Frederick, gelooft u me, niemand is veilig in deze tijden.'

Maar hij was niet over te halen. Hij drukte twee zoenen op mijn wangen, hield langdurig mijn grootmoeders handen in de zijne en nam afscheid van Nívea, die ademde als een zeepaling op het droge, ik weet niet of het door de angst of louter door de zwangerschap kwam. We vertrokken toen een bedeesd zonnetje amper de besneeuwde toppen van de Andes bescheen, de regen was opgehouden en de hemel leek op te klaren, maar er stond een koude wind die door de kieren van de koets binnendrong. Mijn grootmoeder hield me stevig op haar schoot, gewikkeld in haar vossenmantel, die waarvan de staarten in een vlaag van wellust door Caramelo waren verslonden. Haar lippen waren samengeknepen van woede en schrik, maar ze was de picknickmanden niet vergeten, en zodra we Santiago uit reden richting het zuiden, maakte ze die open voor een feestmaal met gegrilde kippen, hardgekookte eieren, bladerdeegpasteitjes, kaas, *pan amasado*, wijn en amandelmelk, dat de rest van de reis zou duren.

De oom en tante Del Valle, die naar het platteland gevlucht waren toen in januari de opstand was uitgebroken, ontvingen ons zeer verheugd omdat we de zeven maanden van hopeloze verveling kwamen doorbreken en nieuws meebrachten. Het nieuws was beroerd, maar niets vernemen was erger. Ik zag mijn neven en nichten terug, en die eerste dagen, die voor de volwassenen zo gespannen waren, waren voor de kinderen als vakantie: we deden ons te goed aan verse koemelk, verse kwark en conserven die nog van de zomer waren bewaard, we reden paard, spetterden in de regen in de modder, speelden in de stallen en op de zolders, we voerden theaterstukken op en vormden een jammerlijk koor, want niemand van ons had muzikaal talent. Men kwam bij het huis via een bochtige, met hoge populieren omzoomde weg die door een ruige vallei liep, waar de ploegschaar weinig sporen had getrokken en de weilanden verlaten leken; nu en dan zagen we rijen kale, aangevreten stokken, wat volgens mijn grootmoeder wijngaarden waren. Als een boer ons pad kruiste, nam hij zijn strohoed af en groette, met de blik naar de grond gericht, de bazen. 'U genade,' zei hij dan tegen ons. Mijn grootmoeder was vermoeid en slechtgehumeurd op het platteland aangekomen, maar na een paar dagen stak ze een paraplu omhoog en struinde, met Caramelo in haar kielzog, met grote nieuwsgierigheid de omgeving af. Ik zag haar de kromgetrokken wijnstokken onderzoeken en monsters van de aarde nemen, die ze in een paar geheimzinnige zakjes bewaarde. Het U-vormige huis was van adobe met dakpannen en zag er solide en degelijk uit; het had niets stijlvols, maar de muren hadden zo hun charme door de vele verhalen die erin besloten lagen. In de zomer was het een paradijs van bomen die doorbogen onder het zoete fruit, bloemengeuren, getjilp van opgetogen vogeltjes en gezoem van vlijtige bijen, maar in de winter leek het huis wel een morrende oude dame onder de eeuwige motregen en de bewolkte luchten. De dag begon in alle vroegte en eindigde met de zonsondergang, wanneer we ons terugtrokken in de enorme, met kaarsen en petroleumlampen schaars verlichte kamers. Het was koud, maar we gingen om de ronde, met dikke kleden bedekte tafels zitten, waaronder smeulende stoven werden gezet om onze voeten aan te warmen; we dronken warme rode wijn met suiker, sinaasappelschil en kaneel – de enige manier om hem weg te krijgen. De oom en tante Del Valle produceerden die primitieve wijn voor eigen gebruik, maar mijn grootmoeder beweerde dat hij niet gemaakt was voor de strot van een mens maar voor het oplossen van verf. Elk zichzelf respecterend landgoed verbouwde wijnstokken en maakte zijn eigen wijn, sommige beter dan andere, maar deze was wel bijzonder scherp. Aan de bewerkte houten plafonds weefden de spinnen hun tere kanten kleedjes en renden de muizen in alle rust rond, want zo hoog konden de katten in het huis niet klimmen. De witgekalkte en indigoblauwe muren zagen er kaal uit, maar overal stonden beelden van gewichtige heiligen en hingen afbeeldingen van Christus aan het kruis. Bij de ingang verhief zich een pop met houten hoofd en ledematen, ogen van blauw glas en mensenhaar: de Heilige Maagd Maria, waarbij altijd verse bloemen en brandende devotielichtjes stonden en waarvoor we in het voorbijgaan een kruis sloegen, want je kon niet in en uit lopen zonder de Madonna te begroeten. Eens per week kleedde men haar om; ze had een kast vol renaissancejurken en voor de processies kreeg ze juwelen en een door de jaren kaal geworden hermelijnmantel omgehangen. De vier maaltijden per dag waren langdurige ceremoniën, de ene was nog niet beëindigd of de volgende begon alweer, en mijn grootmoeder ging dan ook alleen van tafel om te slapen en naar de kapel te gaan. Om zeven uur 's ochtends zaten we in de mis en gingen we ter communie bij Teodoro Riesco, een bij mijn oom en tante inwonende, tamelijk bejaarde priester die de deugd van de verdraagzaamheid bezat; in zijn ogen bestond er geen onvergeeflijke zonde, behalve het verraad van Judas; zelfs de verschrikkelijke Godoy kon volgens hem troost vinden in de schoot van de Heer. 'Nooit of-te nimmer, vader, als Godoy vergiffenis krijgt, ga ik liever naar de hel met Judas en al mijn kinderen,' sprak Nívea hem tegen. Na zonsondergang kwam de familie met kinderen, bedienden en pachters van het landgoed bijeen om te bidden. Iedereen nam een brandende kaars mee, en zo liepen we in een rij naar de rustieke kapel aan de uiterste zuidkant van het huis. Ik kreeg plezier in die dagelijkse rituelen, die gekleurd werden door de kalender, de seizoenen en het leven; ik vermaakte me met het schikken van de bloemen bij het altaar en het poetsen van de gouden hostiekelken. De heilige woorden klonken als poëzie:

Tot Uw liefde, mijn God, word ik niet bewogen
door het hemels geluk dat Gij mij hebt beloofd;
ook de hel waarin met zoveel angst wordt geloofd
doet mij 't afzien van wat U kan grieven, niet pogen.

Gijzelf, Heer, beweegt mij; het mededogen
met Uw gekluisterd-zijn aan dit arm kruis,
het zien van Uw lichaam, gefolterd, verguisd.
Mij bewegen Uw leed en Uw brekende ogen.

Want Gíj noopt mij zozeer U te beminnen,
dat ik 't ook zou doen, was de hemel er niet;
en ik vreesde U, al was ook de hel er niet meer.

Niets hoeft Gij te geven opdat 'k U beminne,
van al wat ik hoop; want al hoopte ik niet,
U liefhebben zou ik toch evenzeer.

Ik geloof dat het taaie hart van mijn grootmoeder ook aardig week werd, want sinds dat verblijf op het platteland kwam ze gaandeweg nader tot de religie; ze begon naar de kerk te gaan omdat ze het leuk vond en niet alleen om gezien te worden, ze schold niet meer net als vroeger uit gewoonte op de geestelijkheid, en bij terugkomst in Santiago liet ze een prachtige kapel met gebrandschilderde ramen in haar huis aan de Ejército Liberador bouwen, waar ze op haar manier bad. Ze voelde zich niet helemaal thuis in het katholieke geloof, daarom paste ze het aan. Na het avondgebed liepen we met onze kaarsen terug naar de grote salon om koffie met melk te drinken, terwijl de vrouwen weefden of borduurden en de kinderen doodsbang luisterden naar de verhalen over geestverschijningen die de oom en tante ons vertelden. Niets maakte ons zo bang als de *imbunche*, een kwaadaardig wezen uit de inheemse mythologie. Ze zeiden dat de indianen baby's roofden om er imbunches van te maken: ze naaiden hun oogleden en anus dicht, brachten ze groot in grotten, voedden ze met bloed, braken hun benen, draaiden het hoofd achterstevoren en schoven een arm onder de huid van de rug, waardoor ze allerlei bovennatuurlijke krachten zouden krijgen. Uit angst om te veranderen in het voedsel van een imbunche, staken wij kinderen na zonsondergang de neus niet meer buiten de deur en sliepen sommigen van ons, zoals ik, met het hoofd onder de dekens, gekweld door huiveringwekkende nachtmerries. 'Wat ben je toch bijgelovig, Aurora! De imbunche bestaat niet. Denk je dat een kind zulke martelingen overleeft?' probeerde mijn grootmoeder met mij te redeneren, maar er was geen argument dat mijn klappertanden kon stoppen.

Daar ze zwanger door het leven ging, rekende Nívea nooit precies uit wanneer ze moest bevallen; ze wist gewoon door het aantal keren dat ze op de po moest wanneer het ging gebeuren. Toen ze in twee opeenvolgende nachten dertien keer was opgestaan, zei ze bij het ontbijt dat het tijd werd om een dokter te halen, en inderdaad begonnen diezelfde dag de weeën. Er waren in die streek geen dokters, dus opperde iemand de vroedvrouw uit het dichtstbijzijnde dorp te halen. Dat bleek een schilderachtige *meica* te zijn, een leeftijdloze Mapuche-indiaanse, wier huid, vlechten en plantaardig geverfde kleding allemaal dezelfde bruingrijze kleur hadden. Ze kwam te paard met een tas vol medicinale planten, oliën en siropen, gehuld in een lange poncho die bij de borst was vastgemaakt met een enorme, van oude koloniale munten vervaardigde zilveren sierspeld. De tantes schrokken, want de meica leek rechtstreeks uit de diepste binnenlanden van Araucanië te zijn gekomen, maar Nívea ontving haar zonder tekenen van wantrouwen; ze was niet bang voor het moeilijke moment, ze had het al zes keer eerder meegemaakt. De indiaanse sprak zeer slecht Spaans, maar ze leek haar vak te beheersen, en toen ze eenmaal haar poncho afdeed, zagen we dat ze schoon was. Traditiegetrouw kwamen vrouwen die nog niet zwanger waren geweest de kraamkamer niet binnen, dus gingen de jonge vrouwen met de kinderen naar de andere kant van het huis en verzamelden de mannen zich in de biljartzaal om te spelen, te drinken en te roken. Nívea werd naar de beste kamer gebracht, vergezeld door de indiaanse en een paar oudere vrouwen uit de familie, die beurtelings hielpen en gingen bidden. Ze zetten twee zwarte kippen op het vuur om er een stevige bouillon van te trekken die de moeder voor en na de bevalling kon versterken, en ook bereidden ze een bernagieaftreksel voor het geval er stuiptrekkingen zouden optreden of het hart het zou begeven. Mijn nieuwsgierigheid was dwingender dan mijn grootmoeders dreigement om me een pak slaag te geven als ze me in de buurt van Nívea zou betrappen, en ik glipte de achterkamers in om te gluren. Ik zag de bedienden langskomen met witte doeken en lampetkommen met heet water en kamilleolie om de buik te masseren, en met dekens en kolen voor de komforen, want niets werd zo gevreesd als een 'kou op de buik', ofwel onderkoeling tijdens de bevalling. Er was een constant rumoer van gesprekken en gelach te horen; ik had niet de indruk dat er aan de andere kant van de deur een sfeer van spanning of lijden hing, integendeel, het klonk er naar feestende vrouwen. Omdat ik vanuit mijn schuilplaats niets zag en mijn nekharen overeind stonden van de spookachtige luchtstroom die door de donkere gangen tochtte, raakte ik al snel verveeld en ging ik met mijn neefjes en nichtjes spelen, maar toen het avond werd en de familie in de kapel bijeen was, keerde ik terug. Rond dic tijd waren de stemmen verstomd en waren het ingespannen gekreun van Nívea, het gefluister van gebeden en het getik van de regen op de dakpannen duidelijk te horen. Ik bleef ineengedoken in een hoekje van de gang zitten, bevend van angst, want ik wist zeker dat de indianen konden komen om Nívea's baby te stelen... En als de meica nou eens een van die heksen was die imbunches maakten van pasgeborenen? Hoe was het mogelijk dat Nívea niet aan die schrikbarende mogelijkheid had gedacht? Ik stond op het punt terug te rennen naar de kapel, waar licht en mensen waren, maar op dat moment kwam een van de vrouwen naar buiten om iets te gaan halen en liet de deur op een kier staan, waardoor ik een glimp kon opvangen van wat er in de kamer gebeurde. Niemand zag me, want de gang was in duister gehuld; binnen overheerste echter het licht van de vetpotjes en de her en der geplaatste kaarsen. Drie brandende komfoortjes in de hoeken hielden het daar veel warmer dan in de rest van het huis, en een pan met kokende eucalyptusblaadjes vulde de lucht met een frisse bosgeur. Nívea, gekleed in een kort hemd, een mouwloos vest en dikke wollen sokken, zat gehurkt op een deken, haar beide handen waren stevig om twee dikke touwen geklemd die aan de plafondbalken hingen; ze werd in de rug gesteund door de meica, die zachtjes woorden in een vreemde taal prevelde. De dikke, met aderen getekende buik van de moeder leek in het flakkerende kaarslicht iets monsterachtigs, alsof hij niet bij haar lichaam hoorde en niet eens menselijk was. Nívea perste, badend in het zweet, het haar op haar voorhoofd geplakt, de ogen gesloten en met paarse kringen omrand, haar lippen gezwollen. Een van mijn tantes zat geknield te bidden bij een tafeltje waarop een klein beeldje van Raymundus Nonnatus, patroon van de kraamvrouwen, was gezet, de enige heilige die niet via de normale weg geboren was, maar via een snee uit de dikke buik van zijn moeder was gehaald; een andere tante stond met een waskom met warm water en een stapel schone doeken naast de indiaanse. Er viel een korte stilte tijdens welke Nívea diep ademhaalde en de meica voor haar ging staan om met haar plompe handen de buik te masseren, alsof ze het kindje in haar binnenste goed legde. Ineens doordrenkte een straal bloederig vocht de deken. De meica hield hem tegen met een doek, die ook meteen doorweekt was, en er moesten nog vele doeken aan te pas komen. 'Gezegend, gezegend, gezegend zijt gij,' hoorde ik de indiaanse in het Spaans zeggen. Nívea greep zich vast aan de touwen en perste met zoveel kracht dat de pezen in haar hals en de aderen op haar slapen op springen stonden. Een dof gebrul kwam over haar lippen, en toen werd er iets tussen haar benen zichtbaar, dat de meica zachtjes aanpakte en even vasthield, totdat Nívea diep ademhaalde, weer perste en het kindje er eindelijk uit kwam. Ik dacht dat ik zou flauwvallen van schrik en afschuw; wankelend liep ik terug door de lange, naargeestige gang.

Een uur later, toen de dienstmeisjes de vuile lappen en de andere spullen die bij de bevalling gebruikt waren ophaalden om ze te verbranden – zo voorkwam je bloedingen, geloofden ze – en de meica de placenta en de navelstreng inpakte om ze volgens de regionale gewoonte onder een vijgenboom te begraven, had de rest van de familie zich in de salon rond pater Teodoro Riesco verzameld om God te bedanken voor de geboorte van een tweeling, twee jongens die de achternaam Del Valle eervol zouden dragen, zoals de priester zei. Twee tantes hadden de pasgeborenen in de armen, stevig in wollen dekentjes gewikkeld en met geweven mutsjes op, terwijl elk familielid hun om de beurt een kusje op het voorhoofd kwam geven met de woorden 'God beware hem', om het onopzettelijke boze oog te weren. Ik kon mijn neefjes niet welkom heten zoals de anderen dat deden, want ik vond het een stel afzichtelijke wurmen, en het beeld van de blauwige buik van Nívea, die ze er als een bloederige massa uit wierp, zou me voorgoed achtervolgen.

De tweede week van augustus kwam Frederick Williams ons opzoeken, tiptop gekleed als altijd en uiterst kalm, alsof het risico om in de handen van de politieke politie te vallen slechts een collectief waanidee was geweest. Mijn grootmoeder ontving haar echtgenoot als een bruid, met stralende ogen en rode wangen van opwinding. Ze strekte haar handen naar hem uit, die hij kuste met iets meer dan alleen respect, en voor het eerst besefte ik dat dat merkwaardige stel een band had die veel op genegenheid leek. Zij was toen ongeveer vijfenzestig, een leeftijd waarop andere vrouwen door het doorstane leed en de tegenslagen van het leven al afgetakelde oudjes waren, maar Paulina del Valle leek onoverwinnelijk. Ze verfde haar haar, koket zoals geen enkele dame uit haar milieu dat zou durven zijn, en gaf haar kapsel met haarstukjes extra volume; ze kleedde zich ondanks haar dikte met dezelfde ijdelheid als altijd, en ze maakte zich zo subtiel op dat niemand de blos op haar wangen of het zwart van haar wimpers verdacht vond. Frederick Williams was aanmerkelijk jonger, en het schijnt dat de vrouwen hem zeer aantrekkelijk vonden, want in zijn aanwezigheid wapperden ze altijd met hun waaiers en lieten ze zakdoekjes vallen. Ik heb hem die complimenten nooit zien beantwoorden; integendeel, hij leek onvoorwaardelijk toegewijd aan zijn echtgenote. Ik heb me dikwijls afgevraagd of de relatie tussen Frederick Williams en Paulina del Valle alleen een verstandshuwelijk was, of die wel zo platonisch was als iedereen aannam of dat er een zekere aantrekkingskracht tussen hen bestond. Zijn ze elkaar gaan liefhebben? Niemand zal het kunnen weten, want hij roerde het thema nooit aan en mijn grootmoeder, die mij op het eind toch nog de persoonlijkste dingen vertelde, nam het antwoord mee naar de andere wereld.

We kwamen er via oom Frederick achter dat don Pedro Tey door de persoonlijke tussenkomst van de president was vrijgelaten voordat Godoy een bekentenis uit hem had kunnen trekken, zodat we konden terugkeren naar Santiago, want in feite was de naam van onze familie nooit op de lijsten van de politie terechtgekomen. Negen jaar later, toen mijn grootmoeder Paulina stierf en ik mejuffrouw Pineda en don Pedro Tey terugzag, hoorde ik de details van het voorval, die de beste Frederick Williams ons had willen besparen. Na de boekhandel te zijn binnengevallen, de werknemers te hebben geslagen en honderden boeken te hebben opgestapeld en verbrand, hadden ze de Catalaanse boekhandelaar meegenomen naar het sinistere politiebureau, waar ze de gebruikelijke behandeling op hem toepasten. Na afloop van de afstraffing was Tey bewusteloos, maar hij had niets losgelaten, waarop ze een emmer water met uitwerpselen over hem uitstortten en hem aan een stoel vastbonden, waar ze hem de rest van de nacht op lieten zitten. De volgende dag, toen ze hem opnieuw voor zijn folteraars leidden, kwam de Noord-Amerikaanse gezant Patrick Egon met een afgevaardigde van de president om de vrijlating van de gevangene te eisen. Ze lieten hem gaan na de waarschuwing dat hij, als hij ook maar één woord zou zeggen over het gebeurde, tegenover een vuurpeloton zou komen te staan. Ze namen hem hevig bloedend en onder de stront mee naar het officiële rijtuig, waarin Frederick Williams en een dokter zaten te wachten, en brachten hem als vluchteling naar de legatie van de Verenigde Staten. Een maand later viel de regering en verliet don Pedro Tey de legatie om plaats te maken voor de familie van de afgezette president, die onder dezelfde vlag zijn toevlucht vond. De boekhandelaar zat een paar maanden in de lappenmand, totdat de wonden van de zweepslagen genezen waren, hij de botten in zijn schouders weer kon bewegen en hij zijn boekwinkel weer op poten kon zetten. Hij was niet bang geworden door de doorstane wreedheden, het idee naar Catalonië terug te keren kwam niet in hem op en hij bleef altijd in de oppositie, welke regering er ook aan de macht was. Toen ik hem vele jaren later bedankte omdat hij ter bescherming van mijn familie de verschrikkelijke marteling had verdragen, antwoordde hij dat hij dat niet voor ons had gedaan, maar voor mejuffrouw Matilde Pineda.

Mijn grootmoeder Paulina wilde op het platteland blijven tot de revolutie voorbij zou zijn, maar Frederick Williams overtuigde haar ervan dat het conflict jaren kon duren en we de positie die we in Santiago hadden niet moesten opgeven; de waarheid is dat hij het landgoed met zijn eenvoudige boeren, eeuwige siësta's en stallen vol stront en vliegen een veel ergere plek vond dan de kerker.

'De burgeroorlog in de Verenigde Staten duurde vier jaar, zo lang kan hij hier ook duren,' zei hij.

'Vier jaar? Tegen die tijd is er geen Chileen meer in leven. Mijn neef Severo zegt dat er in een paar maanden tijd in totaal al tienduizend doden in de strijd geteld zijn en er meer dan duizend na verraad zijn vermoord,' antwoordde mijn grootmoeder.

Nívea wilde met ons teruggaan naar Santiago, ondanks het feit dat ze nog doodmoe was van de dubbele bevalling, maar ze drong zo aan dat mijn grootmoeder uiteindelijk toegaf. In het begin praatte ze niet tegen Nívea vanwege de toestand met de drukpers, maar toen ze de tweeling zag was alles vergeven en vergeten. Al snel waren we met z'n allen onderweg naar de hoofdstad met dezelfde balen die we weken daarvoor vervoerd hadden, plus twee pasgeboren baby's en minus de vogeltjes, die zich op de heenweg al van schrik verslikt hadden. We hadden talloze manden met proviand bij ons en een kruik met het brouwsel dat Nívea moest drinken om bloedarmoede te voorkomen, een misselijkmakende mix van overjarige wijn en vers kalverbloed. Nívea had al maandenlang niets meer van haar man gehoord en begon, zoals ze ons op een zwak moment toevertrouwde, somber te worden. Ze twijfelde er nooit aan dat Severo del Valle gezond en wel uit de oorlog aan haar zijde zou terugkeren, ze heeft een soort helderziendheid voor haar eigen toekomst. Net zoals ze altijd had geweten dat ze zijn echtgenote zou worden – zelfs toen hij bekendmaakte dat hij in San Francisco met een ander getrouwd was – wist ze ook dat ze samen in een ongeluk zouden omkomen. Ik heb het haar vaak horen zeggen, de uitspraak is binnen de familie een zure grap geworden. Ze was bang om op het platteland te blijven omdat haar man haar daar moeilijk kon bereiken, want de post raakte in de chaos van de revolutie dikwijls zoek, vooral in de landelijke gebieden.

Vanaf het begin van haar relatie met Severo, toen haar ongebreidelde vruchtbaarheid duidelijk werd, begreep Nívea dat ze, als ze de normale fatsoensregels in acht zou nemen en zich tijdens elke zwangerschap en na elke bevalling in huis zou opsluiten, de rest van haar leven gevangen zou zitten, waarop ze besloot van het moederschap geen mysterie te maken. En net zo gemakkelijk als ze als een schaamteloze boerin pronkte met haar puntbuik – tot afgrijzen van de 'betere kringen' –, zo beviel ze ook zonder poespas, sloot zich slechts drie dagen op in plaats van de veertig die de dokter voorschreef, en ging met haar gevolg van dreumesen en kindermeisjes overal naartoe, zelfs naar haar vergaderingen over vrouwenkiesrecht. Deze kindermeisjes waren van het platteland gehaalde tieners die waren voorbestemd de rest van hun leven te dienen, tenzij ze zwanger raakten of trouwden, hetgeen niet erg waarschijnlijk was. De onzelfzuchtige meisjes bloeiden, verwelkten en stierven in het huis, sliepen in smerige kamertjes zonder ramen en aten de restjes van de hoofdtafel; ze aanbaden de kinderen die ze mochten opvoeden – vooral de jongens – en wanneer de dochters van de familie gingen trouwen, namen ze de kindermeisjes mee als onderdeel van de uitzet, opdat ze de volgende generatie zouden dienen. In een tijd waarin al wat te maken had met het moederschap verborgen werd gehouden, kwam ik door het samenleven met Nívea op de hoogte van zaken waar meisjes uit mijn milieu geen flauw benul van hadden. Op het platteland moesten de meisjes wanneer de dieren copuleerden of baarden het huis in en werden de luiken gesloten, want men ging ervan uit dat die vertoningen onze tere zieltjes zouden beschadigen en ons op perverse gedachten zouden brengen. Ze hadden gelijk, want het wellustige spektakel van een wilde hengst die een merrie bereed, dat ik toevallig op het landgoed van mijn neven en nichten zag, doet mijn bloed nog steeds sneller stromen. Ver in 1910, nu de twintig jaar leeftijdsverschil tussen Nívea en mij niet meer uitmaken en ze meer een vriendin dan mijn tante is, ben ik erachter gekomen dat de jaarlijkse bevallingen voor haar nooit een serieus obstakel zijn geweest; zwanger of niet, zij en haar man haalden hun wellustige capriolen toch wel uit. Tijdens een van die vertrouwelijke gesprekken vroeg ik haar waarom ze zoveel kinderen had – vijftien, van wie elf nog leven – en ze antwoordde dat ze het niet had kunnen voorkomen; geen van de wijze middeltjes van de Franse vroedvrouwen had geholpen. Haar ontembare fysieke kracht heeft haar voor een enorme slijtage behoed, en door haar luchtige gemoed had ze geen last van overbezorgdheid en sentimentele toestanden. Ze voedde de kinderen op volgens dezelfde methode die ze in het huishouden gebruikte: door te delegeren. Nauwelijks was ze bevallen of ze bond haar borsten strak in en droeg het kind over aan een voedster; in haar huis waren bijna net zoveel kindermeisjes als kinderen. Nívea's gemak om te baren, haar goede gezondheid en het feit dat ze haar kinderen kon loslaten, waren de redding voor haar innige relatie met Severo, je ziet al van verre hoe gek die twee op elkaar zijn. Ze heeft me verteld dat de verboden boeken die ze zeer nauwkeurig bestudeerde in de bibliotheek van haar oom, haar de fantastische mogelijkheden van de liefde leerden, waaronder een aantal zeer rustige voor geliefden die beperkt waren in hun acrobatische vrijheid, zoals bij beiden het geval is geweest: hij vanwege zijn geamputeerde been en zij vanwege haar zwangerschapsbuik. Ik weet niet welke de favoriete standjes van die twee zijn, maar ik stel me zo voor dat de ultieme momenten van genot nog steeds die zijn waarbij ze in het donker spelen, zonder het geringste geluid te maken, alsof er in de kamer een non een gevecht levert tussen de neiging om in te dutten vanwege de chocolademelk met valeriaan en de zin om te zondigen.

De berichten over de revolutie waren streng gecensureerd door de regering, maar men wist alles zelfs nog voordat het gebeurd was. We hoorden van de samenzwering via een van mijn oudere neven, die samen met een pachter van het landgoed, een knecht en een lijfwacht, in het geniep bij ons kwam. Na het avondeten sloot hij zich samen met Frederick Williams en mijn grootmoeder een flinke poos op in het kantoor, terwijl ik deed of ik in een hoekje zat te lezen, maar geen woord miste van wat ze zeiden. Mijn neef was een knappe, flinke, blonde knul met krulhaar en vrouwenogen, impulsief en sympathiek; hij was opgegroeid op het platteland en was goed in het temmen van paarden, dat is het enige dat ik me van hem herinner. Hij vertelde dat een aantal jongeren, onder wie hijzelf, van plan waren enkele bruggen op te blazen om de regering een hak te zetten.

'Wie heeft dat briljante plan bedacht? Hebben jullie een leider?' vroeg mijn grootmoeder sarcastisch.

'Er is nog geen leider, die kiezen we wanneer we bij elkaar komen.'

'Met hoevelen zijn jullie, jongen?'

'We zijn met ongeveer honderd, maar ik weet niet hoeveel er komen. Niet iedereen weet waarvoor we ze opgeroepen hebben, dat zeggen we later pas, uit veiligheidsoverwegingen, begrijpt u, tante?'

'Dat begrijp ik. Zijn het allemaal rijkeluiszoontjes zoals jij?' wilde mijn grootmoeder weten, steeds verontruster.

'Er zijn ambachtslieden, arbeiders, mensen van het platteland en ook een paar vrienden van mij bij.'

'Wat voor wapens hebben jullie?' vroeg Frederick Williams.

'Sabels, messen, en ik geloof dat er een paar karabijnen zijn. We zullen kruit moeten zien te krijgen, natuurlijk.'

‘Ik vind dit echt je reinste waanzin!’ barstte mijn grootmoeder uit.

Ze probeerden hem te ontmoedigen en hij hoorde hen met geveinsd geduld aan, maar het was duidelijk dat zijn besluit genomen was en dat dit niet het moment was om van mening te veranderen. Toen hij wegging, had hij een leren zak met een paar wapens uit de collectie van Frederick Williams bij zich. Twee dagen later hoorden we wat er gebeurd was op het landgoed waar ze hadden afgesproken, op een paar kilometer van Santiago. De rebellen druppelden overdag binnen in een koeherdershuisje waar ze zich veilig waanden en zaten daar uren te overleggen, maar aangezien ze zo weinig wapens hadden en het plan aan alle kanten lekte, besloten ze het uit te stellen, met z’n allen gezellig daar te overnachten en de volgende dag uiteen te gaan. Ze hadden er geen vermoeden van dat ze waren aangegeven. Om vier uur ’s ochtends werden ze door negentig ruiters en veertig infanteristen van de regeringstroepen met een dusdanig snelle en trefzekere manoeuvre overvallen dat de omsingelde mannen zich niet konden verdedigen en zich overgaven in de overtuiging dat ze veilig waren, want behalve samenscholen zonder toestemming hadden ze nog geen misdrijf gepleegd. De luitenant-kolonel die het detachement aanvoerde, ging in de chaos van het moment door het lint en sleepte blind van woede de eerste de beste gevangene naar voren en liet hem met kogels doorzeven en met de bajonet aan flarden rijten; vervolgens koos hij er nog acht uit, die hij in de rug schoot, en zo gingen de afranselingen en de slachtpartij verder, tot er bij het aanbreken van de dag zestien verminkte lijken lagen. De kolonel stelde de wijnkelders van het landgoed open en bezorgde daarna de vrouwen van de boeren aan de dronken en door straffeloosheid overmoedig geworden soldaten. Ze staken het huis in brand en martelden de rentmeester op zo'n brute wijze dat ze hem terwijl hij op de grond zat, moesten fusilleren. Intussen werden vanuit Santiago bevelen gegeven en weer ingetrokken, maar het wachten kalmeerde de gemoederen van de soldatenbende geenszins, het wakkerde de zucht naar geweld alleen maar aan. De volgende dag arriveerden, na vele helse uren, de eigenhandig door een generaal geschreven orders: 'Iedereen moet direct geëxecuteerd worden.' En zo geschiedde. Vervolgens namen ze de lijken op vijf karren mee om ze in een massagraf te storten, maar het protest was zo overweldigend dat ze de lichamen uiteindelijk aan de families overdroegen.

Tegen het vallen van de avond werd het lichaam van mijn neef gebracht, dat mijn grootmoeder met gebruik van haar sociale positie en haar connecties had opgeëist. Hij was in een bebloede deken gewikkeld en ze legden hem zwijgend in een kamer om hem een beetje op te knappen voordat zijn moeder en zusters hem zouden zien. Glurend vanuit het trappenhuis zag ik een man in witte jas met een koffertje arriveren, die alleen in de kamer bij het lijk ging zitten, terwijl de dienstmeisjes tegen elkaar fluisterden dat hij een expert in balsemen was, die de sporen van de executie met make-up, vulsel en een matrassenmakersnaald kon wegwerken. Frederick Williams en mijn grootmoeder hadden met een geïmproviseerd altaar en hoge kandelaars met gele waskaarsen de gouden salon tot rouwkapel omgebouwd. Toen vroeg in de ochtend de koetsen met familie en vrienden een voor een arriveerden, stond het huis vol bloemen en rustte mijn neef schoon, goed gekleed en zonder sporen van zijn marteling in een prachtige mahoniehouten kist met zilveren klinknagels. De vrouwen zaten, in zware rouw, huilend en biddend op een dubbele rij stoelen, de mannen zonnen op wraak in de gouden salon, de bedienden serveerden broodjes alsof het een picknick was, en wij, de kinderen, eveneens in het zwart gekleed, speelden stikkend van het lachen dat we elkaar fusilleerden. Er werd drie dagen bij mijn neef en verscheidene van zijn vrienden in hun respectieve huizen gewaakt, terwijl de kerkklokken onophoudelijk beierden voor de overleden jongens. De autoriteiten durfden niet op te treden. Ondanks de strenge censuur wist iedereen in het land wat er gebeurd was. Het nieuws verspreidde zich als een lopend vuurtje en zowel regeringsgezinden als revolutionairen waren verbijsterd. De president wilde de details niet horen en wees alle verantwoordelijkheid af, zoals hij ook gedaan had bij de wandaden die door andere militairen en de geduchte Godoy waren gepleegd.

'Ze hebben ze van dichtbij doodgeschoten, meedogenloos, als beesten. Iets anders kun je niet verwachten, we zijn een bloeddorstig land,' merkte Nívea eerder woedend dan bedroefd op, en vervolgens zei ze dat we in deze eeuw tot dusver vijf oorlogen hadden gehad; wij Chilenen lijken ongevaarlijk en hebben de reputatie bescheiden te zijn – we praten zelfs met verkleinwoordjes ('mag ik alstubliefťjes een glaasje water') – maar bij de eerste de beste gelegenheid veranderen we in kannibalen. Je moest weten waar onze wrede kant vandaan kwam, zei ze: onze voorouders waren de meest krijgshaftige en hardvochtige Spaanse veroveraars, de enigen die te voet naar Chili hadden durven komen, die in door de woestijnzon gloeiendhete harnassen de zwaarste natuurlijke hindernissen hadden overwonnen. Ze vermengden zich met de Araucanen, die net zo dapper waren als zij, het enige volk op het continent dat nooit onderworpen is. De indianen aten gevangenen op, en hun opperhoofden, de *toquis*, gebruikten ceremoniële maskers die gemaakt werden van de gedroogde huid van hun onderdrukkers – liefst van mannen met baarden en snorren, want zelf waren ze onbehaard – en namen zo wraak op de blanken, die hen op hun beurt levend verbrandden, ze op lansen lieten zitten, hun de armen afhakten en de ogen uitrukten. 'Genoeg! Ik verbied je deze gruwelijkheden in het bijzijn van mijn kleindochter te vertellen,' onderbrak mijn grootmoeder haar.

De slachting onder de jonge samenzweerders luidde de laatste veldslagen van de burgeroorlog in. In de dagen erna zetten de revolutionairen met steun van de scheepsartillerie een leger van negenduizend man aan land. Op volle snelheid en ogenschijnlijk wanordelijk als een horde Hunnen rukten ze op naar de haven van Valparaíso. In al die chaos hadden ze echter een glashelder plan, want binnen een paar uur verpletterden ze hun vijanden. De reservetroepen van de regering verloren drie op de tien man; het revolutionaire leger bezette Valparaíso en maakte zich van daaruit gereed om naar Santiago op te rukken en de rest van het land onder controle te krijgen. Intussen leidde de president vanuit zijn kantoor zijn leger per telegraaf en telefoon, maar de inlichtingen die hem werden verstrekt, waren onbetrouwbaar en zijn bevelen gingen verloren in de ruis van radiogolven, want de meeste telefonisten behoorden tot de revolutionaire partij. De president hoorde het nieuws van de nederlaag rond etenstijd. Onaangedaan at hij door tot hij klaar was, en vervolgens gebood hij zijn familie naar de Noord-Amerikaanse legatie te vluchten. Daarna pakte hij zijn sjaal, zijn jas en zijn hoed en ging te voet naar de Argentijnse legatie, die op een paar straten afstand van het presidentiële paleis lag. Een van de congresistas van de oppositie had daar ondergedoken gezeten, en ze botsten zowat op elkaar bij de deur: de een liep verslagen naar binnen en de ander ging zegevierend naar buiten. De vervolger was vervolgde geworden.

De revolutionairen trokken de stad binnen onder gejubel van dezelfde bevolking die maanden daarvoor de regeringstroepen had toegejuicht; binnen een paar uur stroomden de inwoners van Santiago met rode linten om de arm gebonden de straat op, de meerderheid om te feesten, maar sommigen om zich te verstoppen, het ergste vrezend van het hoogmoedig geworden plebs en soldatenvolk. De nieuwe autoriteiten deden een oproep tot samenwerking voor orde en vrede, wat het gepeupel op zijn eigen manier opvatte. Er werden bendes gevormd met een leider aan het hoofd, die de stad afstruinden met lijsten van te plunderen huizen, allemaal aangegeven op een plattegrond, met het exacte adres erbij. Later werd gezegd dat de lijsten met kwade opzet en uit wraak door de dames uit de hogere kringen waren opgesteld. Dat kan zijn, maar ik weet zeker dat Paulina del Valle en Nívea, ondanks hun haat tegen de omvergeworpen regering, niet tot zoiets laags in staat waren; integendeel, zij hielden thuis twee vervolgde families verborgen tot de woede van het volk was bekoeld en de saaie rust van de tijd voor de revolutie, die we allemaal misten, langzaam was teruggekeerd. De plundering van Santiago was een systematische en zelfs komische actie – van een afstand gezien, uiteraard. Voor de 'commissie' – een eufemisme om de bendes mee aan te duiden – liep de leider uit, die rinkelend met zijn belletje bevelen uitdeelde: 'Hier mogen jullie stelen, maar niets kapotmaken, kinders', 'Hier moeten jullie de papieren meenemen en dan kunnen jullie het huis in brand steken', 'Hier mogen jullie meenemen wat je wil en de rest vernielen'. De 'commissie' volgde de instructies eerbiedig op, en als de eigenaren thuis waren, groetten ze beleefd en gingen vervolgens in een vrolijk feestgedruis tot plundering over, als kinderen op een verjaardagspartijtje. Ze trokken bureaulades open, haalden er de persoonlijke papieren en documenten uit om ze aan de leider te overhandigen, versplinterden vervolgens met een bijl de meubels, namen mee wat ze leuk vonden en besprenkelden tot slot de muren met paraffine en staken ze in brand. Vanuit zijn kamer in de Argentijnse legatie hoorde de afgezette president Balmaceda het rumoer van de ongeregeldheden op straat, en nadat hij zijn politieke testament had opgemaakt joeg hij zich, uit angst dat zijn familie de prijs voor de haat zou moeten betalen, een kogel door het hoofd. De bediende die hem 's avonds het diner bracht, was de laatste die hem levend zag; om acht uur 's ochtends troffen ze hem keurig gekleed op bed aan, met zijn hoofd op het bebloede kussen. Door dat schot werd hij meteen een martelaar, en in de jaren die komen gingen zou hij het symbool voor vrijheid en democratie worden, gerespecteerd door zelfs zijn fanatiekste vijanden. Zoals mijn grootmoeder zei: Chili is een land met een slecht geheugen. In de paar maanden die de revolutie duurde, stierven er meer Chilenen dan in de vier jaar van de Salpeteroorlog.

Te midden van die chaos kwam Severo del Valle, met een baard en onder de modder, ineens thuis om zijn vrouw op te zoeken, die hij sinds januari niet meer gezien had. Hij was enorm verrast haar met twee nieuwe kinderen te zien, want door het tumult van de revolutie was zij hem bij zijn vertrek vergeten te vertellen dat ze zwanger was. De tweeling tierde welig en binnen twee weken hadden ze een min of meer menselijk uiterlijk gekregen en waren ze niet meer de gerimpelde blauwe spitsmuizen die ze bij hun geboorte waren geweest. Nívea vloog haar man om de hals, en toen kon ik voor het eerst in mijn leven getuige zijn van een langdurige kus op de mond. Ontstemd hierover, probeerde mijn grootmoeder me tevergeefs af te leiden, en ik herinner me nog steeds de heftige uitwerking die die kus op me had; hij markeerde het begin van de onstuimige transformatie van de puberteit. Binnen een paar maanden werd ik een vreemde voor mezelf, ik herkende het in zichzelf gekeerde meisje waarin ik veranderde niet, ik zat gevangen in een opstandig en veeleisend lichaam waar het bloed doorheen joeg, dat leed, dat groeide en steviger werd. Ik had het idee alsof ik slechts een verlengstuk van mijn onderbuik was, die holte die ik me voorstelde als een bloederig gat waarin vochten gistten en zich een vreemde, verschrikkelijke flora ontwikkelde. Ik kon de verbijsterende scène van Nívea die gehurkt bij kaarslicht beviel, van haar enorme buik met een uitpuilende navel erbovenop, van haar dunne armen die zich hadden vastgegrepen aan de touwen die aan het plafond hingen, niet vergeten. Ik zat zomaar ineens te huilen, ik had aanvallen van onbedwingbare woede of werd juist zo moe wakker dat ik niet op kon staan. De dromen over de kinderen in pyjama's keerden heftiger en vaker terug. Ik droomde ook over een zachtaardige, naar zee geurende man die me in zijn armen sloot; ik werd vastgeklampt aan mijn kussen wakker met het wanhopige verlangen dat iemand me zou kussen zoals Severo del Valle zijn vrouw had gekust. Uiterlijk werd ik gek van de hitte en innerlijk bevroor ik, ik had de rust niet meer om te lezen of te studeren, ik rende door de tuin en draaide als een bezetene in het rond om het niet uit te hoeven schreeuwen, ik ging met kleren aan het strandmeer in, waar ik op de waterlelies trapte en de rode vissen, mijn grootmoeders trots, liet schrikken. Al snel ontdekte ik de meest gevoelige delen van mijn lichaam en streelde ik mezelf in het geniep, zonder te begrijpen waarom datgene wat een zonde moest zijn me juist tot rust bracht. Ik word krankzinnig, zoals zoveel meisjes die hysterisch eindigen, concludeerde ik beangstigd, maar ik durfde er niet met mijn grootmoeder over te praten. Paulina del Valle was ook aan het veranderen: terwijl mijn lichaam floreerde, droogde het hare uit, afgemat door geheimzinnige kwalen waarover ze met niemand sprak, zelfs niet met de dokter, trouw aan haar theorie dat ze met rechtop lopen en het vermijden van oudevrouwtjesgeluiden het verval een halt kon toeroepen. Het dik-zijn viel haar zwaar: ze had spataderen op haar benen, haar botten deden zeer, ze kwam lucht te kort en ze verloor druppelsgewijs urine, narigheden die ik uit kleine signalen kon opmaken, maar die zij strikt geheimhield. Mejuffrouw Matilde Pineda zou me goed geholpen hebben in de moeilijke periode van de puberteit, maar ze was volledig uit mijn leven verdwenen, weggestuurd door mijn grootmoeder. Ook Nívea vertrok, even zorgeloos en vrolijk als ze gekomen was, met haar man, haar kinderen en de kindermeisjes, en ze lieten een verschrikkelijke leegte in het huis achter. Er waren kamers te veel en er was geluid te weinig; zonder haar en de kinderen veranderde de villa van mijn grootmoeder in een mausoleum.

Santiago vierde de omverwerping van de regering met een eindeloze reeks optochten, feesten, danspartijen en banketten; mijn grootmoeder bleef niet achter, ze stelde het huis weer open en probeerde haar sociale leven en haar avondgesprekken weer op te pakken, maar er hing een afgematte sfeer waar de maand september, met zijn prachtige lente, geen verandering in kon brengen. De duizenden doden, het verraad en de plunderingen drukten zwaar op zowel winnaars als overwonnenen. We schaamden ons: de burgeroorlog was een orgie van bloed geweest.

Het was een rare periode in mijn leven. Mijn lichaam veranderde, mijn geest verruimde zich en ik begon me serieus af te vragen wie ik was en waar ik vandaan kwam. De aanleiding hiervoor was de thuiskomst van Matías Rodríguez de Santa Cruz, mijn vader, al wist ik toen nog niet dat hij dat was. Ik begroette hem als de *oom* Matías die ik jaren geleden in Europa had leren kennen. Destijds leek hij me al zwak, maar nu ik hem opnieuw zag herkende ik hem niet; gezeten in zijn rolstoel was hij niet veel meer dan een ondervoed vogeltje. Hij werd gebracht door een beeldschone, rijpe, weelderige vrouw met een melkwitte huid, gekleed in een eenvoudige, mosterdkleurige popeline jurk en met een verbleekte omslagdoek over haar schouders, wier opvallendste kenmerk een woeste, warrige, grijze bos krulhaar was, in de nek bijeengebonden met een smal lint. Ze leek wel een oude

Scandinavische koningin in ballingschap, je kon je haar zo voorstellen op de achtersteven van een tussen ijsschotsen manoeuvrerend vikingschip.

Paulina del Valle had een telegram gekregen waarin stond dat haar oudste zoon in Valparaíso van boord zou komen, en ze kwam meteen in actie om met mij, oom Frederick en de rest van het gebruikelijke gevolg naar de haven te gaan. We gingen hem ophalen in een speciale wagon die de Engelse directeur van de spoorwegen ons ter beschikking stelde. De binnenkant was van glimmend hout met gepolijste bronzen klinknagels en de zitplaatsen waren bekleed met stierenbloedkleurig fluweel; er serveerden twee in uniform geklede obers, die ons bedienden alsof we van koninklijken huize waren. We namen onze intrek in een hotel aan zee om te wachten op de boot, die de volgende dag zou arriveren. We stonden stijlvol gekleed als voor een bruiloft op de kade; dat durf ik zo makkelijk te beweren omdat ik een foto in mijn bezit heb die op het plein is genomen vlak voordat de boot zou aanleggen. Paulina del Valle is gekleed in lichte zijde met veel ruches, plooien en parelsnoeren; ze draagt een monumentale hoed met brede rand, getooid met veren die in een zwerm naar haar gezicht vallen, en een opengeklapte parasol om zich tegen het licht te beschermen. Haar echtgenoot, Frederick Williams, heeft een mooi zwart pak aan, een hoge hoed op en een wandelstok in zijn hand; ik ben helemaal in het wit, met een lint van organdie in mijn haar, als een verjaardagscadeautje. De loopplank werd uitgelegd en de kapitein nodigde ons persoonlijk uit om aan boord te komen en begeleidde ons met een hoop misbaar naar de hut van don Matías Rodríguez de Santa Cruz.

Het laatste wat mijn grootmoeder verwachtte, was oog in oog te komen staan met Amanda Lowell. De onaangename verrassing werd haar bijna fataal; de aanwezigheid van haar vroegere rivale maakte veel meer indruk op haar dan de erbarmelijke aanblik van haar zoon. Ik had in die tijd uiteraard niet voldoende informatie om de reactie van mijn grootmoeder te kunnen thuisbrengen, ik dacht dat ze niet goed werd van de hitte. De flegmatieke Williams vertrok echter geen spier toen hij La Lowell zag. Hij groette haar met een afgemeten maar vriendelijk gebaar en richtte vervolgens al zijn aandacht op mijn grootmoeder om haar in een stoel te zetten en water te geven, terwijl Matías het tafereel geamuseerd gadesloeg.

'Wat doet die vrouw hier?' stamelde mijn grootmoeder toen ze weer kon ademhalen.

'Ik veronderstel dat jullie als familie onder elkaar willen praten, ik ga een luchtje scheppen,' zei de vikingkoningin, en ze liep met ongeschonden waardigheid de deur uit.

'Mejuffrouw Lowell is mijn vriendin, zeg maar gerust mijn enige vriendin, moeder. Ze heeft me hiernaartoe vergezeld, zonder haar had ik niet kunnen reizen. Zij was degene die erop stond dat ik naar Chili terugging, ze is van mening dat het beter voor me is om in de familiekring te sterven dan ergens in een ziekenhuis in Parijs,' zei Matías in een omslachtig Spaans met een merkwaardig Frans-Engels accent.

Toen bekeek Paulina del Valle hem voor het eerst en realiseerde ze zich dat er van haar zoon slechts een met een slangenhuidje bedekt geraamte over was; hij had glazige, diep in hun kassen liggende ogen en zulke ingevallen wangen dat de kiezen onder de huid zichtbaar waren.

Hij lag in een leunstoel, ondersteund door kussentjes, zijn benen bedekt door een plaid. Hij leek een ontredderd en bedroefd oud mannetje, hoewel hij in werkelijkheid nauwelijks veertig moet zijn geweest.

'Mijn god, Matías, wat is er met je aan de hand?' vroeg mijn grootmoeder ontsteld.

'Iets dat niet genezen kan worden, moeder. U zult begrijpen dat ik zeer dwingende redenen heb om hier terug te komen.'

'Die vrouw...'

'Ik ken het hele verhaal van Amanda Lowell en mijn vader; het is dertig jaar geleden aan de andere kant van de wereld gebeurd. Kunt u uw wrok niet opzij zetten? We zijn nu allemaal op de leeftijd om gevoelens die nergens toe dienen overboord te gooien en alleen die gevoelens te koesteren die ons helpen te leven. Verdraagzaamheid is er een van, moeder. Ik ben mejuffrouw Lowell veel verschuldigd, ze is meer dan vijftien jaar mijn vriendin geweest...'

'Vriendin? Wat betekent dat?'

'Zoals ik zeg: vriendin. Ze is niet mijn verpleegster, niet mijn vrouw, niet meer mijn geliefde. Ze vergezelt me op mijn reizen, in het leven, en nu, zoals u kunt zien, vergezelt ze me bij de dood.'

'Zo mag je niet praten! Jij gaat niet dood, jongen, we zullen hier naar behoren voor je zorgen en straks loop je weer gezond en wel rond...' stelde Paulina del Valle, maar haar stem brak en ze kon niet verder praten.

Er waren drie decennia verstreken sinds mijn grootvader Feliciano Rodríguez de Santa Cruz een affaire had gehad met Amanda Lowell, en mijn grootmoeder had haar slechts twee keer van veraf gezien, maar ze herkende haar direct. Ze had niet voor niets elke nacht geslapen in het theatrale bed dat ze in Florence besteld had om Lowell uit te dagen, het moet haar telkens herinnerd hebben aan de woede die ze gevoeld had jegens de schandaleuze minnares van haar man. Toen die oud geworden vrouw, die in niets leek op de geweldige, bruisende meid die het verkeer in San Francisco had opgehouden wanneer ze met haar achterwerk wiegend over straat ging, zoëven zonder pronkzucht voor haar had gestaan, zag Paulina del Valle haar niet als wie ze nu was, maar als de gevaarlijke rivale van vroeger. De woede jegens Amanda Lowell had sluimerend het moment afgewacht om naar boven te komen, maar bij het horen van de woorden van haar zoon zocht ze die kwaadheid in alle hoeken van haar ziel en kon ze hem niet vinden. Wat ze wél vond, was haar moederinstinct, dat nooit een belangrijk kenmerk van haar geweest was maar dat haar nu met een absoluut en ondraaglijk medelijden overweldigde. Dit medelijden bood niet alleen ruimte voor haar stervende zoon, maar ook voor de vrouw die hem jarenlang vergezeld had, trouw van hem gehouden had, hem in de tegenspoed van zijn ziekte verzorgd had en nu de wereld over voer om hem op het uur van de dood bij haar te brengen. Paulina del Valle bleef in haar fauteuil zitten met haar blik strak gericht op haar arme zoon, terwijl de tranen stil over haar wangen rolden, plotseling klein, oud en breekbaar geworden, terwijl ik haar troostende schouderklopjes gaf zonder al te veel te begrijpen van wat er gebeurde. Frederick Williams moet mijn grootmoeder zeer goed gekend hebben, want hij liep zonder ophef de deur uit, ging Amanda Lowell halen en bracht haar terug naar het kamertje.

'Vergeef me, mejuffrouw Lowell,' prevelde mijn grootmoeder vanuit haar fauteuil.

'Vergeeft u mij, mevrouw,' antwoordde de ander, terwijl ze schoorvoetend dichterbij kwam tot ze tegenover Paulina del Valle stond.

Ze hielden elkaars handen vast, de een staand en de ander zittend, allebei met ogen vol tranen, zo lang dat het me eeuwig leek, totdat ik ineens zag dat de schouders van mijn grootmoeder schokten en ik besefte dat ze stilletjes zat te lachen. Amanda Lowell glimlachte ook, eerst onthutst met haar hand voor haar mond, maar toen ze haar rivale zag lachen, volgde er een vrolijke schaterlach die zich verstrengelde met die van mijn grootmoeder, en zo gierden de twee binnen de kortste keren van het lachen. Ze staken elkaar aan met een tomeloze, hysterische vreugde en schaterden de jaren van onnodige jaloezie, de aan gruzelementen liggende wrok, het bedrog van de echtgenoot en andere verachtelijke herinneringen weg.

Het huis aan de Ejército Liberador verschafte tijdens de turbulente jaren van de revolutie veel mensen onderdak, maar niets was voor mij zo gecompliceerd en opwindend als de komst van mijn vader om zijn dood af te wachten. De politieke situatie was tot rust gekomen na de burgeroorlog, die een einde maakte aan vele jaren van liberale regeringen. De revolutionairen kregen de veranderingen waarvoor zoveel bloed had gevloeid: voorheen drukte de regering middels omkoping en intimidatie haar eigen kandidaten erdoor, met steun van de civiele en militaire autoriteiten; nu deden werkgevers, priesters en partijen dat; het systeem was eerlijker, want de een compenseerde de ander en de corruptie werd niet uit overheidsgelden betaald. Dit werd electorale vrijheid genoemd. De revolutionairen introduceerden ook een parlementair regeringsstelsel als in Groot-Brittannië, dat niet al te lang zou standhouden. 'Wij zijn de Engelsen van Zuid-Amerika,' zei mijn grootmoeder eens, en Nívea antwoordde direct dat de Engelsen de Chilenen van Europa waren. Hoe dan ook, het parlementaire experiment was geen lang leven beschoren in een land van caudillo's; de ministers wisselden zo vaak dat het onmogelijk bleek hun sporen na te trekken. Uiteindelijk verloor iedereen in onze familie de interesse voor deze politieke sint-vitusdans, behalve Nívea, die zich om de aandacht op het vrouwenkiesrecht te vestigen dikwijls met twee of drie dames die net zo geestdriftig waren als zij vastketende aan de hekken van het congres, tot hoon van de voorbijgangers, woede van de politie en schaamte van hun echtgenoten.

'Wanneer vrouwen mogen stemmen, zullen ze dat eensgezind doen. We zijn zo sterk dat we de balans van de macht kunnen laten doorslaan en dit land kunnen veranderen,' zei ze.

'Je vergist je, Nívea, ze zullen stemmen op wie hun man of de pastoor hun opdraagt, vrouwen zijn veel dommer dan jij denkt. Aan de andere kant regeren sommigen van ons achter de schermen, je ziet wel hoe wij de vorige regering omver hebben geworpen. Ik heb geen stemrecht nodig om te doen waar ik zin in heb,' sprak mijn grootmoeder haar tegen.

'Omdat u geld en een opleiding hebt, tante. Hoevelen zijn er zoals u? We moeten strijden voor het stemrecht, dat is het belangrijkste.'

'Je draaft door, Nívea.'

'Nog niet, tante, nog niet...'

Mijn vader werd, daar hij geen trappen kon lopen, op de benedenverdieping in een tot slaapkamer omgebouwde salon gelegd, en hij kreeg een permanent dienstmeisje toegewezen dat er, als zijn schaduw, dag en nacht moest zijn. De arts van de familie bood een poëtische diagnose. 'Aanhoudende onstuimigheid van het bloed,' zei hij tegen mijn grootmoeder, omdat hij haar liever niet met de waarheid confronteerde, maar ik neem aan dat het verder voor iedereen duidelijk was dat mijn vader door een geslachtsziekte verteerd werd. Hij bevond zich in de laatste fase, waarin geen cataplasma's, kompressen of sublimaat hem nog konden helpen, de fase die hij tegen elke prijs had willen vermijden; hij moest erdoorheen omdat hij de moed niet had gehad om zelfmoord te plegen, zoals hij jarenlang van plan was geweest. Hij kon zich nauwelijks bewegen vanwege de pijn in zijn botten; hij kon niet lopen en zijn denkvermogen werd minder. Op sommige dagen bleef hij in zijn nachtmerries hangen zonder helemaal wakker te worden, onbegrijpelijke verhalen mompelend, maar hij had zeer heldere momenten, en wanneer de morfine het lijden verlichtte, kon hij lachen en herinneringen ophalen. Dan riep hij me bij zich om naast hem te komen zitten. Hij zat de hele dag in een leunstoel voor het raam naar de tuin te kijken, ondersteund door kussentjes en omringd met boeken, kranten en dienbladen met medicijnen. Het dienstmeisje ging altijd vlakbij zitten weven, immer alert op zijn behoeften, zwijgzaam en nors als een vijand; ze was de enige die hij om zich heen kon hebben, omdat ze hem niet met medelijden bejegende. Mijn grootmoeder had ervoor gezorgd dat haar zoon in een vrolijke omgeving was: ze had gordijnen van chintz opgehangen en de ruimte in gele tinten behangen, ze zette bossen verse bloemen uit de tuin op de tafels en had een strijkkwartet gecontracteerd dat verscheidene malen per week zijn favoriete klassieke muziek kwam spelen, maar niets kon de medicijngeur en de waarheid dat in die kamer iemand lag weg te rotten verhullen. Aanvankelijk walgde ik van dat levende lijk, maar toen ik mijn angst had overwonnen en hem, gedwongen door mijn grootmoeder, begon te bezoeken, veranderde mijn leven. Matías Rodríguez de Santa Cruz kwam gelijktijdig met het ontluiken van mijn puberteit naar huis en gaf me wat ik het meest nodig had: herinneringen. Tijdens een van zijn heldere momenten, toen hij onder de troostende invloed van de medicijnen was, maakte hij bekend dat hij mijn vader was, en de onthulling kwam zo terloops dat ik niet eens verrast was.

'Lynn Sommers, jouw moeder, was de mooiste vrouw die ik ooit gezien heb. Ik ben blij dat je haar schoonheid niet hebt geërfd,' zei hij.

'Waarom, oom Matías?'

'Noem me geen oom, Aurora. Ik ben je vader. Schoonheid is vaak een vloek omdat die bij mannen de kwaadste hartstochten oproept. Een te mooie vrouw kan niet ontkomen aan het verlangen dat ze oproept.'

'Weet u zeker dat u mijn vader bent?'

'Heel zeker.'

'Nou ja! Ik dacht dat oom Severo mijn vader was.'

'Severo had jouw vader moeten zijn, hij is een veel beter mens dan ik. Jouw moeder verdiende een man als hij. Ik ben altijd een losbol geweest, daarom ben ik eraan toe zoals je me nu ziet, veranderd in een vogelverschrikker. Hoe dan ook, hij kan je veel meer over haar vertellen dan ik,' zei hij.

'Hield mijn moeder van u?'

'Ja, maar ik wist niet wat ik met die liefde aan moest en ben uiteindelijk weggevlucht. Je bent erg jong om deze dingen te kunnen begrijpen, meisje. Je hoeft alleen maar te weten dat jouw moeder fantastisch was en dat het spijtig is dat ze zo jong gestorven is.'

Ik was het ermee eens, ik had mijn moeder graag gekend, maar nog nieuwsgieriger was ik naar andere personen uit mijn vroege kindertijd die in mijn dromen of in vage, onmogelijk te plaatsen herinneringen aan me verschenen. In de gesprekken met mijn vader kwam langzaam de figuur van mijn grootvader Tao Chi'en naar boven, die Matías slechts één keer had gezien. Hij hoefde zijn volledige naam maar te noemen en te vertellen dat hij een lange, knappe Chinees was, of mijn herinneringen kwamen druppelsgewijs, als regen, los. Door de onzichtbare aanwezigheid die me altijd vergezelde een naam te geven, hield mijn grootvader op een product van mijn fantasie te zijn en veranderde hij in een geestverschijning die net zo echt was als een persoon van vlees en bloed. Ik voelde een enorme opluchting door de bevestiging dat die zachtaardige man met een zeegeur die ik me voorstelde niet alleen echt had bestaan, maar ook van me gehouden had, en als hij plotseling verdwenen was, was dat niet omdat hij me in de steek wilde laten.

'Ik heb gehoord dat Tao Chi'en is overleden,' zei mijn vader.

'Hoe is hij gestorven?'

'Ik meen dat het een ongeluk was, maar ik weet het niet zeker.'

'En wat is er gebeurd met mijn grootmoeder Eliza Sommers?'

'Ze is naar China gegaan. Ze dacht dat je bij mijn familie beter af zou zijn, en ze had gelijk. Mijn moeder heeft altijd een dochter willen hebben, en ze heeft jou grootgebracht met veel meer liefde dan ze mij en mijn broers heeft gegeven,' verzekerde hij me.

Matías had broze botten door de ziekte, hij werd snel moe en het was niet makkelijk hem informatie te ontfutselen; hij verloor zich vaak in eindeloze uitweidingen die niets te maken hadden met wat mij interesseerde, maar langzaam aan maakte ik de lapjes uit het verleden, steekje voor steekje, aan elkaar vast, altijd achter mijn grootmoeders rug om, die dankbaar was dat ik de zieke bezocht omdat zij het niet kon opbrengen; ze ging een paar keer per dag de kamer van haar zoon binnen, gaf hem een vluchtige kus op het voorhoofd en liep strompelend en met haar ogen vol tranen weer naar buiten. Ze vroeg nooit waarover we praatten en ik vertelde het haar natuurlijk niet. Ik durfde het onderwerp ook niet in het bijzijn van Severo en Nívea del Valle aan te roeren; ik was bang dat de geringste onvoorzichtigheid van mijn kant een punt achter de gesprekken met mijn vader zou zetten. Zonder daarover iets te hebben afgesproken, wisten we allebei dat onze conversaties geheim moesten blijven, waardoor we een merkwaardig samenzweerdersverbond hadden. Ik kan niet zeggen dat ik van mijn vader ben gaan houden, want daar was geen tijd voor, maar in de weinige maanden dat we konden samenleven legde hij mij een schat in handen door me de details over mijn geschiedenis te geven, met name over mijn moeder, Lynn Sommers. Hij herhaalde vaak dat ik heus Del Valle-bloed had, dat leek heel belangrijk voor hem. Later kwam ik erachter dat hij op voorstel van Frederick Williams, die een grote invloed had op elke bewoner van dat huis, bij zijn leven nog het deel van de familie-erfenis dat mij toekwam aan me vermaakt had en het veilig op verscheidene bankrekeningen gezet en in beursaandelen geïnvesteerd had, tot frustratie van een priester die hem dagelijks bezocht in de hoop iets los te krijgen voor de Kerk. Het was een knorrige man met een geur van heiligheid – hij had zich in jaren niet gewassen of een ander priestergewaad aangetrokken –, berucht om zijn religieuze onverdraagzaamheid en zijn talent om stervenden met geld op te snuffelen en hen over te halen hun rijkdommen aan liefdadigheidswerken te schenken. De machtige families zagen hem met ware angst komen, want hij kondigde de dood aan, maar niemand durfde de deur voor zijn neus dicht te gooien. Toen mijn vader begreep dat zijn einde naderde, riep hij Severo del Valle, met wie hij praktisch nooit praatte, bij zich om het over mij eens te worden. Ze lieten een notaris aan huis komen en ondertekenden beiden een document waarin Severo afstand deed van het vaderschap en Matías Rodríguez de Santa Cruz me als zijn dochter erkende. Zo beschermde hij me tegen de twee andere zoons van Paulina, zijn jongere broers, die na de dood van mijn grootmoeder, negen jaar later, pakten wat ze pakken konden.

Mijn grootmoeder klampte zich met een bijgelovige genegenheid aan Amanda Lowell vast, ze dacht dat Matías zou leven zolang zij in de buurt was. Paulina had met niemand innige omgang, behalve soms met mij, ze vond dat het merendeel van de mensen onverbeterlijk stom was en zei dat ook tegen wie het maar wilde horen, wat niet de beste manier was om vrienden te winnen, maar die Schotse courtisane slaagde erin door het pantser heen te dringen waarmee mijn grootmoeder zich beschermde. Twee uiteenlopender vrouwen kon men niet bedenken: La Lowell ambieerde niets, leefde bij de dag, onthecht, vrij, zonder angst; ze was niet bang voor armoede, eenzaamheid of aftakeling, ze liet het allemaal vrolijk over zich heen komen, het bestaan was voor haar een leuke reis die onvermijdelijk tot de ouderdom en de dood voerde; er was geen reden om rijkdommen te vergaren, aangezien je hoe dan ook in je nakie het graf in ging, vond ze. De jonge verleidster die zoveel avontuurtjes verspreid over San Francisco had, was verleden tijd, de schoonheid die Parijs had veroverd, verleden tijd; ze was nu een vrouw in de vijftiger jaren van haar bestaan, wars van koketterie of wroeging. Mijn grootmoeder kon er maar geen genoeg van krijgen haar over haar verleden te horen vertellen, haar te horen praten over de beroemde mensen die ze had gekend en te bladeren door de plakboeken met krantenknipsels en foto's, op sommige waarvan ze jong, stralend en met een boa constrictor om haar lijf gekronkeld stond. 'Het arme beest is onderweg aan reisziekte gestorven: slangen zijn geen beste reizigers,' vertelde ze ons. Door haar kosmopolitische cultuur en haar charme – waarmee ze zonder het van zins te zijn veel jongere en mooiere vrouwen kon verslaan – groeide ze uit tot de spil van de avondgesprekken bij mijn grootmoeder, die ze in haar belabberde Spaans en haar Frans met Schots accent opluisterde. Er was geen onderwerp waar ze niet over kon meepraten, geen boek dat ze niet had gelezen, geen belangrijke stad in Europa die ze niet kende. Mijn vader, die van haar hield en veel aan haar te danken had, zei dat ze een dilettante was, ze wist een beetje van alles en een hoop van niets, maar ze had meer dan genoeg fantasie om aan te vullen wat haar aan kennis of ervaring ontbrak. Voor Amanda Lowell bestond er geen zwieriger stad dan Parijs en geen pretentieuzer maatschappij dan de Franse, de enige waar het socialisme met zijn rampzalige gebrek aan verfijning geen enkele kans had om te zegevieren. Daar was Paulina del Valle het volkomen mee eens. De twee vrouwen ontdekten dat ze niet alleen om dezelfde onbenulligheden lachten – zelfs om het mythologische bed –, maar het ook over bijna alle fundamentele kwesties eens waren. Op een dag dat ze theedronken aan een marmeren tafeltje in de serre van smeedijzer en glas, betreurden ze het allebei dat ze elkaar niet eerder hadden leren kennen. Met of zonder Feliciano en Matías ertussen, ze zouden goede vriendinnen geweest zijn, besloten ze. Paulina deed al het mogelijke om haar bij haar thuis te houden, overlaadde haar met cadeaus en introduceerde haar in het milieu alsof ze een keizerin was, maar de ander was een vogel die niet in gevangenschap kon leven. Ze bleef zo'n twee maanden, maar bekende uiteindelijk in een gesprek onder vier ogen met mijn grootmoeder dat ze het hart niet had om getuige te zijn van Matías' achteruitgang en dat ze, in alle eerlijkheid, Santiago een provinciale stad vond, ondanks de luxe en weelderigheid van de gegoede klasse, die vergelijkbaar was met die van de Europese adel. Ze verveelde zich, haar plek was in Parijs, waar ze de beste tijd van haar leven had gehad. Mijn grootmoeder wilde een afscheidsbal voor haar geven dat in Santiago geschiedenis zou schrijven en waarbij de crème de la crème aanwezig zou zijn – want ondanks de geruchten die de ronde deden over het duistere verleden van haar gaste zou niemand een uitnodiging van haar durven weigeren –, maar Amanda Lowell overtuigde haar ervan dat Matías te ziek was en dat een feest onder die omstandigheden van zeer slechte smaak zou getuigen, en ze had trouwens ook niets om aan te trekken voor een dergelijke gelegenheid. Paulina bood haar met de beste bedoelingen haar jurken aan, zonder erbij na te denken hoezeer ze La Lowell beledigde door te insinueren dat ze dezelfde maat hadden.

Drie weken na het vertrek van Amanda Lowell sloeg het dienstmeisje dat mijn vader verzorgde alarm. Ze haalden meteen de dokter erbij; in een ommezien vulde het huis zich met mensen, achter elkaar kwamen vrienden van mijn grootmoeder, mensen uit de regering, familieleden en een eindeloos aantal monniken en nonnen binnen, inclusief de sjofele, fortuinjagende pastoor, die nu om mijn grootmoeder heen hing in de hoop dat het verdriet om het verlies van haar zoon haar snel naar een beter leven zou helpen. Paulina was echter niet van plan de wereld te verlaten, ze had zich al tijden geleden neergelegd bij het drama van haar zoon, en ik denk dat ze met opluchting het einde zag komen, want getuige zijn van die trage lijdensweg was veel erger dan hem begraven. Ze gaven mij geen toestemming om mijn vader te zien, omdat men dacht dat de doodsstrijd geen schouwspel voor een kind was en dat ik genoeg leed had meegemaakt met de moord op mijn neef en ander recent geweld, maar ik kon kort afscheid van hem nemen dankzij Frederick Williams, die op een moment dat er niemand anders in de buurt was de deur voor me opendeed. Hij nam me aan de hand mee naar het bed waarop Matías Rodríguez de Santa Cruz lag, van wie niets tastbaars meer over was, amper een tussen kussens en geborduurde lakens verscholen bundeltje doorschijnende botten. Hij ademde nog, maar zijn ziel reisde al door andere dimensies. 'Dag, papa,' zei ik tegen hem. Het was voor het eerst dat ik hem zo noemde. Hij verkeerde nog twee dagen in doodsstrijd en in de vroege ochtend van de derde dag stierf hij als een kuikentje.

Ik was dertien toen Severo del Valle me een moderne fotocamera cadeau deed, die met papier werkte in plaats van met de oude glasplaatjes, en een van de eerste in Chili moet zijn geweest. Mijn vader was kort geleden gestorven en ik werd zo geplaagd door nachtmerries dat ik niet naar bed wilde en 's nachts, op de voet gevolgd door de arme Caramelo, die altijd al een domme, luie hond was geweest, als een spook door het huis doolde, totdat mijn grootmoeder Paulina medelijden kreeg en ons in haar gigantische vergulde bed liet. Zij vulde de helft met haar grote, warme, geparfumeerde lijf, en ik lag ineengedoken, bevend van angst, in de andere hoek, met Caramelo aan mijn voeten. 'Wat moet ik toch met jullie twee?' verzuchtte mijn grootmoeder half slapend. Het was een retorische vraag, want de hond noch ik had een toekomst, er bestond binnen de familie algemene overeenstemming over dat ik 'slecht terecht zou komen'. In die tijd was de eerste vrouwelijke arts in Chili afgestudeerd en andere vrouwen waren op de universiteit toegelaten. Daardoor kreeg Nívea het idee dat ik ook zoiets kon doen, al was het maar om de familie en de gegoede kringen te tarten, maar het was duidelijk dat ik niet het geringste talent had om te studeren. Toen kwam Severo del Valle met de camera. Het was een prachtige Kodak, verfijnd tot in de details van elk schroefje, stijlvol, met een glad oppervlak, perfect, gemaakt voor kunstenaarshanden. Ik gebruik hem nog steeds; hij werkt altijd. Geen enkel meisje van mijn leeftijd had zulk speelgoed. Ik pakte hem eerbiedig op en bleef ernaar kijken zonder enig idee hoe je hem moest gebruiken. 'Eens zien of je het duister van je nachtmerries kunt fotograferen,' zei Severo del Valle voor de grap, zonder te vermoeden dat dat maandenlang mijn enige doel zou zijn en dat ik, in de ijver die nachtmerrie op te helderen, uiteindelijk verliefd werd op de wereld. Mijn grootmoeder nam me mee naar de studio van don Juan Ribero aan de Plaza de Armas, de beste fotograaf van Santiago, een man die op het oog zo droog als oud brood was, maar vanbinnen mild en gevoelig.

'Ik breng u mijn kleinkind als leerling,' zei mijn grootmoeder, terwijl ze een cheque op het bureau van de kunstenaar legde en ik me met de ene hand aan haar jurk vastklampte en met de andere mijn fonkelnieuwe camera omklemde.

Don Juan Ribero, die een halve kop kleiner was dan mijn grootmoeder en de helft zo zwaar, zette zijn bril op zijn neus, las zorgvuldig het bedrag dat op de cheque geschreven stond en gaf die vervolgens aan haar terug, terwijl hij haar van top tot teen met een enorme minachting bekeek.

'Het bedrag is het probleem niet... U stelt de prijs vast,' zei mijn grootmoeder onzeker.

'Het is geen kwestie van geld, maar van talent, mevrouw,' antwoordde hij, terwijl hij Paulina del Valle uitgeleide deed.

In die korte tijd had ik de kans gehad om even om me heen te kijken. De muren waren behangen met zijn werk:

honderden portretten van mensen van alle leeftijden. Ribero was de favoriet van de jetset, de fotograaf van de society-pagina's, maar de mensen die me vanaf de muren van zijn studio aanstaarden, waren geen verwaande rechtse rakkers of debuterende mooie jongedames, maar indianen, mijnwerkers, vissers, wasvrouwen, arme kinderen, ouderen, veel van die vrouwen die mijn grootmoeder met haar leningen van de Damesclub steunde. Daar werd het veelzijdige en gekwelde gelaat van Chili getoond. Die gezichten op de foto's schokten me, ik wilde de achtergrond van elk van die mensen kennen, ik voelde een druk op mijn borst alsof ertegen gestompt was en een onbedwingbaar verlangen om in huilen uit te barsten, maar ik slikte mijn emotie weg en liep met opgeheven hoofd achter mijn grootmoeder aan. In de koets probeerde ze me te troosten: ik moest me niet druk maken, zei ze, we zouden wel iemand anders vinden die me de camera zou leren gebruiken, fotografen waren er te kust en te keur; wat dacht die ellendige armoedzaaier wel, om op die arrogante toon tegen haar, niemand minder dan Paulina del Valle, te praten. En ze bleef maar oreren, maar ik hoorde haar niet, want ik had besloten dat alleen don Juan Ribero mijn meester zou zijn. De volgende dag ging ik voordat mijn grootmoeder opstond de deur uit, beduidde de koetsier dat hij me naar de studio moest brengen en ging op straat zitten, bereid om tot in de eeuwigheid te wachten. Don Juan Ribero kwam rond elf uur 's ochtends thuis, trof me voor zijn deur aan en gebood me naar huis te gaan. Ik was destijds verlegen – dat ben ik nog – en zeer trots, ik was niet gewend ergens om te vragen, want vanaf mijn geboorte ben ik als een koningin verwend, maar ik moet enorm vastberaden zijn geweest. Ik ging niet bij de deur weg. Twee uur later kwam de fotograaf de deur uit, wierp me een woedende blik toe en liep de straat uit. Toen hij terugkwam van zijn lunch trof hij me daar nog altijd als vastgenageld aan, met mijn camera tegen mijn borst gedrukt. 'Goed dan,' mompelde hij, verslagen, 'maar ik waarschuw u, jongedame, dat u absoluut geen speciale behandeling krijgt. Hier komt men om zwijgend te gehoorzamen en snel te leren, begrepen?' Ik knikte, want mijn stem wilde niet. Mijn grootmoeder, die gewend was te onderhandelen, accepteerde mijn passie voor de fotografie zolang ik maar hetzelfde aantal uren zou besteden aan de schoolvakken die op de jongensscholen werden gegeven, inclusief Latijn en theologie, want volgens haar ontbrak het me niet aan verstand, maar aan discipline.

'Waarom stuurt u me niet naar een openbare school?' vroeg ik haar, enthousiast gemaakt door de geruchten over seculier onderwijs voor meisjes, waar mijn tantes van gruwden.

'Dat is voor een ander slag mensen, dat zal ik nooit toestaan,' bepaalde mijn grootmoeder.

Opnieuw trok er dus een hele stoet privédocenten door ons huis, onder wie verscheidene geestelijken die me onderricht wilden geven in ruil voor de sappige giften van mijn grootmoeder aan hun congregaties. Ik had geluk, over het algemeen werd ik mild bejegend, want ze verwachtten niet dat mijn hersenen leerden als die van een man. Don Juan Ribero daarentegen eiste veel meer van me, want hij beweerde dat een vrouw zich duizend keer meer moet inspannen dan een man om op intellectueel of artistiek gebied respect af te dwingen. Hij leerde me alles wat ik van de fotografie weet, van het uitkiezen van een lens tot het bewerkelijke ontwikkelingsprocedé; ik heb nooit een andere meester gehad. Toen ik twee jaar later zijn studio verliet, waren we vrienden. Hij is nu vierenzeventig en werkt al enkele jaren niet meer, want hij is blind, maar hij begeleidt nog steeds mijn wankele passen en steunt me. Oprechtheid, is zijn devies. Hij hield hartstochtelijk veel van het leven en de blindheid vormde geen beletsel om naar de wereld te blijven kijken. Hij heeft een vorm van helderziendheid ontwikkeld. Zoals andere blinden mensen hebben om hun voor te lezen, zo heeft hij mensen die voor hem observeren en hem erover vertellen. Zijn leerlingen, zijn vrienden en zijn kinderen bezoeken hem dagelijks en wisselen elkaar af om hem te beschrijven wat ze aanschouwd hebben: een landschap, een tafereel, een gelaat, een lichtval. Ze moeten zeer nauwkeurig leren observeren om de grondige ondervraging van don Juan Ribero te doorstaan; zo veranderen hun levens, ze kunnen niet meer met hun gebruikelijke lichtvoetigheid door de wereld wandelen, want ze moeten kijken met de ogen van de meester. Ik ga ook vaak bij hem op bezoek. Hij ontvangt me in het eeuwige schemerdonker van zijn appartement in de Calle Monjitas, gezeten in zijn fauteuil voor het raam, met zijn kat op zijn knieën, altijd even gastvrij en wijs. Ik informeer hem over de technische ontwikkelingen op fotografiegebied, beschrijf hem gedetailleerd elke foto uit de boeken die ik uit New York en Parijs laat komen, ik raadpleeg hem over mijn twijfels. Hij is op de hoogte van alles wat er in dit vakgebied gebeurt, hij is razend enthousiast over de verschillende trends en theorieën, kent alle prominente meesters in Europa en de Verenigde Staten. Hij heeft zich altijd heftig verzet tegen kunstmatige poses, tegen in de studio geënsceneerde taferelen, tegen de knoeierige afdrukken van verschillende over elkaar gelegde negatieven die een paar jaar geleden zo in de mode waren. Hij gelooft in de fotografie als een persoonlijke getuigenis: een manier om de wereld te zien, en die manier moet eerlijk zijn, met gebruikmaking van de technologie als medium om de werkelijkheid weer te geven, niet om die te vervormen. Toen ik de fase doormaakte waarin ik ineens meisjes in enorme glazen schalen ging fotograferen, vroeg hij me zo schamper met welk doel ik dat deed dat ik niet op die weg verder ging, maar toen ik het portret beschreef dat ik van een arme circusfamilie had gemaakt, naakt en kwetsbaar, was hij direct geïnteresseerd. Ik had al verscheidene foto's gemaakt van die familie terwijl ze voor een armzalige woonwagen stonden die hun transportmiddel en woning was, toen er een klein meisje van vier of vijf jaar, geheel naakt, uit de wagen kwam. Op dat moment kreeg ik het idee hun te vragen hun kleren uit te trekken. Ze deden dat zonder achterdocht en poseerden even intens geconcentreerd als toen ze gekleed waren. Het is een van mijn beste foto's, een van de weinige die prijzen heeft gewonnen. Het was al snel duidelijk dat mensen me meer trokken dan voorwerpen of landschappen. Tijdens het maken van een portret ontstaat er een verhouding met het model die, al is ze kortstondig, altijd een wisselwerking inhoudt. De plaat ontwikkelt niet alleen het beeld, maar ook de gevoelens die tussen ons beiden stromen. Don Juan Ribero vond mijn portretten, die heel anders waren dan die van hem, mooi. 'U leeft zich in in uw modellen, Aurora, u probeert ze niet onder controle te krijgen, maar te begrijpen, daarom slaagt u erin hun ziel bloot te leggen,' zei hij. Hij spoorde me aan de veilige muren van de studio te verlaten en de straat op te gaan, met de camera rond te lopen, met wijd open ogen te kijken, mijn verlegenheid te overwinnen, mijn angst kwijt te raken, naar de mensen toe te stappen. Ik merkte dat ze me over het algemeen goed ontvingen en in alle ernst poseerden, ondanks het feit dat ik een snotneus was: de camera boezemde respect en vertrouwen in, de mensen stelden zich open, leverden zich over. Ik was beperkt door mijn jonge leeftijd, ik zou pas vele jaren later door het land kunnen reizen, de mijnen in kunnen gaan, de stakingen kunnen bijwonen, de ziekenhuizen, de hutjes van de armen, de erbarmelijke schooltjes, de schamele kosthuizen, de met stof bedekte pleinen waar de gepensioneerden wegkwijnden, het platteland en de vissersdorpjes kunnen betreden. 'Licht is de taal van de fotografie, de ziel van de wereld. Er bestaat geen licht zonder schaduw, net zoals er geen geluk zonder pijn bestaat,' zei don Juan Ribero zeventien jaar geleden tegen me tijdens de les die hij me die eerste dag in zijn studio aan de Plaza de Armas gaf. Ik ben het niet vergeten. Maar ik moet niet op de zaken vooruitlopen. Ik heb me voorgenomen deze geschiedenis stapje voor stapje, woord voor woord te vertellen, zoals het hoort.

Terwijl ik enthousiast was over de fotografie en verward over de veranderingen in mijn lichaam, dat rare verhoudingen aannam, verloor mijn grootmoeder Paulina geen tijd met navelstaren, maar zat met haar Fenicische brein nieuwe zaken uit te broeden. Dat hielp om het verlies van haar zoon Matías te verwerken en gaf haar allure, op een leeftijd dat anderen al met één been in het graf staan. Ze werd jonger, haar blik werd helderder en haar tred soepeler, en algauw legde ze de rouw af en stuurde haar man op een zeer geheime missie naar Europa. De trouwe Frederick Williams was zeven maanden weg en keerde beladen met cadeautjes voor haar en voor mij terug, plus goede tabak voor zichzelf, de enige slechte gewoonte die we van hem kenden. In zijn bagage zaten duizenden gesmokkelde kale stokjes van ongeveer vijftien centimeter lang, die ogenschijnlijk onbruikbaar waren. Het bleken echter wijnstokken uit de wijngaarden van Bordeaux te zijn, die mijn grootmoeder in Chileense aarde wilde planten om een goede wijn te produceren. 'We gaan met de Franse wijnen concurreren,' zei ze voor de reis tegen haar man. Williams probeerde haar er tevergeefs van te overtuigen dat de Fransen eeuwen voorsprong op ons hadden, dat de condities daar paradijselijk zijn terwijl Chili een land van politieke en natuurrampen is, en dat een project van een dergelijke omvang jaren werk zou kosten.

'Wij hebben geen van beiden de leeftijd om de resultaten van dat experiment af te wachten,' voerde hij met een zucht aan.

'Met die instelling komen we nergens, Frederick. Weet u hoeveel generaties ambachtslieden er nodig waren om een kathedraal te bouwen?'

'Paulina, we zijn niet geïnteresseerd in kathedralen. Een dezer dagen vallen we dood neer.'

'Dit zou de eeuw van de wetenschap en de technologie niet zijn als elke uitvinder aan zijn eigen sterfelijkheid dacht, denkt u niet? Ik wil een dynastie vestigen en de naam Del Valle moet in de wereld voortleven, al is het op de bodem van het glas van elke dronkenlap die mijn wijn koopt,' reageerde mijn tante.

Dus vertrok de Engelsman gelaten op die safari naar

Frankrijk, terwijl Paulina del Valle in Chili de lijnen voor de onderneming uitstippelde. De eerste Chileense wijngaarden waren ten tijde van de kolonie door missionarissen aangeplant om een landwijn te produceren die redelijk goed bleek te zijn, zo goed eigenlijk dat het moederland Spanje de wijn verbood om concurrentie te vermijden. Na de onafhankelijkheid breidde de wijnindustrie zich uit. Paulina was niet de enige met het idee kwaliteitswijnen te produceren, maar terwijl de anderen uit gemakzucht land rond Santiago kochten om niet meer dan een dag te hoeven reizen, zocht zij verder gelegen terreinen, die niet alleen goedkoper waren, maar ook geschikter. Zonder iemand te vertellen wat ze in gedachten had, liet ze bodemmonsters nemen, analyseren waar het water liep en bestuderen hoe straf de wind was, te beginnen bij de landerijen die de familie Del Valle toebehoorden. Ze betaalde een schijntje voor de uitgestrekte, verwaarloosde stukken grond die niemand opmerkte omdat regen er de enige vorm van irrigatie was. De lekkerste, meest zoete en verfijnde druif, die de wijnen met de beste textuur en het beste aroma voortbrengt, groeit niet in een omgeving van overvloed, maar op ruige grond; de wortels van de plant moeten zo hun uiterste best doen om obstakels te omzeilen en zeer diep in de aarde van elk druppeltje water te profiteren, en daardoor worden de smaken van de druif geconcentreerd, legde mijn grootmoeder uit.

'Wijngaarden zijn als mensen, Aurora: hoe moeilijker de omstandigheden zijn, hoe mooier de vruchten. Het is jammer dat ik die waarheid pas zo laat ontdekt heb, want als ik dit eerder had geweten, had ik mijn zoons en jou hard aangepakt.'

'Dat hebt u bij mij geprobeerd, grootmoeder.'

'Ik ben heel mild geweest met jou. Ik had je naar de nonnen moeten sturen.'

'Om te leren borduren en bidden? Mejuffrouw Matilde Pineda...'

'Ik verbied je het in dit huis over die vrouw te hebben!'

'Goed, grootmoeder, ik leer in ieder geval fotograferen. Daarmee kan ik mijn brood verdienen.'

'Hoe haal je je zoiets stoms in je hoofd?' riep Paulina del Valle uit. 'Een kleindochter van mij zal nooit haar brood hoeven verdienen. Wat Ribero je leert is een hobby, maar het is geen toekomst voor een Del Valle. Jouw toekomst is niet een straatfotograaf worden, maar trouwen met iemand uit jouw klasse en gezonde kinderen op de wereld zetten.'

'U hebt meer gedaan dan dat, grootmoeder.'

'Ik ben met Feliciano getrouwd, ik heb drie kinderen en een kleindochter gekregen. Al het andere wat ik gedaan heb, is extra.'

'Dat lijkt anders niet zo, eerlijk gezegd.'

In Frankrijk contracteerde Williams een expert, die korte tijd later kwam om technisch advies te geven. Het was een hypochondrisch mannetje dat per fiets de stukken land van mijn grootmoeder afreisde, met een zakdoek voor zijn mond en neus geknoopt omdat hij dacht dat de geur van koeienmest en het Chileense stof longkanker veroorzaakten, maar hij liet geen twijfel bestaan omtrent zijn grondige kennis van de wijnbouw. De boeren stonden verdwaasd te kijken naar die heer in stadskleren die op een velocipède tussen grote keien door hobbelde en af en toe stopte om de grond te besnuffelen als een hond die een spoor volgt. Aangezien ze geen woord van zijn lange betogen in de taal van Molière verstonden, moest mijn grootmoeder persoonlijk op haar slippers en met een parasol in de hand wekenlang achter de fiets van de Fransman aan lopen om te tolken. Het eerste dat Paulina opviel, was dat niet alle planten hetzelfde waren; er stonden op z'n minst drie verschillende soorten door elkaar. De Fransman legde haar uit dat sommige eerder rijpten dan andere, zodat wanneer de teerste gewassen door het weer kapotgingen, er altijd nog de opbrengst van de rest zou zijn. Hij bevestigde tevens dat de zaak jaren in beslag zou nemen, aangezien het er niet alleen om ging betere druiven te oogsten, maar ook om een verfijnde wijn te produceren en die in het buitenland op de markt te brengen, waar hij zou moeten concurreren met die uit Frankrijk, Italië en Spanje. Paulina leerde alles wat de expert haar kon leren, en toen ze zich zeker voelde, stuurde ze hem terug naar zijn land. Tegen die tijd was ze uitgeput en begreep ze dat er voor de onderneming een jonger en frisser iemand dan zij nodig was, iemand als Severo del Valle, haar favoriete neef, op wie ze kon vertrouwen. 'Als jij kinderen op de wereld blijft zetten, heb je een hoop geld nodig om ze te onderhouden. Als advocaat zal dat je niet lukken, tenzij je twee keer zoveel steelt als de rest, maar van de wijn zul je rijk worden,' verleidde ze hem. Net dat jaar was er bij Severo en Nívea del Valle een engeltje geboren, zo zeiden de mensen, een meisje zo mooi als een miniatuurfee, dat ze Rosa noemden. Nívea was van mening dat alle eerdere kinderen slechts een oefening waren geweest om uiteindelijk dit perfecte kindje voort te brengen. Misschien was God nu tevreden en zou Hij hun niet meer kinderen sturen, want ze hadden inmiddels een hele meute. Severo vond de onderneming met de Franse wijnstokken absurd, maar hij had geleerd de commerciële neus van zijn tante te respecteren en bedacht dat het best de moeite van het proberen waard zou kunnen zijn; hij wist niet dat de wijnstokken binnen een paar maanden zijn leven zouden veranderen. Zodra mijn grootmoeder constateerde dat Severo del Valle net zo bezeten was van de wijngaarden als zijzelf, besloot ze hem tot haar vennoot te maken, hem het toezicht over het land toe te vertrouwen en met Williams en mij naar Europa te vertrekken, want ik was al zestien en had de leeftijd om een kosmopolitisch vernislaagje en een uitzet te krijgen, zoals ze zei.

'Ik ben niet van plan om te trouwen, grootmoeder.'

'Nog niet, maar je zult het voor je twintigste moeten doen, anders schiet je over,' bepaalde ze vinnig.

De ware reden van de reis vertelde ze niemand. Ze was ziek en dacht dat ze haar in Engeland konden opereren. De chirurgie had zich daar sterk ontwikkeld sinds de ontdekking van de anesthesie en de asepsis. De laatste maanden had ze haar eetlust verloren en voor het eerst in haar leven had ze na het eten van een zware maaltijd last van misselijkheid en buikkrampen gekregen. Ze at geen vlees meer, ze had liever zachte dingen – zoete papjes, soep en gebakjes, die ze nog niet liet staan al vielen ze haar als stenen op de maag. Ze had gehoord van de beroemde kliniek die was gesticht door een zekere dokter Ebanizer Hobbs, die meer dan tien jaar geleden overleden was, en waar de beste artsen uit Europa werkten, dus zodra de winter voorbij was en de route door de Andes weer begaanbaar was, aanvaardden we de reis naar Buenos Aires, waar we de oceaanstomer naar Londen zouden nemen. We hadden zoals altijd een hofhouding aan bedienden en een ton bagage bij ons en verscheidene gewapende politieagenten om ons te beschermen tegen de bandieten die in die afgelegen streken zaten, maar dit keer kon mijn hond Caramelo niet met ons mee omdat zijn poten verzwakt waren. De tocht over de bergen per koets, te paard en tot slot per ezel, langs afgronden die aan beide kanten gaapten als onpeilbare keelgaten die openstonden om ons te verslinden, was onvergetelijk. Het pad leek een eindeloze smalle slang die door die overweldigende bergen gleed, de wervelkolom van Zuid-Amerika. Tussen de stenen groeiden door het onbarmhartige klimaat geteisterde en door fijne stroompjes water gevoede struikjes. Overal was water: watervallen, beekjes, gesmolten sneeuw; het enige geluid bestond uit het water en de hoeven van de beesten tegen de harde korst van de Andes. Wanneer we stopten werden we omgeven door een peilloze stilte die ons als een zware deken omhulde, we waren indringers die de volmaakte eenzaamheid van die bergtoppen schonden. Mijn grootmoeder, die vocht tegen de hoogtevrees en de kwaaltjes die ze kreeg zodra we begonnen te stijgen, hield zich staande door haar ijzeren wilskracht en de zorgzaamheid van Williams, die al het mogelijke deed om haar te ondersteunen. Ze droeg een zware reismantel, leren handschoenen en een tropenhelm met dichte sluiers, want nog nooit had een zonnestraal, hoe schuchter ook, haar huid beroerd; zo dacht ze zonder rimpels het graf in te gaan. Ik was geïmponeerd. We hadden die reis eerder gemaakt, maar toen was ik te jong geweest om dat majestueuze natuurschoon te zien. Stapvoets gingen de dieren voort tussen kaarsrechte afgronden en hoge, pure rotswanden, gekamd door de wind, gepolijst door de tijd. De lucht was ijl als een dunne sluier en de hemel een turkooiskleurige zee die nu en dan doorkruist werd door een condor die navigeerde met zijn magnifieke vleugels, heer en meester in dat gebied. Zodra de zon onderging, veranderde het landschap volledig; de blauwe rust van die ruwe, statige natuur verdween en er ontsloot zich een universum van geometrische schaduwen die zich dreigend om ons heen bewogen, ons omsingelden, ons insloten. Eén misstap en de muilezels zouden, met ons erbovenop, naar het diepst van die afgronden gerold zijn, maar de gids had de afstand goed ingeschat en de nacht kwam over ons toen we in een smerig hok van houtplaten zaten, een trekkershut. De dieren werden van hun last ontdaan en we gingen op de schapenleren zadels en de dekens zitten bij het licht van in teer gedoopte fakkels, hoewel er nauwelijks verlichting nodig was, want aan het diepe hemelgewelf stond een gloeiende maan, als een siderale toorts uitstekend boven de hoge rotsen. We hadden brandhout bij ons, waarmee we de haard aanstaken om ons aan te warmen en er water voor de maté op te koken; als snel ging die bittere groene thee van hand tot hand, iedereen slurpend van hetzelfde zilveren rietje; daarmee kreeg mijn grootmoeder haar energie en kleur weer terug, en ze liet haar manden komen en ging als een groenteverkoopster op de markt de levensmiddelen zitten uitdelen om de honger voorlopig te stillen. De flessen brandewijn en champagne kwamen te voorschijn, de geurende boerenkazen, het fijne, thuis bereide varkensvlees, de in witte linnen servetten gewikkelde broden en sandwiches, maar het viel me op dat ze heel weinig at en geen alcohol dronk. Intussen slachtten de mannen, bedreven met hun messen, twee geiten die achter de muilezels hadden gelopen, vilden ze en grilden ze aan het spit. Ik weet niet hoe de nacht voorbijtrok, ik viel in een doodse slaap en werd pas bij het ochtendgloren wakker, toen de half verkoolde stukken hout opgepord moesten worden om koffie te zetten en de rest van het geitenvlees op te eten. Voordat we weggingen lieten we brandhout, een zak bonen en wat flessen drank achter voor de volgende reizigers.

DEEL DRIE

1896-1910

De Hobbs-kliniek was door de beroemde chirurg Ebanizer Hobbs opgericht in zijn eigen woning, een degelijk en stijlvol uitziend oud herenhuis midden in de wijk Kensington, waar muren uit werden gebroken, ramen van werden dichtgetimmerd en overal tegels in werden aangebracht tot het er potsierlijk uitzag. De aanwezigheid van dat pand in die chique straat was de buren zo'n doorn in het oog dat Hobbs' opvolgers zonder moeite de aangrenzende huizen konden opkopen om de kliniek uit te breiden, met behoud van de Edwardiaanse gevels, zodat ze aan de buitenkant in niets verschilden van de identieke huizenrijen in het blok. Vanbinnen was het een doolhof van kamers, trappen, gangen en kleine binnenraampjes die nergens op uitkeken. Het had niet, zoals de oude ziekenhuizen van de stad, de typische operatiepiste die eruitzag als een stierenvechtersarena – een centrale piste bedekt met zaagsel of zand en met omlopen voor toeschouwers –, maar kleine operatiezaaltjes met betegelde wanden, plafonds en vloeren en metalen platen die eens per dag afgeschrobd werden, want wijlen dokter Hobbs was een van de eersten geweest die Kochs theorie over infectieverspreiding hadden aanvaard en de ontsmettingsmethoden van Lister hadden overgenomen, ontdekkingen die door het grootste deel van de medische wereld uit arrogantie of luiheid nog verworpen werden. Het was niet makkelijk de oude gewoonten te veranderen; hygiëne was lastig, gecompliceerd en haalde de vaart uit de operatie, terwijl snelheid juist gold als een keurmerk voor een goede chirurg omdat het risico op een shock of bloedverlies daardoor afnam. In tegenstelling tot veel van zijn tijdgenoten, voor wie infecties spontaan in het lichaam van de zieke optraden, begreep Ebanizer Hobbs direct dat de kiemen erbuiten lagen, in de handen, op de vloer, op de instrumenten en in de atmosfeer, daarom besproeide hij alles met een regen van fenol, van de wonden tot de lucht in de operatiezaal. De arme man had zoveel fenol ingeademd dat zijn huid uiteindelijk onder de etterende zweren zat en hij voortijdig stierf aan een nieraandoening, waarmee zijn lasteraars een motief hadden om zich vast te klampen aan hun eigen ouderwetse ideeën. Hobbs' volgelingen onderzochten echter de atmosfeer en ontdekten dat de ziektekiemen niet als onzichtbare roofvogels, klaar voor de slinkse aanval, rondzweefden, maar zich concentreerden op smerige oppervlakken; de infectie werd veroorzaakt door direct contact, het was dus van wezenlijk belang dat het instrumentarium grondig werd gereinigd, er steriele verbanden werden gebruikt en dat de chirurgen zich niet alleen verwoed wasten, maar voor zover mogelijk ook rubber handschoenen droegen. Het ging niet om de grove handschoenen die door anatomen werden gebruikt om lijken te ontleden of door sommige werklieden om met chemische substanties te werken, maar om een verfijnd product, zacht als de menselijke huid, gefabriceerd in de Verenigde Staten. Het had een romantische oorsprong: een dokter die verliefd was op een verpleegster wilde haar beschermen tegen het eczeem dat door de ontsmettingsmiddelen werd veroorzaakt en liet de eerste rubber handschoenen vervaardigen, die daarna door chirurgen werden overgenomen om te opereren. Dit alles had Paulina del Valle aandachtig zitten lezen in een paar wetenschappelijke tijdschriften die ze geleend had van haar familielid don José Francisco Vergara, die het in die tijd aan zijn hart had en een teruggetrokken leven leidde in zijn paleis in Viña del Mar, maar nog even leergierig was als altijd. Mijn grootmoeder koos niet alleen met zorg de arts uit die haar moest opereren – met wie ze al maanden van tevoren vanuit Chili contact opnam –, maar ze had tevens in Baltimore verscheidene paren van de beroemde rubber handschoenen besteld, die ze goed ingepakt in haar hutkoffer met ondergoed had zitten.

Paulina del Valle stuurde Frederick Williams naar Frankrijk om informatie in te winnen over het hout dat gebruikt werd voor de vaten waarin de wijn moest gisten en om de kaasindustrie te verkennen, want er was geen enkele reden waarom Chileense koeien niet zulke smaakvolle kazen als de Franse koeien, die net zo dom waren, zouden kunnen produceren. Tijdens de tocht over het Andesgebergte en later op de oceaanstomer kon ik mijn grootmoeder van dichtbij bestuderen, en ik besefte dat er iets wezenlijks in haar begon te verzwakken – niet de wilskracht, het verstand of de hebzucht, maar veeleer de felheid. Ze werd mild, weekhartig en zo verstrooid dat ze vaak op en top gekleed in mousseline en met parels, maar zonder haar kunstgebit op het scheepsdek ging wandelen. Ze maakte duidelijk slechte nachten door, ze had paarse wallen onder haar ogen en was altijd slaperig. Ze was flink afgevallen, haar vlees hing slap langs haar lijf wanneer ze haar korset uitdeed. Ze wilde me altijd in haar buurt hebben 'zodat je niet met de matrozen flirt', een pijnlijke grap, aangezien mijn verlegenheid op die leeftijd zo erg was dat een onschuldige mannenblik in mijn richting voldoende was om mij rood als een gekookte kreeft te laten aanlopen. De werkelijke reden was dat Paulina del Valle zich zwak voelde en mij aan haar zijde nodig had om de dood af te leiden. Ze sprak niet over haar kwalen, integendeel, ze had het erover een paar dagen in Londen door te brengen en vervolgens naar Frankrijk te gaan voor de kwestie met de vaten en de kazen, maar ik vermoedde vanaf het begin dat ze andere plannen had, zoals duidelijk werd zodra we in Engeland aankwamen en ze Frederick Williams begon te bewerken om alleen te gaan, dan zouden wij inkopen doen en ons later bij hem voegen. Ik weet niet of Williams wegging zonder te bevroeden dat zijn vrouw ziek was of dat hij de waarheid zag en haar uit begrip voor haar schroom met rust liet; feit is dat hij ons in hotel Savoy onderbracht en dat hij, toen hij er eenmaal zeker van was dat het ons aan niets ontbrak, zich zonder al te veel enthousiasme inscheepte om het Kanaal over te steken.

Mijn grootmoeder wilde geen pottenkijkers bij haar aftakelingsproces en ze was met name terughoudend jegens Williams. Het hoorde bij de koketterie die ze over zich had gekregen toen ze met hem trouwde en die er nog niet was geweest toen hij haar butler was. Toen maakte ze er geen punt van hem het slechtste van haar karakter te laten zien en zich op wat voor manier dan ook aan hem te vertonen, maar later probeerde ze met haar mooiste veren te pronken. Die relatie in de nadagen van haar leven was heel belangrijk voor haar en ze wilde niet dat haar slechte gezondheid het degelijke bouwwerk van haar ijdelheid schade zou toebrengen, dus probeerde ze haar echtgenoot op een afstand te houden, en als ik niet voet bij stuk had gehouden had ze mij ook buitengesloten; ik moest ervoor vechten, maar uiteindelijk zwichtte ze voor mijn koppigheid en haar eigen zwakte en liet ze me haar bij de doktersbezoeken begeleiden. Ze had pijn en kon bijna niet slikken, maar ze leek niet bang, hoewel ze dikwijls grappen maakte over de ongemakken van de hel en de verveling van de hemel. De Hobbs-kliniek boezemde al bij binnenkomst vertrouwen in met haar gang vol boekenkasten en olieverfportretten van chirurgen die binnen die muren hun beroep hadden uitgeoefend. We werden welkom geheten door een onberispelijke matrone, die ons naar de werkkamer van de dokter bracht, een gezellig vertrek met stijlvolle Engelse meubels van bruin leer en een open haard waarin een vuur van grote houtblokken knetterde. Het uiterlijk van dokter Gerald Suffolk was even indrukwekkend als zijn reputatie. Hij zag eruit als een Teutoon, groot en blozend, met een flink litteken op zijn wang, dat hem eerder onvergetelijk dan lelijk maakte. Op zijn bureau had hij de briefwisseling met mijn grootmoeder, de rapporten van de geraadpleegde Chileense specialisten en het pakje met de rubber handschoenen liggen, die zij diezelfde ochtend per koerier had laten bezorgen. Later kwamen we erachter dat het een onnodige voorzorgsmaatregel was, want ze werden in de Hobbs-kliniek al drie jaar gebruikt. Suffolk onthaalde ons op met kardemomzaadjes gearomatiseerde Turkse koffie, alsof we een beleefdheidsbezoek brachten. Hij nam mijn grootmoeder mee naar een aangrenzend vertrek, keerde na haar onderzocht te hebben terug naar de werkkamer en bladerde door een groot boek terwijl zij weer terugkwam. De patiënte was alweer binnen en de chirurg bevestigde de eerdere diagnose van de Chileense artsen: mijn grootmoeder had een darmtumor. Hij voegde eraan toe dat de operatie gezien haar leeftijd en de experimentele fase waarin de chirurgie zich nog bevond, riskant was, maar hij had een perfecte techniek ontwikkeld voor zulke gevallen, er kwamen artsen van over de hele wereld om van hem te leren. Hij drukte zich met zo'n superioriteitsgevoel uit dat ik moest denken aan Juan Ribero, die verwaandheid een voorrecht van de dommen vond; de wijze man is bescheiden omdat hij weet hoe weinig hij weet. Mijn grootmoeder eiste van hem dat hij haar tot in de details uitlegde wat hij met haar wilde gaan doen, tot verbazing van de arts, die eraan gewend was dat patiënten zich gedwee als kippen overleverden aan de onbetwistbare autoriteit van zijn handen, maar hij greep de gelegenheid meteen aan om een uitgebreide uiteenzetting te geven, waarbij hij het belangrijker vond ons te imponeren met de virtuositeit van zijn operatiemes dan dat hij zich bekommerde om het welzijn van zijn ongelukkige patiënte. Hij maakte een tekening van ingewanden en organen die op een krankzinnige machine leken en wees ons aan waar zich de tumor bevond en hoe hij van plan was die te verwijderen, waarbij hij ook vertelde hoe hij alles weer ging hechten, informatie die Paulina onaangedaan aanhoorde, maar waarvan ik onwel werd, en ik moest de werkkamer uit rennen. Ik ging in de hal met de portretten zitten om binnensmonds te bidden. Eigenlijk was ik angstiger voor mijzelf dan voor haar, het idee alleen op de wereld achter te blijven maakte me bang. Ik zat daar te piekeren over mijn eventuele bestaan als wees, toen er een man langskwam die moet hebben gevonden dat ik er heel bleek uit zag, want hij bleef staan. 'Is er iets, kind?' vroeg hij in het Spaans met een Chileens accent. Ik schudde verrast mijn hoofd, zonder hem te durven aankijken, maar ik moet hem zijdelings geobserveerd hebben, want ik kon zien dat hij jong was, een gladgeschoren gezicht had, hoge jukbeenderen, stevige kaken en schuinstaande ogen; hij leek op de afbeelding van Djingiz Chan uit mijn geschiedenisboek, maar dan minder woest. Zijn haar, ogen, huid, het was allemaal honingkleurig, maar de toon waarop hij me vertelde dat hij net als wij Chileens was en dat hij dokter Suffolk tijdens de operatie zou assisteren, was allerminst honingzoet.

'Mevrouw Del Valle is in goede handen,' zei hij zonder een zweempje bescheidenheid.

'Wat gebeurt er als ze haar niet opereren?' vroeg ik stotterend, zoals altijd wanneer ik erg zenuwachtig ben.

'De tumor zal blijven groeien. Maar maakt u zich geen zorgen, lieve kind, de chirurgie heeft veel vooruitgang geboekt, uw grootmoeder heeft er heel goed aan gedaan om hier te komen,' besloot hij.

Ik wilde weten wat een Chileen in die contreien deed en waarom hij dat Tataarse uiterlijk had – het kostte geen enkele moeite me hem met een lans in de hand, gehuld in huiden voor me te zien –, maar ik zweeg beduusd. Londen, de kliniek, de artsen en het drama van mijn grootmoeder waren meer dan ik alleen kon hanteren; Paulina del Valles schaamte in verband met haar ziekte en haar motieven om Frederick Williams naar de overkant van het Kanaal te sturen juist toen we hem het hardst nodig hadden, waren voor mij moeilijk te begrijpen. Djingiz Chan gaf me een minzaam klopje op mijn hand en liep weg.

Tegen al mijn pessimistische voorspellingen in overleefde mijn grootmoeder de chirurgische ingreep en na de eerste week, waarin de koorts onbeheersbaar steeg en daalde, was ze stabiel en kon ze vast voedsel gaan eten. Ik week niet van haar zijde, behalve om één keer per dag naar het hotel te gaan om me te wassen en te verkleden, omdat de geur van narcosemiddelen, medicamenten en ontsmettingsmiddelen als een kleverig mengsel aan je huid plakte. Ik deed af en toe, gezeten op een stoel bij de zieke, een dutje. Ondanks het strenge verbod van mijn grootmoeder stuurde ik nog op de dag van de operatie een telegram naar Frederick Williams, die dertig uur later in Londen arriveerde. Ik zag hem zijn spreekwoordelijke zelfbeheersing verliezen aan het bed waarin zijn vrouw lag, versuft door de medicijnen, kreunend elke keer dat ze uitademde, met een paar haren op haar hoofd en zonder tanden in haar mond, als een verschrompeld oud besje. Hij knielde bij haar neer en legde zijn gezicht in de slappe hand van Paulina del Valle, terwijl hij haar naam fluisterde; toen hij opstond was zijn gezicht nat van de tranen. Mijn grootmoeder, die altijd beweerde dat de jeugd geen periode in het leven is maar een geestestoestand, en dat iemand de gezondheid heeft die hij verdient, voelde zich totaal verslagen in dat ziekenhuisbed. De vrouw wier levenslust even groot was als haar vraatzucht, had haar gezicht naar de muur gekeerd, onverschillig voor haar omgeving, in zichzelf verzonken. Haar enorme wilskracht, haar sterkte, haar nieuwsgierigheid, haar gevoel voor avontuur en zelfs haar hebzucht – alles was uitgevlakt door het lichamelijk lijden.

In die dagen kreeg ik vaak de gelegenheid om Djingiz Chan te zien, die de toestand van de patiënte in de gaten hield, en hij bleek zoals te verwachten was toegankelijker dan de beroemde dokter Suffolk of de strenge matrones van de kliniek. Hij reageerde zonder vage troostende antwoorden, maar met weloverwogen uitleg op de vragen van mijn grootmoeder, en hij was de enige die haar bedroefdheid probeerde te verlichten, terwijl de rest geïnteresseerd was in de toestand van de wond en de koorts, maar de jammerklachten van de patiënte negeerde. Dacht ze soms dat het geen pijn zou doen? Ze kon beter haar mond houden en dankbaar zijn dat ze haar het leven gered hadden. De jonge Chileense dokter was echter royaal met morfine, omdat hij geloofde dat langdurige pijn de fysieke en morele weerstand van de zieke ondermijnt en de genezing vertraagt of verhindert, zoals hij Williams uitlegde. We hoorden dat hij Iván Radovic heette en uit een artsenfamilie kwam, waarvan de vader eind jaren vijftig van de Balkan naar Chili was geëmigreerd. Deze was met een Chileense onderwijzeres uit het noorden getrouwd en had drie kinderen gekregen, van wie er twee hem in de geneeskunde gevolgd waren. Zijn vader, vertelde hij, was tijdens de Salpeteroorlog, waarin hij als chirurg drie jaar gediend had, aan tyfus gestorven, en zijn moeder moest alleen het gezin grootbrengen. Ik kon naar hartenlust het personeel van de kliniek observeren, en ook hoorde ik gesprekken die niet voor mijn oren bestemd waren, want geen van hen, behalve dokter Radovic, gaf er ooit blijk van mijn bestaan op te merken. Ik was bijna zestien en had nog altijd mijn haar met een lint samengebonden en droeg de door mijn grootmoeder uitgezochte kleren; ze liet belachelijke kinderjurkjes voor me maken om me zo lang mogelijk klein te houden. De eerste keer dat ik iets aantrok wat bij mijn leeftijd paste, was toen Frederick Williams me zonder haar toestemming meenam naar Whiteney's en me in de winkel mijn gang liet gaan. Toen we terugkwamen in het hotel en ik me aandiende met mijn haar in een knot en gekleed als een jongedame, herkende hij me niet, maar dat was weken later. Paulina del Valle moet sterk als een os zijn geweest; ze sneden haar buik open, haalden er een tumor ter grootte van een grapefruit uit, naaiden haar dicht als een schoen en binnen twee maanden was ze weer de oude. Het enige dat ze aan dat verschrikkelijke avontuur overhield, was een zeeroverslitteken dwars over haar buik en een gretige levens- en – uiteraard – eetlust. Zodra ze zonder wandelstok kon lopen vertrokken we naar Frankrijk. Het dieet dat door dokter Suffolk was voorgeschreven wees ze van de hand, want, zo zei ze, ze was niet van het eind van de wereld naar Parijs gekomen om babypap te eten. Onder het voorwendsel de productie van kaas en de culinaire traditie van Frankrijk te bestuderen, stopte ze zich vol met al wat dat land haar aan zaligheden te bieden had.

Eenmaal geïnstalleerd in het hotelletje dat Williams aan de boulevard Haussmann had geboekt, namen we contact op met de onbeschrijflijke Amanda Lowell, die nog altijd hetzelfde air van een vikingkoningin in ballingschap had. In Parijs was ze op haar plek; ze woonde op een stoffige maar gezellige zolder, waar door de kleine raampjes de duiven op de daken van haar wijk en de smetteloze luchten van de stad te zien waren. We stelden vast dat haar verhalen over het bohémienleven en haar vriendschap met beroemde kunstenaars absoluut waar waren; dankzij haar bezochten we de ateliers van Cézanne, Sisley, Degas, Monet en verscheidene anderen. La Lowell moest ons leren die schilderijen te waarderen, want we hadden geen geoefend oog voor het impressionisme, maar al snel waren we helemaal verkocht. Mijn grootmoeder verwierf een mooie collectie schilderijen, die voor grote hilariteit zorgde toen ze ze in haar huis in Chili ophing; niemand kon de spiraalvormige luchten van Van Gogh of de vermoeide revuedanseressen van Lautrec waarderen, en ze dachten dat die sufferd van een Paulina del Valle zich een oor had laten aannaaien. Toen Amanda Lowell zag dat ik altijd mijn fotocamera bij me had en me uren opsloot in een donkere kamer die ik in het hotelletje geïmproviseerd had, bood ze aan me voor te stellen aan de beroemdste fotografen van Parijs. Net als mijn meester Juan Ribero vond zij de fotografie geen concurrentie voor de schilderkunst, ze zijn wezenlijk verschillend; de schilder interpreteert de werkelijkheid en de camera geeft die weer. Bij het een is alles fictie, terwijl het bij het ander de optelsom is van het werkelijke en de gevoeligheid van de fotograaf. Ik mocht van Ribero geen sentimentele of exhibitionistische trucs toepassen, geen voorwerpen of modellen neerzetten zodat het schilderijen zouden lijken. Hij was een tegenstander van de artificiële compositie, hij liet me ook geen negatieven of afdrukken bewerken, en over het algemeen had hij weinig op met licht- en scherptediepte-effecten; hij wilde het beeld eerlijk en eenvoudig hebben, maar scherp tot in de allerkleinste details. 'Als u het effect van een schilderij wilt, dan moet u schilderen, Aurora. Als u de waarheid wilt, leer dan uw camera gebruiken,' zei hij me telkens weer. Amanda Lowell heeft me nooit als een kind behandeld, vanaf het begin nam ze me serieus. Ook zij was gefascineerd door de fotografie, die nog door niemand kunst genoemd werd en voor veel mensen slechts een van de vele zonderlinge speeltjes uit deze frivole eeuw was. 'Ik ben te oud om nog te leren fotograferen, maar jij hebt jonge ogen, Aurora, jij kunt de wereld zien en de anderen dwingen hem op jouw manier te zien. Een goede foto vertelt een verhaal, onthult een plek, een gebeurtenis, een gemoedstoestand, hij is machtiger dan pagina's en pagina's tekst,' zei ze. Mijn grootmoeder daarentegen ging met mijn passie voor de camera om als met een bevlieging van een tiener en had er meer belang bij mij voor te bereiden op het huwelijk en mijn uitzet uit te kiezen. Ze deed me op een school voor jongedames, waar ik dagelijks les had in elegant een trap op en af lopen, servetten vouwen voor een banket, verschillende menu's opstellen al naargelang de gelegenheid, salonspelen organiseren en bloemschikken, talenten die voor mijn grootmoeder volstonden om in het huwelijksleven te zegevieren. Ze hield van winkelen, en we verspilden hele middagen in de *boutiques* met het uitzoeken van kleren, middagen die ik beter had kunnen besteden door met de camera in de hand door Parijs te lopen.

Ik weet niet hoe het jaar voorbijging. Toen Paulina del Valle ogenschijnlijk van haar aandoeningen hersteld was en Frederick Williams een expert in hout voor wijnvaten en in de productie van de meest stinkende tot de meest gaterige kaas was geworden, leerden we tijdens een dansavond in de Chileense legatie ter ere van 18 september, Onafhankelijkheidsdag, Diego Domínguez kennen. Ik was eindeloze uren bij de kapper onder handen geweest, die op mijn hoofd een toren van krullen en met parels versierde vlechtjes had gebouwd, een ware prestatie, aangezien ik haar als paardenmanen heb. Mijn jurk was een luchtige, schuimtaartachtige creatie vol glazen kraaltjes die gedurende de avond loslieten en de vloer van de legatie met glinsterende kiezeltjes bezaaiden. 'Als je vader je nu eens had kunnen zien!' riep mijn grootmoeder bewonderend uit toen ik me had klaargemaakt. Zij was van top tot teen uitgedost in mauve, haar lievelingskleur, met een schandalige hoeveelheid roze parels om haar hals, over elkaar geplaatste, verdacht mahoniekleurige nepknotten, een spierwit porseleinen gebit en een zwartfluwelen mantel, die van de hals tot aan de grond was afgezet met een gitzwarte bies. Ze kwam op het bal aan de arm van Frederick Williams en ik aan die van een matroos van een schip van het Chileense eskader, dat een beleefdheidsbezoek aan Frankrijk bracht, een onbeduidende jongeman wiens gezicht of naam ik me niet kan herinneren en die mij op eigen initiatief inlichtte over het gebruik van de sextant voor navigatiedoeleinden. Het was een enorme opluchting toen Diego Domínguez voor mijn grootmoeder ging staan om zich met al zijn achternamen voor te stellen en te vragen of hij met mij mocht dansen. Dit is niet zijn echte naam, ik heb hem op deze pagina's veranderd omdat alles met betrekking tot hem en zijn familie beschermd moet worden. Het volstaat te weten dat hij bestond, dat zijn geschiedenis waargebeurd is en dat ik hem heb vergeven. De ogen van Paulina del Valle straalden van enthousiasme toen ze Diego Domínguez zag, want eindelijk hadden we een eventueel acceptabele kandidaat voor ons staan, een zoon van bekende mensen, hoogstwaarschijnlijk rijk, met keurige manieren en zelfs knap. Zij knikte, hij strekte zijn hand naar me uit en we voeren uit. Na de eerste wals nam hij mijn balboekje en schreef bij elke dans zijn naam, waarmee hij in één klap de sextantenexpert en andere kandidaten uitsloot. Toen bekeek ik hem zorgvuldiger, en ik moest toegeven dat hij er erg goed uitzag: hij straalde gezondheid en kracht uit, had een vriendelijk gezicht, blauwe ogen en een mannelijke houding. Hij leek ongemakkelijk in zijn rokkostuum, maar hij bewoog zich zelfverzekerd en danste goed; nou ja, in elk geval veel beter dan ik, want ik dans als een gans ondanks een jaar intensieve lessen op de school voor jongedames; met de verwarring nam bovendien mijn onhandigheid toe. Die avond werd ik verliefd, met alle hartstocht en verwarring van de eerste liefde van dien. Diego Domínguez leidde me met vaste hand over de dansvloer, terwijl hij me indringend en bijna continu in stilte aankeek, want zijn pogingen een gesprek aan te knopen liepen stuk tegen mijn eenlettergrepige antwoorden. Mijn verlegenheid was een marteling, ik kon zijn blik niet verdragen en wist niet waar ik de mijne op moest richten; bij het voelen van zijn warme adem tegen mijn wangen begaven mijn benen het; ik moest wanhopig vechten tegen de verleiding om weg te rennen en me onder een tafel te verstoppen. Ik sloeg ongetwijfeld een triest figuur, en die arme jongeman zat aan mij vast doordat hij zo stoer zijn naam in mijn boekje had gezet. Op zeker moment zei ik tegen hem dat hij niet verplicht was met mij te dansen als hij niet wilde. Hij antwoordde met een schaterlach, de enige van de avond, en vroeg me hoe oud ik was. Ik had me nooit in de armen van een man bevonden, nooit had ik de druk van een mannelijke handpalm in mijn taille gevoeld. Mijn ene hand rustte op zijn schouder en de andere in zijn hand met handschoen, maar niet licht als een duifje zoals mijn danslerares eiste, want hij had hem stevig, vastberaden vast. Tijdens een paar korte pauzes bood hij me glazen champagne aan die ik leegdronk omdat ik ze niet durfde af te slaan, met als voorspelbaar resultaat dat ik tijdens het dansen nog vaker op zijn tenen stond. Toen aan het eind van het feest de Chileense gezant het woord nam om een toast uit te brengen op zijn verre vaderland en het mooie Frankrijk, ging Diego Domínguez zo dicht achter me staan als de rand van mijn schuimtaartjurk het toeliet, en fluisterde in mijn hals dat ik 'verrukkelijk' was of iets dergelijks.

In de daaropvolgende dagen ging Paulina del Valle bij haar diplomatenvrienden onverholen navraag doen naar alles wat ze wilde weten over de familie en de antecedenten van Diego Domínguez, alvorens hem toestemming te geven met mij een rondje te paard over de Champs-Élysees te gaan rijden, op veilige afstand in de gaten gehouden door haar en oom Frederick in een koets. Daarna aten we met z'n vieren een ijsje onder grote parasols, gooiden broodkruimels naar de eenden en spraken af diezelfde week naar de opera te gaan. Van wandeling naar wandeling en van ijsje naar ijsje werd het oktober. Diego was door zijn vader naar Europa gestuurd op het verplichte avontuur dat bijna alle Chileense jongemannen uit de hoge klasse één keer in hun leven ondernamen om wat van de wereld te zien. Nadat hij voor de vorm verscheidene steden en kathedralen had afgereisd en zich in het nachtleven en smeuïge avonturen had gestort – waarvan hij vermoedelijk voorgoed was genezen maar die hem stof gaven om op te scheppen tegenover zijn maten –, was hij klaar om terug te keren naar Chili en rustig te worden, te werken, te trouwen en zijn eigen gezin te stichten. In vergelijking met Severo del Valle, op wie ik in mijn kindertijd altijd verliefd was geweest, was Diego Domínguez lelijk, en in vergelijking met mejuffrouw Matilde Pineda dom, maar ik was niet in een toestand om dergelijke vergelijkingen te maken: ik was er zeker van de perfecte man te hebben gevonden en ik kon het wonder dat hij mij had zien staan nauwelijks geloven. Frederick Williams vond het niet verstandig zich aan de eerste de beste die voorbijkwam vast te klampen, ik was nog erg jong en er zouden nog meer dan genoeg mannen komen om rustig uit te kiezen. Mijn grootmoeder hield echter vol dat deze jongeman de beste was die de huwelijksmarkt te bieden had, ondanks het bezwaar dat hij boer was en op het platteland woonde, ver van de hoofdstad.

'Per schip en trein kun je zonder problemen reizen,' zei ze.

'Grootmoeder, loop niet zo op de zaken vooruit, meneer Domínguez heeft nog geen toespelingen gemaakt op wat u zich in uw hoofd haalt,' maakte ik haar duidelijk, rood tot over mijn oren.

'Dat kan hij dan maar beter rap doen, anders moet ik hem nog voor het blok zetten.'

'Nee!' riep ik geschrokken uit.

'Ik ga niet toestaan dat mijn kleindochter een slechte naam krijgt. We mogen geen tijd verliezen. Als die jongeman geen serieuze bedoelingen heeft, moet hij nu meteen het veld ruimen.'

'Maar, grootmoeder, vanwaar die haast? We kennen elkaar net...'

'Weet je hoe oud ik ben, Aurora? Zesenzeventig. Er zijn er maar weinig die zo lang leven. Voordat ik sterf wil ik je gelukkig getrouwd achterlaten.'

'U bent onsterfelijk, grootmoeder.'

'Nee, meisje, dat lijkt maar zo,' antwoordde ze.

Ik weet niet of zij Diego Domínguez inderdaad klem zette of dat hij de toespelingen begreep en zelf het besluit nam. Nu ik met een zekere afstand en humor naar deze periode kan kijken, zie ik in dat hij nooit verliefd op mij is geweest; hij voelde zich gewoon gevleid door mijn onvoorwaardelijke liefde en moet de voordelen van een dergelijke verbintenis hebben afgewogen. Misschien begeerde hij me, want we waren allebei jong en beschikbaar; misschien dacht hij dat hij met de tijd van mij zou gaan houden; misschien trouwde hij met me uit gemakzucht en berekening. Diego was een goede partij, maar dat was ik ook: ik beschikte over het inkomen dat mijn vader had nagelaten, en men ging ervan uit dat ik een fortuin van mijn grootmoeder zou erven. Wat zijn redenen ook waren, het geval wil dat hij om mijn hand vroeg en een diamanten ring om mijn vinger schoof. De tekenen van gevaar waren overduidelijk voor iedereen met ogen in zijn hoofd, behalve voor mijn grootmoeder, verblind door de angst me alleen achter te laten, en voor mij, dolverliefd als ik was. Ze werden echter wel gezien door oom Frederick, die vanaf het begin had volgehouden dat Diego Domínguez niet de man voor mij was. Aangezien hij de laatste jaren niemand die bij mij toenadering zocht leuk had gevonden, luisterden we niet naar hem, we dachten dat het vaderlijke jaloezie was. 'Ik heb het idee dat die jongeman een enigszins koel karakter heeft,' zei hij meer dan eens, maar mijn grootmoeder ging tegen hem in door te zeggen dat het geen koelheid maar respect was, zoals een echte Chileense heer betaamde.

Paulina del Valle kreeg een enorme aanval van kooplust. In de haast kwamen de pakketten ongeopend in de hutkoffers terecht en later, toen we ze te voorschijn haalden, bleek dat we alles dubbel hadden en dat de helft me niet paste. Toen ze hoorde dat Diego Domínguez terug moest naar Chili, sprak ze met hem af met hetzelfde stoomschip terug te gaan, dan zouden we een paar weken hebben om elkaar beter te leren kennen, zo zeiden ze. Frederick Williams trok een lang gezicht en probeerde die plannen af te wenden, maar er viel met geen mogelijkheid ter wereld tegen die dame in te gaan wanneer ze zich iets in het hoofd had gezet, en haar obsessie van dat moment was haar kleinkind trouwen. Ik kan me maar weinig van de reis herinneren, hij ging voorbij in een waas van wandelingen op het dek, bal- en kaartspelen, cocktails en dansavonden tot Buenos Aires, waar we uit elkaar gingen omdat hij fokstieren moest kopen en ze over de zuidelijke Andesroute naar zijn landgoed moest brengen. We hadden weinig kansen gehad om alleen te zijn of zonder getuigen te praten, ik vernam het hoogstnoodzakelijke over de drieëntwintig jaar van zijn verleden en zijn familie, maar bijna niets over wat hij leuk vond, zijn levensovertuiging of ambities. Mijn grootmoeder zei hem dat mijn vader, Matías Rodríguez de Santa Cruz, overleden was en dat mijn moeder een Amerikaanse was die we niet kenden omdat ze bij de bevalling gestorven was, wat strookte met de waarheid. Diego toonde geen nieuwsgierigheid om meer te weten te komen; hij was evenmin geïnteresseerd in mijn passie voor de fotografie, en toen ik hem duidelijk maakte dat ik er niet over peinsde ermee op te houden, zei hij dat dat geen enkel probleem was, zijn zus schilderde aquarellen en zijn schoonzus borduurde in kruissteek. Tijdens de lange overtocht over zee leerden we elkaar niet echt kennen, maar we raakten verstrikt in het eenzame web dat mijn grootmoeder met de beste bedoelingen rondom ons spon.

Daar er in de eerste klasse van de oceaanstomer behalve de jurken van de dames en de bloemstukken in de eetzaal weinig te fotograferen viel, ging ik vaak naar de lagergelegen dekken om portretten te maken, vooral van de reizigers in de laagste klasse, die opeengepakt in de buik van het schip reisden: werklieden en emigranten op weg naar Amerika om hun geluk te beproeven, Russen, Duitsers, Italianen, joden, mensen die reisden met weinig op zak, maar met een hart dat overliep van hoop. Ik had het idee dat ze, ondanks het ongerief en het gebrek aan middelen, het leuker hadden dan de passagiers in de hoogste klasse, bij wie alles opgedoft, plechtig en saai was. Onder de emigranten hing een vriendschappelijke sfeer, de mannen kaartten en speelden domino, de vrouwen vormden groepjes om elkaar over hun leven te vertellen, de kinderen maakten geïmproviseerde hengels en speelden verstoppertje; 's avonds kwamen de gitaren, de accordeons, de fluiten en de violen te voorschijn en ontstonden er vrolijke feesten met zang, dans en bier. Mijn aanwezigheid leek niemand te storen, ze stelden me geen vragen, en na een paar dagen accepteerden ze me als een van hen, waardoor ik in de gelegenheid kwam ze naar hartenlust te fotograferen. Op het schip kon ik de negatieven niet ontwikkelen, maar ik ordende ze zorgvuldig om dat later in Santiago te doen. Tijdens een van de uitstapjes naar het benedendek liep ik pal tegen de laatste persoon die ik daar verwachtte op.

'Djingiz Chan!' riep ik uit toen ik hem zag.

'Ik geloof dat u me met iemand verwart, jongedame...'

'Vergeef me, dokter Radovic,' smeekte ik, en ik voelde me een idioot.

'Kennen wij elkaar?' vroeg hij verbaasd.

'Herinnert u zich mij niet? Ik ben de kleindochter van Paulina del Valle.'

'Aurora? Jeetje, ik had u nooit herkend. Wat bent u veranderd!'

Ik was zeker veranderd. Hij had me anderhalf jaar eerder gekleed als een klein meisje leren kennen, en nu had hij een echte vrouw voor zich staan, met een camera om haar nek en een verlovingsring om haar vinger. Tijdens die reis ontstond de vriendschap die mettertijd mijn leven zou veranderen. Dokter Iván Radovic, passagier in de tweede klasse, kon niet zonder uitnodiging naar het eersteklas dek gaan, maar ik kon naar beneden gaan om hem op te zoeken en dat deed ik vaak. Hij vertelde mij over zijn werk met dezelfde hartstocht als waarmee ik hem over fotografie vertelde; hij zag me de camera hanteren, maar ik kon hem niets van mijn eerdere werk laten zien omdat dat onder in de hutkoffers lag, en ik beloofde hem dat te doen als we in Santiago waren. Zo ging het echter niet, want later schaamde ik me om hem voor zoiets te laten komen; het leek me een teken van ijdelheid, en ik wilde geen tijd in beslag nemen van een man die bezig was levens te redden. Toen ze hoorde dat hij aan boord was, nodigde mijn grootmoeder hem meteen uit om thee te drinken op het terras bij onze suite. 'Met u erbij voel ik me veilig op volle zee, dokter. Als er nog zo'n grapefruit in mijn buik groeit, komt u en verwijdert u hem met het keukenmes,' grapte ze. Hij werd nog vele malen uitgenodigd op de thee, waarna ze altijd kaartten. Iván Radovic vertelde ons dat hij zijn praktijk in de Hobbs-kliniek beëindigd had en dat hij naar Chili terugkeerde om in een ziekenhuis te gaan werken.

'Waarom opent u geen privékliniek, dokter?' opperde mijn grootmoeder, die genegenheid voor hem had opgevat.

'Ik zou nooit het kapitaal en de connecties hebben die daarvoor nodig zijn, mevrouw Del Valle.'

'Ik ben bereid te investeren, als u het ermee eens bent.'

'Ik kan op geen enkele wijze toestaan dat...'

'Ik zou het niet voor u doen, maar omdat het een goede investering is, dokter Radovic,' onderbrak mijn grootmoeder hem. 'Iedereen wordt ziek, de geneeskunde is grote handel.'

'Ik denk dat geneeskunde geen handel is, maar een recht, mevrouw. Als arts ben ik verplicht te dienen, en ik hoop dat op een dag de gezondheidszorg voor elke Chileen binnen bereik is.'

'Bent u socialist?' vroeg mijn grootmoeder met een grimas van afkeer, want sinds het 'verraad' van mejuffrouw Matilde Pineda wantrouwde ze het socialisme.

'Ik ben arts, mevrouw Del Valle. Het enige dat ik belangrijk vind is mensen beter maken.'

Eind december 1898 kwamen we terug in Chili en we troffen een land aan dat volop in morele crisis verkeerde. Niemand, van de rijke grootgrondbezitters tot de schoolmeesters of de salpeterarbeiders, was tevreden met zijn lot of met de regering. De Chilenen leken te berusten in hun slechte eigenschappen, zoals drankzucht, luiheid en dieverij, en in de sociale kwalen, zoals de ergerlijke bureaucratie, de werkloosheid, de inefficiëntie van de rechtspraak en de armoede, die in schril contrast stond met de onbeschaamde pracht en praal van de rijken en een groeiende opgekropte woede veroorzaakte die zich van noord naar zuid uitbreidde. We konden ons Santiago niet zo smerig herinneren, met zoveel armoedige mensen, zoveel huurkazernes met kakkerlakken, zoveel kinderen die stierven voordat ze konden lopen. De pers beweerde dat het sterftecijfer in de hoofdstad gelijk was aan dat van Calcutta. Ons huis aan de Ejército Liberador was toevertrouwd aan twee straatarme verre tantes, afkomstig uit de vele verwanten die elke Chileense familie heeft, en een paar bedienden. De tantes zwaaiden er al twee jaar de scepter en ontvingen ons niet al te enthousiast, vergezeld door Caramelo, die inmiddels zo oud was dat hij me niet herkende. De tuin was een veld vol onkruid, de Moorse fonteinen waren dorstig, de salons roken als graftombes, in de keukens was het een zwijnenstal en onder de bedden lagen muizenkeutels, maar niets van dit alles bracht Paulina del Valle van haar stuk; zij was van plan de bruiloft van de eeuw te vieren en ze zou zich door niets, ook haar leeftijd, de hitte in Santiago of mijn eenzelvige karakter niet, laten tegenhouden. Ze had de zomermaanden, waarin iedereen naar de kust of het platteland vertrok, om het huis op orde te brengen, want in de herfst begon het intensieve sociale leven en moesten er voorbereidingen worden getroffen voor mijn trouwerij in september, het begin van de lente, de maand van de vaderlandsfeesten en de bruiden, precies een jaar na de eerste ontmoeting tussen Diego en mij. Frederick Williams zorgde ervoor dat er een regiment bouwvakkers, meubelmakers, tuinlieden en dienstmeisjes werd aangetrokken, die zich toelegden op de taak om die puinhoop op te knappen in het gebruikelijke Chileense tempo, dat wil zeggen, zonder al te veel haast. De zomer diende zich stoffig en heet aan, met zijn perzikgeur en het geschreeuw van de straatventers die luidkeels hun heerlijkheden van het seizoen aanprezen. Zij die konden gingen op vakantie naar het platteland of het strand; de stad leek dood. Severo del Valle kwam op bezoek met zakken groente, manden met fruit en goed nieuws over de wijngaarden; hij had een bruingebrande huid en was dikker geworden, maar hij was knapper dan ooit. Hij keek me met open mond aan, verbaasd dat ik hetzelfde meisje was van wie hij twee jaar daarvoor afscheid had genomen, hij liet me als een tol ronddraaien om me van alle kanten te bekijken, en zijn edelmoedige oordeel was dat ik wel iets van mijn moeder weg had. Mijn grootmoeder nam die opmerking zeer slecht op, over mijn verleden werd in haar bijzijn niet gesproken; voor haar begon mijn leven op mijn vijfde jaar, toen ik de drempel van haar grote huis in San Francisco overstak, al het voorgaande bestond niet. Nívea was met de kinderen op het landgoed gebleven, want ze stond weer op het punt te bevallen en was te zwaar om de reis naar Santiago te maken. De productie van de wijngaarden zag er goed uit voor dat jaar, ze wilden die voor de witte wijn in maart gaan oogsten en die voor de rode in april, vertelde Severo del Valle, en hij voegde eraan toe dat er een aantal totaal verschillende wijnstokken met blauwe druiven tussen de andere groeiden, die kwetsbaarder en gevoeliger voor ziekten waren en later rijpten. Al gaven ze een heerlijke vrucht, hij was van plan ze te rooien om problemen te voorkomen. Paulina del Valle was ineens een en al oor en in haar ogen zag ik het hebzuchtige lichtje dat meestal een winstgevend idee aankondigde.

'Zet die maar apart zodra het herfst is. Verzorg ze goed, volgend jaar maken we er een speciale wijn mee,' zei ze.

'Waarom zouden we ons daarmee bezighouden?' vroeg Severo.

'Als die druiven later rijp worden, zijn ze waarschijnlijk verfijnder en geconcentreerder. De wijn wordt vast veel beter.'

'We produceren al een van de beste wijnen van het land, tante.'

'Doe me dit plezier, neef, doe wat ik je vraag...' vroeg mijn grootmoeder op de zoetsappige toon die ze bezigde alvorens een bevel te geven.

Ik kon Nívea pas op de dag van mijn bruiloft zien, toen ze kwam met een nieuwe baby op de arm om me haastig de basisinformatie in te fluisteren die elke bruid vóór de wittebroodsweken moet weten en waarvoor niemand nog de moeite had genomen me die te geven. Mijn maagdelijkheid behoedde me echter niet voor de opwellingen van een instinctieve hartstocht die ik niet kon benoemen, ik dacht dag en nacht aan Diego en de gedachten waren niet altijd kuis. Ik verlangde naar hem, maar ik wist niet zo goed waarvoor. Ik wilde in zijn armen liggen, dat hij me kuste zoals hij een paar keer gedaan had, en hem naakt zien. Ik had nog nooit een man naakt gezien en – ik geef toe – de nieuwsgierigheid hield me uit mijn slaap. Dat was al wat ik wist; de rest was een mysterie. Nívea was met haar schaamteloze eerlijkheid de enige die me kon onderrichten, maar pas jaren later, toen de tijd en de mogelijkheid zich voordeden om onze vriendschap te verdiepen, zou zij me de geheimen over haar intieme samenzijn met Severo del Valle vertellen en zou ze me stikkend van het lachen tot in de details de standjes beschrijven die ze uit de boekencollectie van haar oom José Francisco Vegara had geleerd. Tegen die tijd had ik de onschuld al achter me gelaten, maar ik was zeer onwetend op erotisch gebied, zoals bijna alle vrouwen en ook de meerderheid van de mannen, volgens Nívea. 'Zonder de boeken van mijn oom had ik vijftien kinderen gekregen zonder te weten hoe,' zei ze. Haar adviezen, die mijn tantes de haren te berge hadden doen rijzen, bewezen me een grote dienst bij mijn tweede liefde, maar bij de eerste zou ik er niets aan hebben gehad.

Gedurende drie lange maanden kampeerden we in vier vertrekken van het huis aan de Ejército Liberador, naar adem snakkend van de hitte. Ik verveelde me niet, want mijn grootmoeder hervatte meteen haar liefdadigheidswerk, ondanks het feit dat alle leden van de Damesclub op zomervakantie waren. Tijdens haar afwezigheid was de discipline verslapt en zij moest de teugels van de compulsieve compassie weer in handen nemen; we gingen weer zieken, weduwen en krankzinnigen bezoeken, eten uitdelen en toezicht houden op de leningen aan arme vrouwen. Dit idee, waar zelfs de kranten spottend over deden omdat niemand dacht dat de begunstigden – allemaal in de laatste fase van de armoede – het geld zouden terugbetalen, bleek zo goed te werken dat de regering besloot het over te nemen. De vrouwen betaalden niet alleen nauwgezet het geld in maandelijkse termijnen terug, maar sprongen zelfs voor elkaar in, zodat wanneer er een niet kon betalen, de anderen dat voor haar deden. Ik geloof dat Paulina del Valle het idee kreeg om rente te innen en van de liefdadigheid een handel te maken, maar ik onderbrak haar bruusk. 'Alles heeft zijn grenzen, grootmoeder, zelfs de hebzucht,' wees ik haar terecht. Vanwege mijn hartstochtelijke correspondentie met Diego Domínguez hield ik altijd de post in de gaten. Ik ontdekte dat ik per brief in staat was uit te drukken wat ik onder vier ogen nooit zou durven zeggen; het geschreven woord is immens bevrijdend. Ik betrapte mezelf erop dat ik liefdespoëzie las in plaats van de romans waar ik vroeger zo van hield; als een dode dichter aan de andere kant van de wereld mijn gevoelens zo treffend kon beschrijven, moest ik nederig aanvaarden dat mijn liefde niet uitzonderlijk was, ik had niets nieuws uitgevonden, iedereen wordt op dezelfde manier verliefd. Ik stelde me mijn verloofde te paard voor, galopperend over zijn landerijen als een legendarische held met krachtige schouders, nobel, sterk en knap, een flinke kerel in wiens armen ik veilig zou zijn; hij zou me gelukkig maken, me bescherming, kinderen, eeuwige liefde geven. Ik zag een donzige, suikerzoete toekomst voor me waarin we voor eeuwig omarmd zouden rondzweven. Hoe rook het lichaam van de man die ik liefhad? Naar humus, zoals de bossen waar hij vandaan kwam, of naar het zoete aroma van bakkerijen, of misschien naar zeewater, net als die vluchtige geur die me sinds mijn kindertijd in mijn dromen verraste. Plotseling werd de behoefte Diego te ruiken zo dwingend als een hevige dorstaanval en ik vroeg hem per brief mij een van zijn halsdoekjes of een van zijn ongewassen overhemden te sturen. De antwoorden van mijn verloofde op die hartstochtelijke brieven waren rustige verslagen van het plattelandsleven – de koeien, het graan, de druiven, de regenloze zomerhemel – en spaarzame opmerkingen over zijn familie. Hij stuurde me uiteraard nooit een van zijn sjaaltjes of overhemden. In de laatste regels herinnerde hij me eraan hoeveel hij van me hield en hoe gelukkig we zouden worden in het koele, kleistenen huis met dakpannen dat zijn vader voor ons op hun landgoed bouwde, zoals hij dat eerder had gedaan voor zijn broer Eduardo, toen die met Susana trouwde, en zoals hij zou doen voor zijn zus Adela als zij zou trouwen. Generaties lang had de familie Domínguez bij elkaar gewoond; de liefde voor Jezus, de band tussen broers en zussen, het respect voor de ouders en het zware werk, zei hij, waren het fundament onder zijn familie.

Hoe vaak ik ook schreef en zuchtend verzen las, ik had tijd te veel, dus keerde ik terug naar de studio van don Juan Ribero, liep de stad door om foto's te maken en werkte 's avonds in de doka die ik thuis had gemaakt. Ik was aan het experimenteren met platinadruk, een nieuwe techniek die prachtige afbeeldingen oplevert. Het procédé is simpel, hoewel duurder, maar mijn grootmoeder droeg de kosten. Het papier wordt met een platinaoplossing ingesmeerd en het resultaat zijn lichte, heldere afbeeldingen in subtiele grijstonen met een grote scherptediepte, die niet vergelen. Er zijn tien jaar verstreken, en dat zijn nog altijd de meest bijzondere foto's uit mijn collectie. Als ik ze zie, doemen er veel herinneringen voor me op met dezelfde zuivere scherpte als die platina-afdrukken. Ik kan mijn grootmoeder Paulina zien, Severo, Nívea, vrienden en verwanten, en ook kan ik mezelf bekijken zoals ik toen was, kort voordat de gebeurtenissen mijn leven zouden veranderen.

Bij het aanbreken van de tweede dinsdag in maart zag het huis er piekfijn uit: het had een moderne gasinstallatie, een telefoon en een lift voor mijn grootmoeder, uit New York overgekomen behang en gloednieuwe bekleding op de meubels; het parket was in de was gezet, de bronssculpturen waren gepoetst, de ramen gewassen en de collectie impressionistische schilderijen hing in de salons. Er was een nieuwe lichting bedienden in uniform onder leiding van een Argentijnse butler, die Paulina del Valle bij Hotel Crillón had weggehaald door hem het dubbele te betalen.

'We zullen kritiek krijgen, grootmoeder. Niemand heeft een butler, dit is patserig,' waarschuwde ik haar.

'Maakt niet uit. Ik weiger het op te nemen tegen Mapuche-indiaansen op slippers die haar in mijn soep gooien en de borden op tafel smijten,' antwoordde ze, vastbesloten de hoofdstedelijke jetset in het algemeen en de familie van Diego Domínguez in het bijzonder te imponeren.

De nieuwe bedienden kwamen dus bij de oude dienstmeisjes die al jaren in huis waren en natuurlijk niet ontslagen konden worden. Er was zoveel bedienend personeel dat het werkeloos rondliep en over elkaar heen viel, en de roddels en kwaadsprekerijen waren zo talrijk dat Frederick Williams uiteindelijk ingreep om orde op zaken te stellen, aangezien de Argentijn niet wist waar hij moest beginnen. Dat zorgde voor commotie; het was nog nooit vertoond dat de heer des huizes zich tot huishoudelijk niveau verlaagde, maar hij deed het perfect; zijn langdurige ervaring in het vak was toch ergens goed voor. Ik denk niet dat Diego Domínguez en zijn familie, het eerste bezoek dat we kregen, de stijlvolle bediening konden waarderen, integendeel, ze voelden zich ongemakkelijk bij al die weelde. Ze behoorden tot een oude dynastie van grootgrondbezitters in het zuiden, maar in tegenstelling tot de meeste landeigenaren in Chili, die twee maanden op hun landerijen waren en de rest van de tijd in Santiago of Europa van hun opbrengsten leefden, werden zij geboren op het platteland, groeiden er op en stierven er. Het waren zwaar katholieke, eenvoudige mensen met een degelijke familietraditie, zonder ook maar iets van het raffinement dat mijn grootmoeder aan den dag legde en dat zij vast enigszins decadent en weinig christelijk vonden. Het viel me op dat ze allemaal blauwe ogen hadden, behalve Susana, Diego's schoonzuster, een donkere schone met een lusteloos uiterlijk, als een Spaans schilderij. Aan tafel werden ze in de war gebracht door de hoeveelheid bestek en de zes glazen, geen van hen proefde de eend in sinaasappelsaus en ze schrokken een beetje toen het in vuur en vlam staande nagerecht kwam. Toen ze de stoet aan geüniformeerde bedienden zag, vroeg Diego's moeder, doña Elvira, waarom er zoveel militairen in het huis rondliepen. Ze bleven verdwaasd voor de impressionistische schilderijen staan, in de overtuiging dat ik die kliederwerken geschilderd had en dat mijn grootmoeder ze uit louter enthousiasme aan de muur hing, maar ze waardeerden het korte concert voor harp en piano dat we in de muzieksalon aanboden. Het gesprek liep telkens dood bij de tweede zin, totdat de fokstieren aanleiding gaven voor een gesprek over de voortplanting van het vee, hetgeen Paulina del Valle buitengewoon interesseerde. Met het oog op het aantal koeien dat ze bezaten, was ze ongetwijfeld van plan samen met hen een kaasindustrie op te zetten. Als ik al enige twijfels had omtrent mijn toekomstige leven op het platteland bij de stam van mijn verloofde, dan werden die door dit bezoek weggenomen. Ik was weg van die ouderwetse, aardige boeren zonder pretenties, van de blozende en goedlachse vader, de zo onschuldige moeder, de vriendelijke, mannelijke oudere broer, de mysterieuze schoonzus en de jonge zus met de vrolijkheid van een kanariepietje, die allemaal de dagenlange reis hadden gemaakt om mij te leren kennen. Ze namen me als vanzelfsprekend op, en ik weet zeker dat ze enigszins van hun stuk gebracht waren door onze levensstijl, maar ze bekritiseerden ons niet, want ze leken niet in staat tot een slechte gedachte. Aangezien Diego mij had uitgekozen, beschouwden ze me als een deel van hun familie, dat was voor hen voldoende. Hun eenvoud stelde mij in staat me te ontspannen, iets dat zelden gebeurt bij vreemden, en na een poosje zat ik met ieder van hen te praten, te vertellen over mijn reis naar Europa en mijn liefde voor de fotografie. 'Laat mij uw foto's eens zien, Aurora,' vroeg doña Elvira, maar toen ik dat deed kon ze haar teleurstelling niet verbergen. Ik geloof dat ze iets opbeurenders verwachtte dan stakende arbeiders, huurkazernes, haveloze, in de goot spelende kinderen, gewelddadige volksopstanden, bordelen, lijdzaam op hun bagage gezeten emigranten in een scheepsruim. 'Maar kindlief, waarom maakt u geen mooie foto's, waarom begeeft u zich op die godverlaten plaatsen? Er zijn zoveel prachtige landschappen in Chili...' mompelde de brave vrouw. Ik wilde haar uitleggen dat mooie dingen me niet interesseerden, maar juist die door inspanning en ellende geharde gezichten, maar ik begreep dat het niet het geschikte moment was. Er zou nog tijd genoeg zijn om mezelf aan mijn toekomstige schoonmoeder en de rest van de familie te laten zien.

'Waarom liet je ze die foto's zien? De familie Domínguez is van de oude stempel, je had ze niet moeten laten schrikken met je moderne ideeën, Aurora,' verweet Paulina del Valle me toen ze weg waren.

'Ze waren toch al geschrokken van de luxe van dit huis en de impressionistische schilderijen, denkt u niet, grootmoeder? Bovendien moeten Diego en zijn familie weten wat voor vrouw ik ben,' antwoordde ik.

'Je bent nog geen vrouw, maar een meisje. Je zult veranderen, kinderen krijgen, je zult je moeten aanpassen aan het milieu van je echtgenoot.'

'Ik zal altijd dezelfde blijven, en ik wil het fotograferen niet opgeven. Dit is niet hetzelfde als de aquarellen van Diego's zus of het borduurwerk van zijn schoonzus, het is een essentieel onderdeel van mijn leven.'

'Prima, trouw eerst maar en doe daarna waar je zin in hebt,' besloot mijn grootmoeder.

We wachtten niet tot september, zoals gepland was, maar moesten half april trouwen omdat doña Elvira een lichte hartaanval kreeg en een week later, toen ze voldoende hersteld was om een paar stapjes alleen te zetten, haar wens te kennen gaf me als echtgenote van haar zoon Diego te zien alvorens naar de andere wereld te vertrekken. De rest van de familie ging akkoord, want als de vrouw ertussenuit zou piepen zou de trouwerij minstens een jaar moeten worden uitgesteld om de gebruikelijke rouwperiode in acht te nemen. Mijn grootmoeder legde zich erbij neer dat de zaken moesten worden bespoedigd en ze de vorstelijke ceremonie die ze voor ogen had moest vergeten, en ik haalde opgelucht adem, want het idee me aan de ogen van half Santiago bloot te stellen terwijl ik aan de arm van Frederick Williams of Severo del Valle de kathedraal binnenliep onder een berg witte organdie, zoals mijn grootmoeder wilde, maakte me zeer nerveus.

Wat kan ik zeggen over de eerste liefdesontmoeting met Diego Domínguez? Weinig, want het geheugen drukt in zwart-wit af; de grijstonen gaan onderweg verloren. Misschien was het niet zo ellendig als ik me herinner, maar de nuances ben ik vergeten, ik heb er alleen een algeheel gevoel van frustratie en woede aan overgehouden. Na de besloten bruiloft in het huis aan de Ejército Liberador gingen we naar een hotel om er die nacht door te brengen, alvorens voor twee weken op huwelijksreis naar Buenos Aires te vertrekken, omdat het vanwege de precaire gezondheid van doña Elvira niet mogelijk was ver weg te gaan. Toen ik afscheid nam van mijn grootmoeder, voelde ik dat er aan een deel van mijn leven definitief een einde kwam. Toen ik haar omhelsde, merkte ik hoeveel ik van haar hield en hoe nietig ze was geworden: haar kleren hingen om haar lijf en ik stak een halve kop boven haar uit; ik had het voorgevoel dat ze niet al te lang meer te leven had, ze zag er klein en kwetsbaar uit, een oudje met een bevende stem en weke knietjes. Aan haar zijde leek Frederick Williams haar zoon, want de jaren deerden hem niet, alsof hij immuun was voor de aftakeling van normale stervelingen. Tot op de dag voor de bruiloft bleef de beste oom Frederick me achter de rug van mijn grootmoeder om vragen niet te trouwen als ik er niet zeker van was, en elke keer antwoordde ik dat ik nooit ergens zekerder van was geweest. Ik had geen twijfels over mijn liefde voor Diego Domínguez. Naarmate het moment van de bruiloft naderbij kwam, nam mijn ongeduld toe. Ik bekeek mezelf in de spiegel, naakt of amper bedekt door de tere kanten nachthemden die mijn grootmoeder in Frankrijk had gekocht, en vroeg me in spanning af of hij me soms mooi zou vinden. Een moedervlek in mijn hals of donkere tepels leken me verschrikkelijke gebreken. Zou hij net zo naar mij verlangen als ik naar hem? Ik kwam daar die eerste nacht in het hotel achter. We waren moe, hadden veel gegeten, hij had een glaasje te veel op en ook ik had drie glazen champagne achter de kiezen. We liepen zogenaamd achteloos het hotel binnen, maar het spoor van rijst dat we op de vloer achterlieten, verried dat we pas getrouwd waren. Mijn schaamte voor het alleenzijn met Diego en daarbij het idee te hebben dat buiten de kamer iemand zich voorstelde dat wij de liefde bedreven, was zo groot dat ik me misselijk in de badkamer opsloot, totdat een flinke poos later mijn kersverse echtgenoot zachtjes op de deur klopte om te kijken of ik nog leefde. Hij nam me aan de hand mee de kamer in, hielp me de ingewikkelde hoed af te zetten, haalde de spelden uit mijn knot, bevrijdde me uit mijn zeemleren jasje, knoopte de talloze parelknoopjes van mijn blouse los, maakte de zware rok en de onderrokken los, totdat ik nog slechts in het dunne batisten hemdje stond dat ik onder het korset droeg. Naarmate hij me van mijn kleren ontdeed, voelde ik me verdampen als water, ik ging in rook op, ik werd gereduceerd tot enkel een skelet en lucht. Diego kuste me op de lippen, echter niet zoals ik me de voorgaande maanden vaak had voorgesteld, maar krachtig en haastig; vervolgens werd de kus nog dwingender terwijl zijn handen aan mijn hemd trokken, dat ik probeerde aan te houden omdat ik gruwde bij het vooruitzicht dat hij me naakt zou zien. De jachtige liefkozingen en de openbaring van zijn lichaam tegen het mijne drukten me in de verdediging, ik was zo gespannen dat ik rilde, alsof ik het koud had. Hij vroeg me geërgerd wat er met me was en zei dat ik moest proberen me te ontspannen, maar toen hij zag dat dat de zaken nog erger maakte, veranderde hij van toon, zei dat ik niet bang moest zijn en beloofde voorzichtig te zijn. Hij blies de lamp uit en kreeg het op de een of andere manier voor elkaar me naar het bed te leiden; de rest ging haastig. Ik deed niets om hem te helpen. Ik bleef bewegingloos liggen als een kip onder hypnose, vergeefs pogend me Nívea's adviezen te herinneren. Op een zeker moment doorboorde zijn lans me, ik kon een gil onderdrukken en proefde een bloedsmaak in mijn mond. De scherpste herinnering aan die nacht was de ontgoocheling. Was dat de passie waaraan de dichters zoveel inkt verspilden? Diego troostte me door te zeggen dat de eerste keer altijd zo was, mettertijd zouden we elkaar leren kennen en zou alles beter gaan, waarna hij me een kuise kus op het voorhoofd gaf, zonder verder een woord zijn rug naar me toe draaide en als een baby in slaap viel, terwijl ik in het duister wakker lag met een doek tussen mijn benen en een brandende pijn in mijn buik en in mijn ziel. Ik was te naïef om de reden van mijn frustratie te kunnen weten, ik kende het woord orgasme niet eens, maar ik had mijn lichaam verkend en wist dat ergens het seismische genot dat het leven op zijn kop kon zetten verborgen zat. Diego had het gevoeld toen hij in mij was, dat was duidelijk, maar ik had alleen maar beklemming ervaren. Ik voelde me slachtoffer van een enorme biologische onrechtvaardigheid: voor de man was seks eenvoudig – hij kon het zelfs onder dwang hebben – terwijl het voor ons zonder genot was en ernstige gevolgen had. Zou je aan de goddelijke vloek van het pijnlijke bevallen ook die van het genotloze beminnen moeten toevoegen?

Toen Diego de volgende ochtend wakker werd, had ik me al lang daarvoor aangekleed en besloten naar huis terug te keren en mijn toevlucht te zoeken in de veilige armen van mijn grootmoeder, maar de frisse lucht en de lange wandeling door de straten van het centrum, bijna verlaten op dat zondagse uur, kalmeerden me. Mijn vagina, waarin ik nog steeds de aanwezigheid van Diego voelde, brandde, maar bij elke stap verdween mijn woede, en ik maakte me gereed om de toekomst als een vrouw en niet als een verwende snotneus het hoofd te bieden. Ik was me ervan bewust hoe vertroeteld ik de negentien jaar van mijn leven geweest was, maar die periode had ik afgesloten; de afgelopen nacht was ik ingewijd in het bestaan als getrouwde vrouw en ik moest volwassen handelen en denken, besloot ik, terwijl ik mijn tranen wegslikte. De verantwoordelijkheid om gelukkig te worden lag helemaal bij mij. Mijn echtgenoot zou me niet het eeuwige geluk als een in zijde ingepakt cadeau aandragen, ik moest er van dag tot dag aan werken met intelligentie en inzet. Gelukkig hield ik van die man en geloofde ik, zoals hij me verzekerd had, dat met tijd en oefening de dingen tussen ons veel beter zouden gaan. Arme Diego, dacht ik, hij moet net zo teleurgesteld zijn als ik. Ik liep terug naar het hotel om de koffers dicht te doen en op huwelijksreis te gaan.

Het landgoed Caleufú, dat in het mooiste gebied van Chili lag, een landschap met dichtbegroeid, koel woud, vulkanen, meren en rivieren, had de familie Domínguez toebehoord sinds de koloniale periode, toen het land bij de

Spaanse verovering onder de gedistingeerde edelmannen werd verdeeld. De familie had haar rijkdom uitgebreid door van de indianen meer land te kopen tegen de prijs van een paar flessen brandewijn, tot ze een van de meest welvarende haciënda's in de regio hadden. Het landgoed was nooit opgesplitst; volgens de traditie werd het in zijn geheel geërfd door de oudste zoon, die de plicht had zijn broers werk te verschaffen of te ondersteunen, zijn zussen te onderhouden en een bruidsschat mee te geven en voor de pachters te zorgen. Mijn schoonvader, don Sebastián Domínguez, was een van die mensen die hebben gedaan wat er van hen verwacht wordt; hij werd oud met een rustig geweten en was dankbaar voor de beloningen die het leven hem had gegeven, vooral de genegenheid van zijn vrouw, doña Elvira. In zijn jeugd was hij een rotzak geweest, dat zei hij zelf lachend, en het bewijs daarvan waren verscheidene boeren op zijn landgoed met blauwe ogen, maar de zachte maar ferme hand van doña Elvira had hem langzaam getemd zonder dat hij het doorhad. Hij nam zijn rol van patriarch bereidwillig op zich; de pachters kwamen allereerst naar hem met hun problemen, want zijn twee zoons, Eduardo en Diego, waren strenger en doña Elvira deed buiten de muren van het huis haar mond niet open. Het geduld dat don Sebastián met de pachters toonde, die hij als enigszins achtergebleven kinderen behandelde, sloeg om in strengheid wanneer hij met zijn zoons te maken had. 'We zijn zeer bevoorrecht, daarom hebben we ook meer verantwoordelijkheden. Voor ons bestaan er geen verontschuldigingen of uitvluchten, wij moeten onze verplichtingen aan God nakomen en onze mensen helpen, daarvan zullen we in de hemel rekenschap moeten afleggen,' zei hij. Hij moet rond de vijftig geweest zijn, maar hij zag er jonger uit omdat hij een zeer gezond leven leidde: hij ging de hele dag te paard zijn landerijen af, hij stond als eerste op en ging als laatste naar bed, hij was aanwezig bij het dorsen, het temmen, het bijeendrijven van de dieren, hij hielp zelf bij het merken en castreren van het vee. Hij begon de dag met een kop zwarte koffie met zes scheppen suiker en een scheutje brandy; daarmee had hij energie voor het werk op het land tot twee uur 's middags, wanneer hij in gezelschap van de familie vier gangen en drie nagerechten met flink wat wijn wegspoelde. We waren niet met velen in dat enorme landhuis; het grootste verdriet van mijn schoonouders was dat ze slechts drie kinderen hadden gekregen. God had het zo gewild, zeiden ze. Tegen het avondeten kwam iedereen die de hele dag overal verspreid met verschillende dingen bezig was geweest bij elkaar, niemand mocht ontbreken. Eduardo en Susana woonden met hun drie kinderen in een ander huis, voor hen gebouwd op tweehonderd meter van het grote huis, maar daar werd alleen het ontbijt bereid, de andere maaltijden werden bij mijn schoonouders aan tafel gegeten. Vanwege het feit dat ons huwelijk vervroegd was, was het huis voor Diego en mij nog niet klaar en woonden we in een vleugel van het huis van mijn schoonouders. Don Sebastián ging altijd aan het hoofd van de tafel zitten op een hogere en fijner bewerkte zetel; aan de andere kant had doña Elvira haar plaats en aan weerszijden zaten verspreid de kinderen met hun vrouwen, twee tantes die weduwe waren, een aantal neven en nichten of naaste verwanten, een grootmoeder die zo oud was dat ze haar met de fles moesten voeden, en de genodigden, die nooit ontbraken. Aan tafel werden extra plaatsen ingeruimd voor de gasten, die vaak onverwacht binnenvielen en soms wekenlang bleven. Ze waren altijd welkom, want in het afgezonderde plattelandsleven was bezoek de grootste afleiding. Verder naar het zuiden woonden een paar Chileense families omsloten door indianengebieden, en ook Duitse kolonisten, zonder wie de regio zo goed als woest was gebleven. Er waren verscheidene dagen voor nodig om de landgoederen van de familie Domínguez, die tot de grens met Argentinië reikten, te paard af te lopen. 's Avonds werd er gebeden en de kalender werd beheerst door religieuze feestdagen, die strikt maar vreugdevol werden nageleefd. Mijn schoonouders beseften dat ik met zeer beperkt katholiek onderricht was opgevoed, maar we hadden in dat opzicht geen problemen, want ik was zeer respectvol jegens hun geloofsovertuigingen en zij probeerden me die niet op te leggen. Doña Elvira legde me uit dat het geloof een godsgeschenk is: 'God roept jouw naam, Hij kiest je uit.' Dat bevrijdde me in hun ogen van schuld; God had mijn naam weliswaar nog niet geroepen, maar als Hij mij in zo'n christelijke familie had geplaatst, was dat omdat Hij dat snel zou doen. Mijn enthousiasme om haar bij haar liefdadigheidswerk onder de pachters te helpen compenseerde mijn beperkte geloofsijver; ze dacht dat het meelevendheid was, een teken van mijn goede inborst, ze wist niet dat het was vanwege mijn training in de Damesclub van mijn grootmoeder en mijn prozaïsche interesse om de landarbeiders te leren kennen en ze te fotograferen. Buiten don Sebastián, Eduardo en Diego, die intern waren opgeleid aan een goede school en de verplichte reis naar Europa hadden gemaakt, had niemand in die contreien een idee van hoe groot de wereld was. Romans werden in dat huis niet toegestaan, ik denk dat don Sebastián de fut niet had om ze te censureren en hij om te voorkomen dat iemand er een van de zwarte lijst van de Kerk zou lezen er liever korte metten mee maakte en ze allemaal van de hand wees. De kranten kwamen zo laat dat ze geen nieuws, maar geschiedenis brachten. Doña Elvira las haar gebedsboeken en Adela, de jongere zus van Diego, bezat een paar poëziebundels, wat biografieën van historische figuren en reisverslagen, die ze telkens weer herlas. Later ontdekte ik dat ze thrillers bemachtigde, de kaften ervan losscheurde en ze verving door die van de door haar vader toegestane boeken. Toen mijn hutkoffers en kisten uit Santiago arriveerden en er honderden boeken te voorschijn kwamen, vroeg doña Elvira me op haar gebruikelijke zachtaardige manier of ik ze niet aan de rest van de familie wilde laten zien. Elke week stuurde mijn grootmoeder of Nívea me leesmateriaal, dat ik op mijn kamer bewaarde. Mijn schoonouders zeiden er niets van, erop vertrouwend, veronderstel ik, dat die slechte gewoonte wel zou verdwijnen wanneer ik kinderen zou krijgen en ik niet zoveel ledige uren over zou hebben, zoals het geval was met mijn schoonzus Susana, die drie prachtige maar zeer verwende kinderen had. Ze maakten echter geen bezwaar tegen de fotografie, wellicht omdat ze vermoedden dat het erg moeilijk zou zijn me op dat punt te doen zwichten, en hoewel ze nooit nieuwsgierig waren naar mijn werk, wezen ze me een kamer achter in het huis toe waarin ik mijn donkere kamer kon maken.

Ik was opgegroeid in de stad, in de gerieflijke en kosmopolitische sfeer van mijn grootmoeders huis, met veel meer vrijheid dan welke Chileense ook, toen en nu, want hoewel we aan het einde komen van het eerste decennium van de twintigste eeuw, zijn de zaken er voor de meisjes in deze contreien niet veel op vooruitgegaan. De verandering van levensstijl toen ik in de schoot van de familie Domínguez belandde, was enorm, al deden zij al het mogelijke om me op mijn gemak te stellen. Ze behandelden me uitstekend, ik leerde makkelijk van hen te houden; hun liefde compenseerde het gereserveerde en dikwijls stugge karakter van Diego, die in het openbaar als een broer met me omging maar als we alleen waren nauwelijks tegen me sprak. De eerste weken dat ik me probeerde aan te passen waren zeer boeiend. Don Sebastián gaf me een schitterende zwarte merrie met een witte ster op het voorhoofd cadeau, en Diego stuurde me met een opzichter het landgoed op om de arbeiders en de buren te leren kennen, die zo ver weg woonden dat elk bezoek drie of vier dagen in beslag nam. Daarna liet hij me vrij. Mijn echtgenoot ging met zijn broer en zijn vader aan het werk op het land en op jacht, soms kampeerden ze dagenlang buiten. Ik kon niet tegen de verveling in het huis, waar de kinderen van Susana eindeloos vertroeteld moesten worden, waar lekkernijen en conserven bereid moesten worden, waar moest worden gepoetst en gelucht, genaaid en geweven; wanneer ik klaar was met school of mijn liefdadigheidswerk op het landgoed gedaan had, trok ik een broek van Diego aan en vertrok in galop. Mijn schoonmoeder had me gewaarschuwd niet schrijlings, als een man, op het paard te zitten, want dan zou ik 'vrouwelijke problemen' krijgen, een eufemisme dat ik nooit helemaal heb kunnen doorgronden, maar niemand kon in amazonezit paardrijden in die omgeving van heuvels en steile rotsen zonder bij een val zijn hoofd open te splijten. Het landschap was adembenemend, het verraste me bij elke bocht, het verwonderde me. Ik reed de heuvels op en af naar de dichte bossen, een paradijs van lariksen, laurier- en kaneelbomen, *mañío*, mirten en stokoude apenbomen, exclusieve houtsoorten die de familie Domínguez in haar zagerijen exploiteerde. Ik raakte bedwelmd door de geur van het vochtige woud, dat sensuele aroma van rode aarde, plantensap en wortels; door de rust van de dichte begroeiing, bewaakt door die zwijgende groene reuzen; door het mysterieuze ritselen van het bos: gezang van onzichtbare wateren, gedans van de wind rond de takken, gemurmel van wortels en insecten, gekoer van de zachtmoedige houtduiven en geschreeuw van de luidruchtige *chimango's*. De paden kwamen uit op de zagerij en verderop moest ik me een weg banen door de dichte begroeiing, vertrouwend op het instinct van mijn merrie, wier benen wegzakten in een oliekleurige modder, dik en geurig als plantensap. Het licht viel in heldere, bijna tastbare stralen door de enorme koepel van bomen, maar er waren ijzige stukken waar de poema's zich schuilhielden en me met hun vlammende ogen begluurden. Ik droeg een aan mijn zadel bevestigd geweer bij me, maar in geval van nood zou ik geen tijd hebben het te voorschijn te halen, en ik zou toch nooit geschoten hebben. Ik fotografeerde de oude bossen, de meren met zwarte stranden, de onstuimige rivieren met tinkelende stenen en de onstuimige vulkanen die de horizon bekroonden als slapende draken in torens van as. Ook nam ik foto's van de pachters van het landgoed, die ik hun later als geschenk bracht en die zij beduusd in ontvangst namen, zonder te weten wat te doen met die afbeeldingen van zichzelf waar ze niet om hadden gevraagd. Hun door de weersomstandigheden en de armoede verweerde gezichten fascineerden me, maar zij zagen zichzelf niet graag zo, precies zoals ze waren, in hun lompen met het leed op hun schouders; ze wilden met de hand ingekleurde portretten waarop ze poseerden in het enige pak dat ze hadden, het trouwpak, goed gewassen en gekamd, met hun kinderen zonder snottebellen.

'S Zondags werd het werk neergelegd en waren er missen – wanneer we een priester hadden – of 'missies', die de vrouwen van de familie uitvoerden door de pachters thuis te bezoeken om hun de catechismus te onderwijzen. Zo bestreden ze met cadeautjes en vasthoudendheid de indiaanse geloofsovertuigingen, die met de christelijke heiligen verstrengeld raakten. Ik deed niet mee aan de religieuze preken, maar ik maakte van de gelegenheid gebruik om mezelf aan de boeren voor te stellen. Velen van hen waren volbloed indianen die nog woorden uit hun eigen taal gebruikten en hun tradities levend hielden; anderen waren mestiezen, allemaal bescheiden en verlegen onder normale omstandigheden, maar agressief en luidruchtig als ze dronken. De alcohol was een bittere balsem, die een paar uur lang de aardse smart van alledag verlichtte, maar als een vijandige rat hun ingewanden aanvrat. De zuip- en vechtpartijen met steekwapens werden beboet, evenals andere overtredingen, zoals zonder toestemming een boom omhakken of de eigen dieren los laten lopen buiten de ieder toegewezen halve *cuadra* voor eigen gewassen. Op diefstal of brutaal gedrag tegen superieuren stonden stokslagen, maar don Sebastián had een afkeer van lijfstraffen; hij had eveneens het *droit du seigneur* afgeschaft, een oude traditie uit de koloniale tijd, die de bazen toestemming gaf de dochters van de boeren te ontmaagden voordat ze trouwden. Hijzelf had het in zijn jeugd gedaan, maar nadat doña Elvira op het landgoed was gekomen, was het afgelopen met die vrijheden. Zij keurde ook het bordeelbezoek in de aangrenzende dorpen af en stond erop dat haar eigen kinderen jong zouden trouwen, zodat ze niet in de verleiding konden komen. Eduardo en Susana hadden dat zes jaar geleden gedaan, toen ze allebei twintig waren, en voor Diego, destijds zeventien, hadden ze een meisje uit de familie aangewezen, maar ze verdronk in het meer voordat de verloving een feit was. Eduardo, de oudste broer, was jovialer dan Diego, hij had talent voor moppen tappen en zingen, kende alle legendes en verhalen uit de regio, hij hield van gesprekken en hij kon luisteren. Hij was smoorverliefd op Susana, zijn ogen lichtten op wanneer hij haar zag en hij verloor nooit zijn geduld bij haar wispelturige stemmingen. Mijn schoonzus had last van hoofdpijnaanvallen waardoor ze een verschrikkelijk humeur kreeg; dan sloot ze zich op in haar kamer, at niet en mocht om geen enkele reden gestoord worden, maar wanneer haar klachten over waren, dook ze volledig hersteld weer op, glimlachend en liefdevol; ze leek een andere vrouw. Ik kwam erachter dat ze alleen sliep en dat haar echtgenoot noch haar kinderen zonder uitnodiging haar kamer binnengingen, de deur was altijd op slot. De familie was gewend aan haar migraineaanvallen en depressies, maar haar verlangen naar privacy vonden ze bijna een belediging, net zoals ze het vreemd vonden dat ik niemand zonder toestemming binnenliet in de kleine donkere kamer waar ik mijn foto's ontwikkelde, hoewel ik hun had uitgelegd hoeveel schade een lichtstraaltje aan mijn negatieven kon toebrengen. In Caleufú waren geen afsluitbare deuren of werkkamers, behalve de voorraadkelders en de kluis in het kantoor. Er werden uiteraard kruimeldiefstalletjes gepleegd, maar die hadden niet al te ernstige gevolgen, want over het algemeen kneep don Sebastián een oogje toe. 'Die mensen zijn erg onwetend, ze stelen niet uit slechtheid of uit noodzaak, het is een verkeerde gewoonte van ze,' zei hij, hoewel de pachters in werkelijkheid behoeftiger waren dan de baas toegaf. De boeren waren vrij, maar in de praktijk hadden ze generaties lang in dat gebied gewoond en het kwam niet in hen op dat het anders kon zijn, ze hadden geen plek om heen te gaan. Er werden er maar weinig oud. Veel kinderen stierven jong aan darminfecties, rattenbeten en longontsteking, de vrouwen tijdens de bevalling en aan de tering, de mannen door ongelukken, ontstoken wonden en alcoholvergiftiging. Het dichtstbijzijnde ziekenhuis, waar een zeer gerenommeerde Beierse arts zat, behoorde de Duitsers toe, maar de reis werd alleen gemaakt bij spoedeisende gevallen; de kleinere kwalen werden behandeld met natuurgeheimen, gebed en de hulp van de meica's, de indiaanse genezeressen, die de kracht van de regionale planten beter kenden dan wie ook.

Eind mei viel de winter zonder verzachtende omstandigheden in, met zijn regengordijn dat als een geduldige wasvrouw het landschap schoonspoelde en met zijn vroeg invallende duisternis, waardoor we gedwongen waren om vier uur 's middags naar huis terug te keren en waardoor de avonden eeuwig duurden. Ik kon niet meer mijn lange ritten maken of de mensen op het landgoed fotograferen. We waren geïsoleerd, de wegen waren een modderpoel, niemand kwam op bezoek. Ik vermaakte me door in de donkere kamer met verschillende ontwikkeltechnieken te experimenteren en door foto's van de familie te maken. Ik ontdekte langzaam aan dat alles wat bestaat met elkaar verband houdt, onderdeel is van een compact plan; wat op het eerste gezicht een wirwar van toevalligheden lijkt, openbaart zich voor het minutieuze oog van de camera in al zijn perfecte symmetrie. Niets is toevallig, niets is banaal. Net als in de ogenschijnlijk plantaardige chaos van het bos bestaat er een nauwe relatie tussen oorzaak en gevolg, op elke boom zijn er honderden vogels, op elke vogel zijn er duizenden insecten, op elk insect zijn er duizenden organische deeltjes; op dezelfde wijze zijn de boeren tijdens hun werk of de familie die beschut tegen de winter binnenzit onmisbare onderdelen van een enorm fresco. Het wezenlijke is vaak onzichtbaar; het oog neemt het niet waar, alleen het hart, maar de camera vangt soms sprankjes van die substantie op. Dat probeerde meester Ribero in zijn kunst te verkrijgen en dat wilde hij mij graag leren: het louter documentaire overstijgen en doordringen tot de kern, de pure ziel van de werkelijkheid. Die subtiele verbanden die op het fotopapier te voorschijn kwamen, raakten me diep en stimuleerden me om door te gaan met experimenteren. Tijdens de winterse opsluiting werd mijn nieuwsgierigheid groter; naarmate de omgeving verstikkender en benepener werd met het overwinteren tussen die dikke kleistenen muren, werd mijn geest onrustiger. Ik ging obsessief de inhoud van het huis en de geheimen van zijn inwoners verkennen. Ik onderzocht de huiselijke omgeving met nieuwe ogen, alsof ik die voor het eerst zag, zonder iets als vanzelfsprekend te beschouwen. Ik liet me door mijn intuïtie leiden en liet vooroordelen varen. 'We zien alleen wat we willen zien,' zei don Juan Ribero altijd, en hij voegde eraan toe dat het mijn werk moest zijn om te laten zien wat niemand eerder gezien heeft. In het begin poseerde de familie Domínguez met een geforceerde glimlach, maar al snel raakten ze gewend aan mijn stille aanwezigheid en uiteindelijk negeerden ze de camera; toen kon ik hen onopgemerkt vastleggen, precies zoals ze waren. De regen spoelde de bloemen en blaadjes weg, het huis met zijn zware meubels en grote lege ruimtes werd van de buitenwereld afgesloten en we zaten vast in een merkwaardige, huiselijke gevangenschap. We liepen door de met kaarsen verlichte kamers, de ijskoude tocht ontwijkend; het hout kraakte als een jammerende weduwe en je hoorde heimelijk de muizen trippelen tijdens hun ijverige bezigheden; het rook naar modder, naar vochtige dakpannen, naar verstikte kleding. De knechten staken de komforen en open haarden aan, de dienstmeisjes brachten ons warmwaterkruiken, dekens en dampende mokken chocolademelk, maar er viel met geen mogelijkheid aan de lange winter te ontkomen. In die tijd viel ik ten prooi aan de eenzaamheid.

Diego was een schim. Ik probeer me nu één gedeeld moment te herinneren, maar ik kan hem slechts zien als een mimespeler op het podium, zonder stem en van mij gescheiden door een brede orkestbak. Ik heb in mijn hoofd – en in mijn verzameling foto's van die winter – veel beelden van hem tijdens de werkzaamheden op het land en thuis, altijd bezig met anderen, nooit met mij, afstandelijk en als een vreemde voor me. Het was onmogelijk intiem met hem te zijn, er lag een peilloze stilte tussen ons, en mijn pogingen om ideeën uit te wisselen of naar zijn gevoelens te vragen liepen stuk tegen zijn hardnekkige wil om afwezig te zijn. Hij beweerde dat alles tussen ons al gezegd was, als we getrouwd waren was dat omdat we van elkaar hielden, waarom was het nodig om dieper in te gaan op wat overduidelijk was? In het begin was ik beledigd door zijn zwijgen, maar later begreep ik dat hij met iedereen zo omging, behalve met zijn neefjes en nichtjes; hij kon vrolijk en teder met de kinderen zijn, misschien wilde hij net zo graag kinderen als ik, maar elke maand was er weer de teleurstelling. Ook daar praatten we niet over, het was een van de vele onderwerpen over het lichaam of de liefde die we uit schaamte niet aanroerden. Een paar keer heb ik geprobeerd hem te vertellen hoe graag ik gestreeld wilde worden, maar hij schoot onmiddellijk in de verdediging; in zijn ogen mocht een fatsoenlijke vrouw dat soort dringende behoeften niet voelen, en al helemaal niet uiten. Al snel verrees er door zijn terughoudendheid, mijn schaamte en de trots van ons beiden een Chinese Muur tussen ons tweeën. Ik had er alles voor gegeven om met iemand te praten over wat er gebeurde achter onze gesloten deur, maar mijn schoonmoeder was etherisch als een engel, met Susana had ik geen echte vriendschap, Adela was nog maar net zestien en Nívea was te ver weg, en ik durfde die verlangens niet op te schrijven. Diego en ik bedreven heel af en toe de liefde – om het maar een naam te geven –, altijd zoals de eerste keer. Het samenwonen bracht ons niet dichter bij elkaar, maar dat deed alleen mij verdriet, hij voelde zich prima bij de situatie. We maakten geen ruzie en gingen met geforceerde hoffelijkheid met elkaar om, al had ik duizend keer liever een openlijke oorlog dan onze koppige stiltes. Mijn echtgenoot ontvluchtte de gelegenheden om met mij alleen te zijn; 's avonds bleef hij net zo lang kaarten tot ik, overmand door moeheid, ging slapen;

’s ochtends sprong hij bij het eerste hanengekraai op en zelfs op zondag, als de rest van de familie uitsliep, had hij smoesjes om vroeg weg te gaan. Ik stelde me daarentegen altijd afhankelijk op van zijn buien, ik liep me de benen uit het lijf om hem met talloze kleinigheden van dienst te zijn, ik deed al het mogelijke om hem naar me toe te trekken en hem het leven aangenaam te maken; mijn hart ging als een razende tekeer als ik zijn stappen of zijn stem hoorde. Ik kreeg er geen genoeg van naar hem te kijken, ik vond hem mooi als de helden uit sprookjes; in bed betastte ik zijn brede en sterke schouders, ervoor zorgend hem niet wakker te maken, ik streelde zijn weelderige, golvende haar, de spieren in zijn benen en zijn hals. Ik hield van zijn geur van zweet, aarde en paard wanneer hij van het land kwam, van Engelse zeep na het baden. Ik begroef mijn gezicht in zijn kleren om zijn mannengeur op te snuiven, omdat ik dat bij zijn lichaam niet durfde. Nu, na het verstrijken van de tijd en vanuit het perspectief van de vrijheid die ik de laatste jaren heb verworven, zie ik in hoezeer ik me uit liefde heb vernederd. Ik zette alles opzij, van mijn persoonlijkheid tot mijn werk, om te dromen van een huiselijk paradijs dat niet voor mij was weggelegd.

Gedurende de langdurige, ledige winter moest de familie verscheidene fantasiebronnen aanspreken om de verveling tegen te gaan. Ze hadden allemaal een goed muzikaal gehoor, ze bespeelden een veelheid aan instrumenten, en zo verstreken de middagen met geïmproviseerde concerten. Susana amuseerde ons vaak door gehuld in een haveloos fluwelen gewaad, met een Turkse tulband op haar hoofd en met houtskool zwartgemaakte ogen, te zingen met de hese stem van een zigeunerin.

Doña Elvira en Adela organiseerden naailessen voor de vrouwen en probeerden het schooltje draaiende de houden, maar alleen de kinderen van de pachters die het dichtst in de buurt woonden, slaagden erin het weer te trotseren en naar de les te komen. Dagelijks werden de winterse rozenkransen gebeden waar groot en klein op af kwamen, want daarna werd er chocolademelk met taart geserveerd. Susana kreeg het idee om een theaterstuk voor te bereiden ter viering van het einde van de eeuw, en wekenlang waren we bezig met het schrijven van het draaiboek en het instuderen van onze rollen, met het bouwen van een podium in een van de graanschuren, met het naaien van kostuums en met oefenen. Het thema was uiteraard een voorspelbare allegorie over de fouten en tegenspoed uit het verleden, verslagen door het gloeiende zwaard van de wetenschap, de technologie en de vooruitgang van de twintigste eeuw. Naast theater organiseerden we schietwedstrijden en woordenboekspelletjes, allerlei soorten kampioenschappen, van schaken tot het vervaardigen van marionetten en dorpjes bouwen met luciferhoutjes, maar altijd bleven er uren over. Ik maakte Adela tot mijn assistente in de donkere kamer en stiekem wisselden we boeken uit. Ik leende haar de boeken die ze me uit Santiago stuurden en zij mij haar thrillers, die ik hartstochtelijk verslond. Ik werd een bedreven detective, over het algemeen ried ik de identiteit van de moordenaar vóór bladzijde 80. Het repertoire was beperkt en hoe lang we het lezen ook rekten, de boeken waren snel uit, en dan veranderde ik met Adela de verhalen of verzonnen we enorm ingewikkelde misdrijven die de ander moest oplossen. 'Wat lopen jullie twee daar te smiespelen?' vroeg mijn schoonmoeder vaak. 'Niets, mama, we zijn moorden aan het verzinnen,' antwoordde Adela met haar onschuldige konijnenlachje. Doña Elvira lachte dan, ze kon niet vermoeden hoe waar het antwoord van haar dochter was.

Eduardo moest als eerstgeborene bij de dood van don Sebastián het landgoed overnemen, maar hij had met zijn broer een vennootschap gesloten om het samen te beheren. Ik vond mijn zwager leuk, hij was zachtaardig en speels, haalde vaak grappen met me uit of nam cadeautjes voor me mee – doorschijnende agaten uit de rivierbedding, een eenvoudig halssnoer uit het Mapuche-reservaat, veldbloemen, een modetijdschrift dat hij in het dorp bestelde – en zo probeerde hij de onverschilligheid van zijn broer jegens mij, die voor de hele familie duidelijk was, te compenseren. Hij nam me dikwijls bij de hand en vroeg me bezorgd of het goed met me ging, of ik iets nodig had, of ik mijn grootmoeder miste, of ik me verveelde op Caleufú. Susana daarentegen, die verzonken was in haar aan luiheid grenzende, haremvrouwachtige loomheid, negeerde me het merendeel van de tijd en had een onbeschofte manier om me de rug toe te keren en me met het woord op de lippen bestorven achter te laten. Ze was een echte schoonheid met haar weelderige lichaam, haar goudkleurige huid en haar grote, donkere ogen, maar ik geloof niet dat ze zich daar bewust van was. Er was niemand voor wie ze zich mooi kon maken, alleen de familie, daarom besteedde ze weinig aandacht aan haar persoonlijke verzorging; soms kamde ze haar haar niet eens en zat ze de hele dag slaperig en bedroefd in haar ochtendjas en haar schaapslederen pantoffels. Andere keren kwam ze echter stralend als een Moorse prinses te voorschijn, met haar lange donkere haar met schildpaddenkammetjes opgestoken in een knot en met een gouden halsketting die de perfecte lijn van haar hals volgde. Wanneer ze in een goed humeur was, poseerde ze graag voor me; ze stelde een keer aan tafel voor dat ik haar naakt moest fotograferen. Het was een provocatie die insloeg als een bom bij die zo conservatieve familie, doña Elvira kreeg bijna weer een hartaanval en Diego was zo geschokt dat hij abrupt opstond en daarbij de stoel omvergooide. Als Eduardo geen grapje had gemaakt, was het een drama geworden. Adela, die met haar konijnengezichtje en haar in een zee van sproeten verloren blauwe ogen de minst bevallige van de kinderen Domínguez was, was zonder twijfel de sympathiekste. Haar vrolijkheid was net zo'n zeker feit als het opkomen van de zon; we konden erop vertrouwen dat zij, zelfs diep in de winter, wanneer de wind tussen de dakpannen gierde en we het kaarten bij kaarslicht onderhand beu waren, de gemoederen zou opbeuren. Haar vader, don Sebastián, aanbad haar; hij kon haar niets weigeren en vroeg haar vaak half voor de grap, half serieus, vrijgezel te blijven om hem op zijn oude dag te verzorgen.

De winter maakte drie slachtoffers onder de pachters: twee kinderen en een oude man, die aan longontsteking stierven; ook de grootmoeder die in huis woonde en naar men schatte meer dan een eeuw geleefd had – want ze had haar eerste communie al gedaan toen Chili zich in 1810 onafhankelijk van Spanje verklaarde – overleed. Ze kregen allemaal een sobere begrafenis op het kerkhof van Caleufú, dat door de hevige stortbuien in een modderpoel was veranderd. Het bleef onophoudelijk regenen tot september, toen overal de lente begon te ontluiken en we eindelijk naar buiten konden om de verstikte kleren en matrassen op de binnenplaats in de zon te leggen. Doña Elvira had al die maanden in omslagdoeken gewikkeld gezeten, verplaatste zich alleen nog tussen het bed en de leunstoel, steeds zwakker. Eén keer per maand vroeg ze me heel discreet of er 'geen nieuws was' en aangezien dat er niet was, ging ze vaker bidden dat Diego en ik haar meer kleinkinderen zouden geven. Ondanks de eindeloos lange nachten van die winter werden mijn echtgenoot en ik niet intiemer. We lagen in stilte in het duister, als vijanden bijna, en altijd bleef ik achter met hetzelfde gevoel van frustratie en onbedwingbare onrust van de eerste keer. Het scheen mij toe alsof we elkaar alleen omhelsden wanneer ik het initiatief nam, maar ik kan me vergissen, misschien was het niet altijd zo. Met de komst van de lente ging ik er weer alleen op uit naar de bossen en de vulkanen; als ik door die uitgestrekte gebieden galoppeerde werd die honger naar liefde enigszins gestild, de vermoeidheid en mijn door het zadel beurs geworden billen overschaduwden de onderdrukte verlangens. Ik keerde 's middags vochtig van het bos en het paardenzweet terug, liet een warm bad klaarmaken en lag urenlang te weken in het met sinaasappelblaadjes geparfumeerde water. 'Voorzichtig, meisje, paardrijden en in bad liggen zijn slecht voor de buik, ze veroorzaken onvruchtbaarheid,' waarschuwde mijn gekwelde schoonmoeder me. Doña Elvira was een simpele vrouw, een en al goedheid en gedienstigheid, met een doorschijnende ziel die weerspiegeld werd in het bedaarde water van haar blauwe ogen, de moeder die ik had willen hebben. Ik bracht uren aan haar zijde door, terwijl zij wevend voor haar kleinkinderen steeds weer dezelfde kleine verhaaltjes over haar leven en Caleufú vertelde, en ik haar aanhoorde in de smartelijke wetenschap dat ze niet lang meer in deze wereld zou zijn. Inmiddels vermoedde ik al dat een kind de afstand tussen Diego en mij niet zou verkleinen, maar ik wilde het enkel en alleen om het doña Elvira als een geschenk aan te bieden. Als ik me mijn leven op het landgoed zonder haar voorstelde, voelde ik een onoverkomelijk verdriet.

De eeuw liep ten einde en de Chilenen deden hun uiterste best om mee te gaan in de industriële vooruitgang van Europa en Noord-Amerika, maar de Domínguez zagen, zoals veel andere conservatieve families, met afschuw toe hoe de traditionele gewoonten verdwenen en de tendens om het buitenlandse te imiteren opgang maakte. 'Het is echt rotzooi van de duivel,' zei don Sebastián wanneer hij in zijn verouderde kranten over de technologische verbeteringen las. Zijn zoon Eduardo was de enige die in de toekomst geïnteresseerd was; Diego leefde in zichzelf gekeerd, Susana had altijd migraine en Adela kwam pas net kijken. Hoe ver weg we ook zaten, de echo's van de vooruitgang bereikten ons en we konden de maatschappelijke veranderingen niet negeren. In Santiago was iedereen als een bezetene met sporten en spelletjes en wandelingen in de openlucht bezig, activiteiten die veeleer eigen waren aan de excentrieke Engelsen dan aan de gemakzuchtige afstammelingen van de edelmannen uit Castilië en León. Een frisse wind van Franse kunst en cultuur verkwikte de sfeer en een zwaar gepiep van Duitse machinerie wekte Chili uit zijn lange koloniale siësta. Er was een ambitieuze en beschaafde middenklasse aan het ontstaan die wilde leven zoals de rijken. De sociale crisis, die met stakingen, excessen, werkloosheid en charges van de politie te paard met getrokken sabels het land op zijn grondvesten deed schudden, was een vaag gerucht dat geen invloed had op het ritme van ons leven op Caleufú, maar al bleven we op het landgoed leven als de betovergrootouders die honderd jaar daarvoor in diezelfde bedden hadden geslapen, ook voor ons kwam de twintigste eeuw eraan.

Mijn grootmoeder Paulina was sterk achteruitgegaan, vertelden Frederick Williams en Nívea del Valle me per brief; ze legde het af tegen de vele ouderdomskwaaltjes en de aankondiging van de dood. Ze beseften hoe oud ze was geworden toen Severo haar de eerste flessen wijn bracht van de wijnstokken die laat rijpten en die, zo hadden ze gehoord, *carmenere* genoemd werden, een zachte, volle rode wijn met weinig tannine, zo goed als de beste uit Frankrijk, die ze *Viña Paulina* doopten. Eindelijk hadden ze een uniek product in handen dat hun roem en geld zou brengen. Mijn grootmoeder nipte er voorzichtig van. 'Het is jammer dat ik er niet van zal kunnen genieten, anderen zullen hem drinken,' zei ze, en ze had het er niet meer over. De uitbarsting van blijdschap en de arrogante opmerkingen die normaal gesproken haar handelszeges begeleidden, bleven uit; na een ongeremd leven begon ze bescheiden te worden. Het duidelijkste teken van haar zwakte was de dagelijkse aanwezigheid van de bekende pastoor in het smoezelige priestergewaad die bij de stervenden rondhing om ze hun fortuin afhandig te maken. Ik weet niet of het uit eigen initiatief of op voorstel van die ouwe onheilsbode was, maar mijn grootmoeder verbande het befaamde mythologische bed waarin ze de helft van haar leven had doorgebracht naar het diepst van de kelder en zette in plaats daarvan een soldatenbrits met een met crin gevulde matras neer. Dat leek me een zeer alarmerend teken, en zodra de modder op de wegen was opgedroogd, deelde ik mijn echtgenoot mee dat ik naar Santiago moest om mijn grootmoeder te bezoeken. Ik verwachtte enige tegenwerking, maar het tegendeel was het geval. Binnen vierentwintig uur regelde Diego mijn vervoer per kar naar de haven, waar ik de boot naar Valparaíso zou nemen, en van daaruit zou ik per trein de reis naar Santiago vervolgen. Adela brandde van verlangen om met me mee te gaan en ze ging zo vaak bij haar vader op schoot zitten, aan zijn oren knabbelen, aan zijn bakkebaarden trekken en zeuren dat don Sebastián haar die nieuwe bevlieging niet kon ontzeggen, ondanks het feit dat doña Elvira, Eduardo en Diego het er niet mee eens waren. Ze hoefden hun redenen niet toe te lichten, ik ried al dat ze de sfeer die ze in het huis van mijn grootmoeder hadden geproefd niet geschikt achtten en dachten dat ik niet volwassen genoeg was om naar behoren voor het meisje te zorgen. We vertrokken dus naar Santiago, in gezelschap van een bevriend Duits stel dat met hetzelfde stoomschip ging. We hadden een scapulier van het Heilig Hart van Jezus op onze borst hangen om ons tegen al het kwaad te beschermen – amen –, het geld in een onder het korset genaaid buideltje, nauwkeurige instructies niet met onbekenden te praten en meer bagage dan je nodig zou hebben om een reis rond de wereld te maken.

Adela en ik brachten twee maanden in Santiago door, die geweldig geweest waren als mijn grootmoeder niet ziek was geweest. Ze ontving ons quasi-enthousiast, vol plannen om wandelingen te maken, naar het theater te gaan en met de trein naar Viña del Mar te reizen om de zeelucht in te ademen, maar op het laatste moment stuurde ze ons met Frederick Williams mee en bleef ze zelf thuis. Zo ging het ook toen we een reis per koets ondernamen naar Severo en Nívea del Valle en de wijngaarden, die inmiddels de beste flessen exportwijn opleverden. Mijn grootmoeder vond Viña Paulina een te creoolse naam en wilde hem in iets Frans veranderen om hem in de Verenigde Staten te verkopen, waar volgens haar niemand verstand had van wijn, maar Severo maakte bezwaar tegen een dergelijk bedrog. Nívea, omringd door haar jongste kinderen, had een knot vol grijze haren en was wat zwaarder geworden, maar ik vond haar nog even vlot, brutaal en ondeugend als vroeger. 'Ik geloof dat de overgang er eindelijk aankomt, nu kunnen we vrijen zonder bang te zijn om nog een kind te krijgen,' fluisterde ze in mijn oor, zonder ooit te kunnen bedenken dat jaren later de helderziende Clara ter wereld zou komen, het eigenaardigste kind dat in deze talrijke en zonderlinge Del Valle-clan geboren is. De kleine Rosa, wier schoonheid zoveel opmerkingen uitlokte, was vijf jaar. Ik vind het jammer dat de fotografie haar kleuren niet heeft kunnen vastleggen, ze is net een zeediertje met haar gele ogen en haar groene haar, als oud brons. Ze was toen al een engelachtig wezentje, een beetje achtergebleven voor haar leeftijd, dat als een geestverschijning voorbijzweefde. 'Waar is ze vandaan gekomen? Ze moet een dochter zijn van de Heilige Geest,' grapte haar moeder. Dat beeldschone meisje was gekomen om Nívea te troosten voor het verlies van haar twee kleintjes, die aan difterie waren gestorven, en voor de langdurige ziekte die de longen van een derde kind aanvrat. Ik probeerde er met Nívea over te praten – ze zeggen dat er geen verschrikkelijker leed bestaat dan het verlies van een kind –, maar zij veranderde van onderwerp. Al wat ze tegen me zei was dat vrouwen eeuwen- en eeuwenlang de pijn van het bevallen en het begraven van hun kinderen hebben gehad, zij was geen uitzondering. 'Het zou heel arrogant van me zijn te veronderstellen dat God mij zegent met veel kinderen en dat ze mij allemaal zullen overleven,' zei ze.

Paulina del Valle was geen schaduw meer van wie ze geweest was. Ze had haar interesse in eten en zaken verloren, ze kon nauwelijks lopen omdat haar knieën niet wilden, maar ze was scherper dan ooit. Op haar nachtkastje stonden naast elkaar de flesjes medicijnen, en drie nonnen zorgden om beurten voor haar. Mijn grootmoeder vermoedde dat we niet veel kansen meer zouden hebben om samen te zijn, en voor het eerst in onze relatie was ze bereid mijn vragen te beantwoorden. We bladerden door de fotoalbums en ze gaf bij elke foto uitleg; ze vertelde me over de reden voor het in Florence bestelde bed en haar rivaliteit met Amanda Lowell, die, vanuit het perspectief van haar leeftijd gezien, eerder komisch was, en ze sprak over mijn vader en over de rol van Severo del Valle in mijn kindertijd, maar ze vermeed stellig het onderwerp van mijn grootouders van moederskant in Chinatown; ze zei dat mijn moeder een heel knap Amerikaans model was geweest, verder niets. Op sommige middagen gingen we in de glazen serre zitten om met Severo en Nívea del Valle te praten. Terwijl hij het had over de jaren in San Francisco en zijn latere ervaringen in de oorlog, bracht zij me de details rond de gebeurtenissen tijdens de revolutie in herinnering, toen ik nog maar elf jaar was. Mijn grootmoeder klaagde niet, maar oom Frederick waarschuwde me dat ze last had van hevige buikpijnen en dat het voor haar een enorme inspanning was zich elke ochtend aan te kleden. Trouw aan haar geloof dat iemand de leeftijd heeft die hij uitstraalt, bleef ze het weinige haar dat nog op haar hoofd zat verven, maar ze praalde niet meer zoals vroeger met haar keizerinnenjuwelen; 'ze heeft er nog maar heel weinig,' fluisterde haar echtgenoot me geheimzinnig toe. Het huis zag er net zo onverzorgd uit als zijn eigenares, de ontbrekende schilderijen hadden lichte plekken op het behang achtergelaten, er waren minder meubels en vloerkleden, de tropische planten in de serre waren een verlepte en ondergestofte wildernis en de vogels zaten stil in hun kooien. Wat oom Frederick eerder in zijn brieven had gezegd over het soldatenbed waarop mijn grootmoeder sliep, bleek waar. Zij had altijd de grootste kamer in het huis gehad en haar beroemde mythologische bed verhief zich in het midden als een pauselijke troon; van daaruit bestuurde ze haar imperium. Ze bracht de ochtenden tussen de lakens door, omringd door de veelkleurige waterfiguren die een Florentijnse vakman er veertig jaar geleden uit had gesneden, en bestudeerde haar kasboeken, dicteerde brieven, bedacht zaken. Onder de lakens bleef haar zwaarlijvigheid verborgen en kon ze een illusie van breekbaarheid en schoonheid creëren. Ik had talloze foto's genomen van haar in dat goudkleurige bed en ik kreeg het idee om haar nu in haar eenvoudige viyella nachthemd en haar omaatjesomslagdoek op een boetelingenbrits te fotograferen, maar ze weigerde beslist. Ik merkte op dat de mooie Franse meubels met zijden bekleding, het grote rozenhouten bureau met parelmoeren inlegwerk uit India, de tapijten en de schilderijen uit haar kamer verdwenen waren; de enige decoratie was een grote

Christus aan het kruis. 'Ze schenkt de meubels en juwelen aan de Kerk,' zei Frederick Williams tegen me, waarop we besloten de nonnen door verpleegsters te vervangen en te kijken hoe we, al was het met geweld, de bezoekjes van de apocalyptische pastoor konden verhinderen, want naast het feit dat hij de mensen hun bezittingen aftroggelde, joeg hij iedereen ook nog eens de stuipen op het lijf. Iván Radovic, de enige arts in wie Paulina del Valle vertrouwen had, was het helemaal eens met die maatregelen. Het was goed die oude vriend terug te zien – echte vriendschap doorstaat de tand des tijds, de afstand en de stilte, zoals hij zei – en hem al lachend op te biechten dat hij in mijn herinnering altijd vermomd als Djingiz Chan verscheen. 'Dat komt door de Slavische jukbeenderen,' verklaarde hij goedgeluimd. Hij had nog steeds iets weg van een Tataarse leider, maar door het contact met de patiënten in het armenziekenhuis waar hij werkte was hij milder geworden, en bovendien zag hij er in Chili minder exotisch uit dan in Engeland; hij zou een wat langere en schonere Araucaanse toqui geweest kunnen zijn. Hij was een zwijgzame man, die met intensieve aandacht zelfs naar het onophoudelijke gekwebbel van Adela luisterde, die meteen verliefd op hem werd en, gewend als ze was om haar vader te verleiden, dezelfde methode gebruikte om Iván Radovic in te palmen. Helaas voor haar zag de dokter haar als een klein meisje, onschuldig en grappig, maar hoe dan ook een meisje. Het ontstellende gebrek aan ontwikkeling en de zelfingenomenheid waarmee ze de stompzinnigste dingen beweerde, hinderden hem niet, ik geloof dat hij het wel leuk vond, hoewel haar naïeve kokette buien hem deden blozen. De dokter boezemde vertrouwen in, het was voor mij gemakkelijk om met hem over onderwerpen te praten die ik zelden in het bijzijn van andere mensen aanroerde uit angst ze te vervelen, zoals fotografie. Hij was geïnteresseerd omdat hij sinds verscheidene jaren in Europa en de Verenigde Staten werkzaam was in de geneeskunde; hij vroeg me hem te leren de camera te gebruiken, zodat hij opnames kon maken van zijn operaties en de uiterlijke symptomen van zijn patiënten kon vastleggen, om ze als illustratie bij zijn lezingen en colleges te gebruiken. Onder dat voorwendsel gingen we op bezoek bij don Juan Ribero, maar we troffen een gesloten studio aan met een bordje TE KOOP. De kapper ernaast vertelde ons dat de meester niet meer werkte omdat hij staar had aan beide ogen, maar hij gaf ons zijn adres en we zochten hem op. Hij woonde in een groot, oud, door spoken belaagd gebouw in de Calle Monjitas, dat betere tijden gekend had. Een dienstmeisje leidde ons door verscheidene met elkaar in verbinding staande, van de vloer tot het plafond met foto's van Ribero behangen kamers naar een salon met oude mahoniehouten meubels en aftandse pluchen fauteuils. Er brandden geen lampen en we hadden een paar seconden nodig om onze ogen aan het halfdonker te laten wennen en de meester met een kat op zijn knieën te zien zitten naast het raam, waardoor het laatste avondschijnsel naar binnen kwam. Hij ging staan en liep uiterst zeker op ons toe om ons te begroeten, niets in zijn tred verried de blindheid.

'Mejuffrouw Del Valle! Excuseer, het is nu mevrouw Domínguez, nietwaar?' riep hij uit terwijl hij beide handen naar me uitstak.

'Aurora, meester, dezelfde Aurora als altijd,' antwoordde ik, hem omhelzend. Vervolgens stelde ik hem voor aan dokter Radovic en vertelde hem over zijn wens om fotografie te leren voor medische doeleinden. 'Ik kan niets meer onderwijzen, beste vriend. De hemel heeft me gestraft waar het me het meest raakt: het gezichtsvermogen. Stelt u zich voor, een blinde fotograaf, hoe ironisch!'

'Ziet u niets, meester?'

'Met mijn ogen zie ik niets, maar ik blijf naar de wereld kijken. Vertel eens, Aurora, bent u veranderd? Hoe ziet u er nu uit? Het duidelijkste beeld dat ik van u heb is een meisje van dertien jaar dat koppig als een ezel voor de deur van mijn studio zit.'

'Ik ben nog steeds dezelfde, don Juan, verlegen, dwaas en eigenwijs.'

'Nee, nee, vertel me bijvoorbeeld eens hoe uw haar zit en welke kleur kleding u draagt.'

'Mevrouw draagt een witte, luchtige jurk, met kant bij het decolleté – ik weet niet van wat voor stof want daar heb ik geen verstand van – en een gele ceintuur, net zoals het lint van haar hoed. Ik verzeker u dat ze er erg mooi uitziet,' zei Radovic.

'Breng me niet in verlegenheid, dokter, ik smeek het u,' onderbrak ik hem.

'En nu heeft mevrouw blozende wangen...' voegde hij eraan toe, en de twee lachten eenstemmig.

De meester rinkelde met een belletje en de bediende kwam binnen met het dienblad met koffie. We zaten een uur zeer onderhoudend te praten over de nieuwe technieken en camera's die in andere landen gebruikt werden en over hoeveel vooruitgang er was geboekt in de wetenschappelijke fotografie. Don Juan Ribero was overal van op de hoogte.

'Aurora heeft de intensiteit, de concentratie en het geduld die elke kunstenaar moet hebben. Ik neem aan dat een goede arts hetzelfde nodig heeft, nietwaar? Vraag of ze u haar werk laat zien, dokter, ze is bescheiden en zal dat niet doen als u niet aandringt,' stelde meester Iván Radovic voor bij ons afscheid.

Een paar dagen later kreeg ik de kans ze te laten zien. Mijn grootmoeder was wakker geworden met verschrikkelijke buikpijn en haar normale kalmeringsmiddelen konden haar niet helpen, dus haalden we Radovic erbij, die kwam aangesneld en haar een sterk laudanumpreparaat toediende. We lieten haar in bed uitrusten, gingen de kamer uit, en buiten vertelde hij me dat het om een nieuwe tumor ging en dat ze al te oud was om haar nog eens te opereren, ze zou de narcose niet aankunnen; hij kon alleen proberen de pijn te bestrijden en haar bijstaan om in vrede te sterven. Ik wilde weten hoe lang ze nog had, maar dat was niet makkelijk vast te stellen, want ondanks haar leeftijd was mijn grootmoeder zeer sterk, en de tumor groeide zeer traag. 'Bereidt u zich voor, Aurora, want het einde kan binnen een paar maanden komen,' zei Radovic. Ik kon de tranen niet vermijden, Paulina del Valle vertegenwoordigde mijn enige roots, zonder haar raakte ik op drift, en het feit dat ik Diego als echtgenoot had, verlichtte mijn gevoel van radeloosheid niet, maar maakte het juist sterker. Hij gaf me zijn zakdoek en hield zijn mond, zonder me aan te kijken, beduusd door mijn gehuil. Ik liet hem beloven dat hij me op tijd zou waarschuwen, zodat ik van het platteland kon komen om mijn grootmoeder tijdens haar laatste momenten gezelschap te houden. Het laudanum deed zijn werk en ze werd snel rustig; toen ze sliep, liet ik Iván Radovic uit. Bij de deur vroeg hij me of hij nog even kon blijven, hij had een uur vrij en het was erg warm buiten. Adela deed een middagdutje, Frederick Williams was naar de zwemclub en het enorme huis aan de Ejército Liberador leek een stilliggend schip. Ik bood hem een glas amandelmelk aan en we gingen in de serre met de varens en de vogelkooien zitten.

'Fluit eens, dokter Radovic,' stelde ik voor.

'Moet ik fluiten? Waarvoor?'

'Volgens de indianen roep je door te fluiten de wind aan. We hebben een briesje tegen de hitte nodig.'

'Waarom haalt u uw foto's niet terwijl ik fluit? Ik zou ze heel graag zien,' vroeg hij.

Ik haalde verscheidene dozen en ging naast hem zitten om te proberen hem mijn werk uit te leggen. Ik liet hem eerst een paar in Europa gemaakte foto's zien, toen ik geïnteresseerder was in de esthetiek dan in de inhoud, daarna de platinadrukken van Santiago en van de indianen en pachters op het landgoed, en tot slot die van de familie Domínguez. Hij bekeek ze met dezelfde zorgvuldigheid als waarmee hij mijn grootmoeder onderzocht en vroeg af en toe het een en ander. Hij stopte bij de foto's van Diego's familie.

'Wie is die mooie vrouw?' wilde hij weten.

'Susana, de echtgenote van Eduardo, mijn zwager.'

'En ik neem aan dat dit Eduardo is, of niet?' zei hij, wijzend op Diego.

'Nee, dat is Diego. Waarom denkt u dat hij de man van Susana is?'

'Ik weet niet, het leek me...'

Die avond legde ik de foto's op de grond en zat er uren naar te kijken. Ik ging heel laat naar bed, angstig.

Ik moest afscheid nemen van mijn grootmoeder omdat het tijd was om terug te gaan naar Caleufú. In de zonovergoten decembermaand van Santiago voelde Paulina del Valle zich beter – de winter was ook erg lang en eenzaam geweest voor haar – en ze beloofde me na nieuwjaar samen met Frederick Williams te bezoeken, in plaats van naar het strand met vakantie te gaan, zoals de mensen deden die de hondsdagen van Santiago konden ontvluchten. Ze voelde zich zo goed dat ze zelfs met ons meeging in de trein naar Valparaíso, waar Adela en ik de boot naar het zuiden namen. We gingen vóór Kerstmis terug naar het platteland, want we mochten niet ontbreken bij het belangrijkste feest van het jaar voor de familie Domínguez. Maanden van tevoren zag doña Elvira al toe op de cadeaus voor de boeren, die in huis gemaakt of in de stad gekocht werden: kleertjes en speelgoed voor de kinderen, stof voor kleding en wol om te weven voor de vrouwen, gereedschap voor de mannen. Op die dagen werd er van alles uitgedeeld: dieren, zakken meel, aardappelen, *chancaca* (of bruine suiker), bonen en maïs, *charqui* (of gedroogd vlees), maté, zout en gietvormen met kweepeergelei, bereid in enorme koperen pannen op kampvuren in de openlucht. De pachters van het landgoed kwamen uit alle windstreken, sommige moesten met hun vrouwen en kinderen dagen lopen voor het feest. Er werden runderen en geiten geslacht, aardappels en verse maïskolven gekookt en pannen met bonen bereid. Ik kreeg de taak de lange, op de patio geplaatste tafels te versieren met bloemen en pijnboomtakken en de kruiken met water verdunde wijn en suiker klaar te maken, een drankje waarvan de volwassenen niet dronken konden worden en dat de kinderen vermengd met geroosterd meel konden drinken. Er kwam een pastoor die twee of drie dagen bleef om kinderen te dopen, zondaars de biecht af te nemen, samenwonenden te trouwen en overspeligen te berispen. Op 24 december om middernacht woonden we in de openlucht de nachtmis bij voor een geïmproviseerd altaar, want er pasten niet zoveel mensen in de kleine kapel van het landgoed, en vroeg in de ochtend liepen ze, na een voedzaam ontbijt van koffie met melk, pan amasado, room, jam en zomerfruit, in een vrolijke processie met het kindje Jezus rond, zodat iedereen zijn aardewerken voeten kon kussen. Don Sebastián wees de familie aan die zich qua moreel gedrag het meest had onderscheiden, om die het kindje te overhandigen. Een jaar lang, tot de volgende kerst, zou de glazen doodskist met het kleine beeld een ereplaats in het hutje van die boeren hebben en hun goede dingen brengen. Zolang het daar stond, kon er niets slechts gebeuren. Don Sebastián zorgde ervoor dat elke familie een kans kreeg om het kindje Jezus onderdak te geven. Dat jaar hadden we ook nog het allegorische theaterstuk over de komst van de twintigste eeuw, waaraan alle familieleden deelnamen, behalve doña Elvira, die te zwak was, en Diego, die zich liever met de technische aspecten bezighield, zoals de lampen en de geschilderde decors. Don Sebastián nam zeer goedgemutst de rol van het oude jaar dat mopperend vertrok op zich en een kind van Susana, dat nog luiers droeg, stelde het nieuwe jaar voor.

Een aantal Pehuenche-indianen kwamen op het gerucht van gratis eten af. Ze waren straatarm – ze hadden hun land verloren en werden genegeerd door de ontwikkelingsplannen van de regering –, maar ze kwamen uit trots niet met lege handen; ze hadden onder hun lange poncho's wat appels bij zich, die ze ons vol zweet en vuiligheid aanboden, een naar ontbinding stinkend konijn en een aantal kalebassen met *muchi*, een alcoholische drank bereid uit een kleine, violetkleurige vrucht waarop gekauwd wordt en die ze dan uitspugen in een pannetje en vermengd met speeksel laten gisten. Het oude opperhoofd liep voorop met zijn drie vrouwen en zijn honden, gevolgd door een twintigtal stamleden; de mannen hielden hun speren goed vast, en ondanks vier eeuwen van uitbuiting en tegenslagen hadden ze hun wilde uiterlijk niet verloren. De vrouwen waren allesbehalve verlegen. Ze waren net zo onafhankelijk en machtig als de mannen, er bestond een seksuele gelijkwaardigheid die Nívea del Valle toegejuicht zou hebben. Ze groetten plechtig in hun eigen taal en noemden don Sebastián en zijn zoons 'broeder', en laatstgenoemden heetten hen welkom en nodigden hen uit om deel te nemen aan het feestmaal, maar ze hielden hen nauwlettend in de gaten, want bij de geringste onachtzaamheid sloegen ze aan het stelen. Mijn schoonvader beweerde dat ze geen mijn en dijn kenden omdat ze gewend waren in een gemeenschap te leven en te delen, maar Diego zei dat indianen, die zo makkelijk andermans spullen pakken, niemand aan hun eigen spullen laten komen. Uit angst dat ze dronken en gewelddadig zouden worden, bood don Sebastián het opperhoofd een vat brandewijn aan zodat ze op tijd weer zouden vertrekken, want ze mochten het niet op zijn landgoed openen. Ze gingen in een grote kring zitten om te eten, te drinken, allemaal van dezelfde pijp te roken en lange uiteenzettingen te houden waar niemand naar luisterde, zonder zich in te laten met de pachters van Caleufú, hoewel de kinderen allemaal samen rondrenden. Dat feest was voor mij een gelegenheid om naar hartenlust indianen te fotograferen en vriendschap te sluiten met enkele van de vrouwen vanuit de achterliggende gedachte dat ze me dan zouden toestaan hen op te zoeken in hun kamp aan de overkant van het meer, waar ze zich gevestigd hadden om de zomer door te brengen. Wanneer de weilanden uitgeput waren of ze het landschap beu waren, trokken ze de palen waarop hun daken rustten uit de grond, rolden de doeken op en vertrokken op zoek naar nieuwe oorden. Als ik een tijd met hen zou kunnen doorbrengen, zouden ze misschien aan mijn aanwezigheid en aan de camera wennen. Ik wilde hen fotograferen bij hun dagelijkse werkzaamheden, een idee dat mijn schoonouders deed gruwen, want er deden allerlei huiveringwekkende verhalen de ronde over de gewoonten van die stammen, waar het geduldige werk van de missionarissen nauwelijks een dun laagje beschaving had achtergelaten.

Mijn grootmoeder Paulina kwam me die zomer niet opzoeken, zoals ze had beloofd. De reis per trein of per schip was te doen, maar ze was bang voor de twee dagen op de ossenkar van de haven tot Caleufú. Haar wekelijkse brieven betekenden mijn belangrijkste contact met de buitenwereld; naarmate de weken verstreken groeide mijn heimwee. Mijn gemoedstoestand veranderde, ik werd schichtig, liep stiller dan gewoonlijk rond en sleepte mijn teleurstelling als een zware bruidssluier achter me aan. De eenzaamheid bracht me dichter bij mijn schoonmoeder, die zachtmoedige, tactvolle vrouw, die volledig afhankelijk van haar man was, geen eigen ideeën had en de geringste inspanningen van het bestaan niet aankon, maar die haar gebrek aan intelligentie compenseerde met een eindeloze goedheid. Mijn geruisloze woedeaanvallen verkruimelden in haar aanwezigheid, bij doña Elvira kon ik weer tot mezelf komen, en ze kon de angst die me soms naar de keel greep sussen.

Die zomermaanden hielden we ons bezig met de oogst, de pasgeboren dieren en het inmaken van fruit en groenten; de zon ging om negen uur 's avonds onder en de dagen duurden een eeuwigheid. Inmiddels was het huis dat mijn schoonvader voor Diego en mij had gebouwd klaar; het was degelijk, koel, mooi, aan alle vier de zijden omringd door overdekte gaanderijen, het geurde naar verse klei, pas gezaagd hout en basilicum, dat de pachters langs de muren hadden geplant om het ongeluk en de zwarte magie uit de buurt te houden. Mijn schoonhouders gaven ons enkele meubelstukken die generaties lang in de familie waren geweest, de rest kocht Diego in het dorp zonder naar mijn mening te vragen. In plaats van het brede bed waarin we tot dan toe hadden geslapen, kocht hij twee bronzen ledikanten en zette er een nachtkastje tussen. Na de lunch sloot de familie zich altijd voor een verplichte rust tot vijf uur 's middags op in hun kamers, want men dacht dat de hitte de spijsvertering bemoeilijkte. Diego lag dan een tijdje in een hangmat onder de wilde wingerd te roken en ging daarna in de rivier zwemmen; hij ging graag alleen, en de weinige keren dat ik met hem mee wilde gaan was hij geïrriteerd, dus ik drong niet aan. Aangezien we die siësta-uurtjes niet gezamenlijk in de beslotenheid van onze slaapkamer doorbrachten, besteedde ik ze aan lezen en werken in mijn kleine doka, want ik kon er niet aan wennen om midden op de dag te slapen. Diego verlangde niets van me, vroeg me niets, toonde amper een beleefde interesse in mijn bezigheden of gevoelens, hij verloor nooit zijn geduld met mijn stemmingswisselingen, met mijn nachtmerries, die heviger en met grotere regelmaat waren teruggekeerd, of met mijn koppige stilzwijgen. Er gingen dagen voorbij zonder dat we een woord wisselden, maar hij leek het niet op te merken. Ik sloot me op in mijn zwijgzaamheid als in een harnas, de uren tellend om te kijken hoe lang we de situatie konden rekken, maar uiteindelijk gaf ik altijd toe omdat het zwijgen mij veel zwaarder viel dan hem. Voorheen, toen we het bed deelden, kroop ik naar hem toe, vlijde me tegen zijn rug aan terwijl ik deed of ik sliep en strengelde mijn benen om de zijne, en zo overbrugde ik nu en dan de afstand die onverbiddelijk tussen ons groeide. In die incidentele omhelzingen zocht ik geen lust, daar ik niet wist dat dat mogelijk was, maar slechts troost en gezelschap. Een paar uur lang had ik de illusie dat ik hem veroverd had, maar daarna werd het ochtend en was alles weer zoals altijd. Toen we naar het nieuwe huis gingen verdween zelfs die povere intimiteit, want de kloof tussen de twee bedden was breder en vijandiger dan het onstuimige water van de rivier. Soms echter, wanneer ik schreeuwend wakker werd, belaagd door de kinderen in zwarte pyjama's uit mijn dromen, stond hij op, kwam naar me toe en omhelsde me stevig tot ik rustig werd; dat waren wellicht de enige spontane ontmoetingen tussen ons. Die nachtmerries baarden hem zorgen, hij dacht dat ze in krankzinnigheid konden ontaarden, daarom kocht hij een flesje opium en gaf me soms een paar in sinaasappellikeur opgeloste druppeltjes om me te helpen slapen en gelukkige dromen te krijgen. Afgezien van de activiteiten die we met de rest van de familie ondernamen, brachten Diego en ik weinig tijd samen door. Vaak trok hij de Andes over naar Argentijns Patagonië of ging hij naar het dorp om proviand in te slaan. Soms was hij zomaar twee of drie dagen verdwenen en zat ik in angst aan een ongeluk te denken, maar Eduardo stelde me gerust met het argument dat zijn broer altijd hetzelfde was geweest: een in die uitgestrekte, ruige natuur grootgebrachte eenling, gewend aan de stilte; van kleins af aan had hij veel ruimte nodig gehad, hij had een zwerversinborst en als hij niet binnen dat dwingende familienetwerk was geboren, was hij misschien wel zeeman geworden. We waren een jaar getrouwd en ik voelde me tekortschieten, ik had hem niet alleen geen kind kunnen schenken, maar ik had hem ook niet voor mij kunnen interesseren, en hem al helemaal niet verliefd kunnen maken: er was iets fundamenteel mis met mijn vrouwelijkheid. Ik ging ervan uit dat hij me had uitgekozen omdat hij de leeftijd had om te trouwen, door de druk van zijn ouders was hij gedwongen geweest een bruid te zoeken; ik was de eerste, misschien wel de enige, die op zijn weg gekomen was. Diego hield niet van me. Ik wist het vanaf het begin, maar hoogmoedig als ik was met mijn eerste liefde en mijn negentien jaar, leek dat me geen onoverkomelijk obstakel, ik dacht dat ik hem met vasthoudendheid, deugdzaamheid en koketterie wel kon verleiden, zoals in romantische sprookjes. In mijn ongerustheid om te weten wat er mis was met mij, besteedde ik uren en uren aan het maken van zelfportretten, sommige tegenover een grote spiegel die ik naar mijn studio bracht, andere door voor de camera te gaan staan. Ik maakte honderden foto's, op sommige sta ik gekleed, op andere naakt, ik onderzocht mezelf vanuit alle hoeken, en het enige wat ik ontdekte was een schemerende droefheid.

Vanuit haar ziekenstoel sloeg doña Elvira het familieleven gade zonder een detail te missen, en ze bemerkte de lange afwezigheden van Diego en mijn verdriet, maakte de optelsom en kwam tot een aantal conclusies. Door haar zwakke gezondheid en die Chileense gewoonte om niet over gevoelens te praten kon ze het probleem niet direct aanpakken, maar tijdens de vele uren die we samen doorbrachten kwamen we zeer dicht bij elkaar, we werden als moeder en dochter. Zo vertelde ze me, voorzichtig en gedoseerd, over de problemen die zij in het begin met haar man had gehad. Ze was heel jong getrouwd en kreeg haar eerste kind pas vijf jaar later, na verscheidene miskramen, waarvan ze lichamelijk en geestelijk een flinke deuk opliep. In die tijd was Sebastián Domínguez onvolwassen en hij had geen verantwoordelijkheidsgevoel voor het huwelijksleven; hij was onstuimig, een fierefluiter, en neukte graag buiten de deur – zij gebruikte dit woord natuurlijk niet, ik denk niet dat ze het kende. Doña Elvira voelde zich geïsoleerd, mijlenver van haar familie, alleen en bang, en ze was ervan overtuigd dat haar huwelijk een verschrikkelijke vergissing was geweest, waaruit de dood de enige uitweg was. 'Maar God heeft mijn smeekbeden aanhoord, we kregen Eduardo, en van de ene op de andere dag was Sebastián compleet veranderd; er bestaat geen betere vader of echtgenoot dan hij, we zijn meer dan dertig jaar samen en elke dag dank ik de hemel voor het geluk dat we delen. Je moet bidden, lieverd, dat helpt veel,' ried ze me aan. Ik bad, maar vast niet intensief en vasthoudend genoeg, want er veranderde niets.

De vermoedens waren maanden eerder ontstaan, maar ik schoof ze terzijde, walgend van mezelf; ik kon ze niet aanvaarden zonder iets slechts van mijn eigen karakter aan het licht te brengen. Ik herhaalde voor mezelf dat dergelijke verdenkingen slechts ideeën van de duivel konden zijn die in mijn hersenen wortel schoten en als dodelijke tumoren ontkiemden, ideeën die ik genadeloos moest bestrijden, maar de knagende wrok was sterker dan mijn goede voornemens. Eerst waren er de familiefoto's die ik aan Iván Radovic liet zien. Wat aanvankelijk niet in het oog sprong – door de gewoonte alleen te zien wat we willen zien, zoals mijn meester Juan Ribero altijd zei – werd in zwart-wit zichtbaar op het papier. De onmiskenbare taal van het lichaam, van de gebaren, de blikken, kwam daar langzaam uit naar boven. Vanaf die eerste vermoedens viel ik meer en meer terug op de camera; onder het voorwendsel een album voor doña Elvira te maken nam ik om de haverklap kiekjes van de familie, die ik daarna in de beslotenheid van mijn doka ontwikkelde en met perverse aandachtigheid bestudeerde. Zo bouwde ik een miserabele collectie van futiele bewijzen op, sommige zo dun dat alleen ik, door wrok vergiftigd, ze kon waarnemen. Met de camera voor mijn gezicht als een masker dat me onzichtbaar maakte, kon ik scherpstellen op het tafereel en tegelijkertijd een ijzige afstand bewaren. Tegen het einde van april, toen de hitte afnam, de vulkaantoppen met wolken omgeven werden en de natuur zich begon terug te trekken voor de herfst, vond ik de op de foto's geopenbaarde aanwijzingen voldoende en begon ik aan de afschuwelijke opgave om Diego als een willekeurige jaloerse vrouw te bespieden. Toen ik me eindelijk bewust werd van die wurgende greep om mijn keel en er de naam aan kon geven die het in het woordenboek heeft, voelde ik me wegzinken in een moeras. Jaloezie. Wie dat gevoel niet kent kan niet weten hoeveel pijn het doet en hoeveel dwaze streken er in haar naam worden uitgehaald. In de dertig jaar van mijn leven heb ik er alleen die keer last van gehad, maar de brandwond was zo genadeloos dat de littekens niet zijn verdwenen, en ik hoop ook dat ze nooit verdwijnen, als een waarschuwing om ze in de toekomst te voorkomen. Diego was niet van mij – niemand kan ooit iemand anders toebehoren – en het feit dat ik zijn echtgenote was, gaf me geen aanspraak op hem of zijn gevoelens. Liefde is een vrijblijvend contract dat begint met een vonk en op dezelfde wijze kan eindigen. Talloze gevaren liggen op de loer, en als het paar haar beschermt kan de liefde overleven, groeien als een boom en schaduw en fruit geven, maar dat gebeurt alleen als beiden meewerken. Diego deed dat nooit, onze relatie was vanaf het begin verdoemd. Nu begrijp ik dat, maar destijds was ik blind: in het begin van pure woede en later van verdriet.

Door hem met het horloge in de hand in de gaten te houden kwam ik er gaandeweg achter dat de afwezigheden van mijn echtgenoot niet strookten met zijn verklaringen. Wanneer hij zogenaamd was gaan jagen met Eduardo, kwam hij vele uren voor of na zijn broer terug; wanneer de andere mannen van de familie in de zagerij waren of het vee bijeendreven om het te merken, stond hij ineens op de binnenplaats en bleek hij later, als ik het onderwerp ter sprake bracht, de hele dag niet bij hen geweest te zijn; wanneer hij boodschappen ging doen in het dorp kwam hij dikwijls zonder iets terug, want hij had zogenaamd niet gevonden wat hij zocht, al was het iets banaals als een bijl of een zaag. Tijdens de vele uren die de familie samen doorbracht, ging hij tot elke prijs de gesprekken uit de weg: hij was altijd degene die de kaartspelen organiseerde of Susana vroeg om te zingen. Als zij weer eens gevloerd was door een migraineaanval, verveelde hij zich heel snel en ging weg op zijn paard met het geweer over zijn schouder. Ik kon hem niet volgen bij zijn uitstapjes zonder dat hij het zou merken en zonder achterdocht te wekken in de familie, maar ik bleef hem scherp in de gaten houden wanneer hij in de buurt was. Zo merkte ik dat hij soms midden in de nacht opstond en niet naar de keuken ging om wat te eten, zoals ik dacht, maar zich aankleedde, de binnenplaats op liep en een of twee uur wegbleef, waarna hij zwijgend terug naar bed ging. Hem volgen in het donker bleek makkelijker dan overdag, wanneer een dozijn ogen ons bekeken; het was slechts een kwestie van wakker blijven door tijdens het diner geen wijn te drinken en de druppeltjes opium 's avonds niet in te nemen. Op een nacht halverwege mei hoorde ik hem zijn bed uit glippen, en bij het flauwe licht van het olielampje dat we altijd bij het Christusbeeld hadden branden, zag ik dat hij zijn broek en laarzen aantrok, zijn bloes en zijn jasje pakte en wegging. Ik wachtte even, stond vervolgens snel op en volgde hem terwijl mijn hart bijna uit mijn borst sprong. Ik kon hem niet goed zien in het donkere huis, maar toen ik de binnenplaats op liep, tekende zijn silhouet zich duidelijk af tegen het licht van de maan, die van het ene moment op het andere vol aan het firmament verscheen. Het was halfbewolkt en nu en dan schoven er wolken voor de maan, die ons in duister hulden. Ik hoorde de honden blaffen en bedacht dat ze mijn aanwezigheid zouden verraden als ze dichterbij zouden komen, maar ze kwamen niet, en toen begreep ik dat Diego ze eerder al had vastgebonden. Mijn echtgenoot liep helemaal om het huis heen en begaf zich snel naar een van de stallen waar de rijpaarden van de familie stonden die niet voor het werk op het land gebruikt werden, schoof de grendel van de deur en ging naar binnen. Beschermd door de donkerte van een olm die op een paar meter van de paardenstallen stond, bleef ik wachten, op blote voeten en slechts bedekt door een dun nachthemd, zonder nog een voet te durven verzetten, in de overtuiging dat Diego op een paard zou terugkomen en ik hem niet zou kunnen volgen. Er verstreek voor mijn gevoel een hele tijd zonder dat er iets gebeurde. Plotseling ontwaarde ik licht door de kier van de openstaande deur, misschien van een kaars of een kleine lamp. Ik knarsetandde en rilde krampachtig van de kou en de angst. Ik stond op het punt me gewonnen te geven en weer naar bed te gaan, toen ik vanaf de oostkant een andere gestalte naar de stal zag lopen – het was duidelijk dat die niet uit het grote huis kwam – en eveneens binnen zag gaan, de deur achter zich op een kier zettend. Ik liet bijna een kwartier verstrijken alvorens een besluit te nemen, en toen dwong ik mezelf een paar stappen te zetten; ik was verstijfd en kon me nauwelijks bewegen. Ik liep doodsbang naar de stal, zonder te weten hoe Diego zou reageren als hij zou ontdekken dat ik hem begluurde, maar ik kon niet opgeven. Ik duwde zachtjes tegen de deur, die zonder weerstand openging – want de grendel zat aan de buitenkant, vanbinnen kon je hem niet afsluiten – en ik kon als een dief door de smalle opening glippen. Binnen was het donker, maar achterin fonkelde een klein lichtje en daar ik liep op mijn tenen naartoe, zonder ook maar te ademen – onnodige voorzorgsmaatregelen, aangezien het stro mijn passen dempte en er verscheidene dieren wakker waren, ik hoorde ze bewegen en in hun voederbakken blazen.

Bij het zwakke licht van een lantaarn die aan een balk was opgehangen en heen en weer werd gewiegd door de wind die tussen het hout door tochtte, zag ik ze. Ze hadden een stel dekens over een strobaal gelegd, als een nest, waarop zij op haar rug lag, gekleed in een zware, opengeknoopte jas, waaronder ze naakt was. Haar armen en benen lagen opengespreid, haar hoofd lag gedraaid naar een schouder, het zwarte haar bedekte haar gezicht en haar huid blonk als blank hout in het zwakke, oranjeachtige lantaarnlicht. Diego, nauwelijks bedekt door zijn overhemd, zat haar op zijn knieën te likken. Er lag zo'n absolute overgave in Susana's houding en zo'n ingehouden passie in Diego's handelingen dat ik meteen begreep hoe ver ik van dit alles af stond. Eigenlijk bestond ik niet, en Eduardo of de drie kinderen evenmin, niemand verder, alleen zij tweeën die elkaar onvermijdelijk beminden. Nooit had mijn echtgenoot me op zo'n manier liefgehad. Het was eenvoudig te begrijpen dat ze al talloze keren eerder zo samen waren geweest, dat ze elkaar al jaren beminden; ik snapte uiteindelijk dat Diego met mij getrouwd was omdat hij een dekmantel nodig had voor zijn relatie met Susana. In een oogwenk vielen de stukjes van die pijnlijke puzzel in elkaar: ik kon zijn onverschilligheid jegens mij verklaren, zijn afwezigheden die samenvielen met de migraineaanvallen van Susana, zijn gespannen relatie met zijn broer Eduardo, de achterbakse manier waarop hij met de rest van de familie omging en hoe hij ervoor zorgde om altijd bij haar in de buurt te zijn, haar aan te raken, zijn voet tegen de hare, zijn hand op haar elleboog of haar schouder en soms, als bij toeval, in de holte van haar rug of haar hals, onmiskenbare aanwijzingen die mijn foto's me hadden onthuld. Ik herinnerde me hoeveel Diego van de kinderen hield en bedacht dat ze wellicht niet zijn neefjes en nichtjes waren, maar zijn eigen kinderen, alle drie met blauwe ogen, het handelsmerk van de Domínguez. Ik verroerde me niet, ik stond langzaam te bevriezen, terwijl zij wellustig de liefde bedreven, genietend van elke aanraking, elk gekreun, zonder haast, alsof ze nog een heel leven samen voor zich hadden. Ze leken geen minnaars tijdens een gejaagde, heimelijke ontmoeting, maar een pasgetrouwd stel in de tweede week na de bruiloft, wanneer de vonken er nog vanaf vliegen maar het vertrouwen en de wederzijdse kennis van het vlees er al zijn. Ik had echter nog nooit zo'n mate van intimiteit met mijn echtgenoot meegemaakt en ik was evenmin in staat geweest die in mijn gewaagdste fantasieën te verzinnen. Diego's tong ging langs Susana's benen, van haar enkels naar boven, en stopte tussen haar dijen om weer naar beneden te gaan, terwijl zijn handen langs haar middel omhoogklommen en haar ronde, weelderige borsten kneedden, spelend met haar stijve en als druiven glanzende tepels. Susana's weke, zachte lichaam rilde en kronkelde, ze was een vis in de rivier, haar hoofd draaide van links naar rechts in de wanhoop van het genot, het haar nog altijd in haar gezicht, de lippen geopend in een langdurig gekreun, haar handen op zoek naar Diego om hem over de prachtige topografie van haar lichaam te leiden, totdat zijn tong haar een uitbarsting van genot bezorgde. Susana boog haar rug naar achteren van het genot dat als een bliksemschicht door haar heen trok en slaakte een hese schreeuw, die hij smoorde door zijn mond tegen de hare te drukken. Daarna hield Diego haar in zijn armen, wiegde haar, streelde haar als een kat, fluisterde een reeks geheime woordjes in haar oor met een gevoeligheid en tederheid die ik bij hem nooit voor mogelijk had gehouden. Op een zeker moment ging ze in het hooi zitten, deed haar jas uit en begon hem te kussen, eerst het voorhoofd, daarna zijn oogleden, zijn slapen, langdurig de mond, haar tong die ondeugend Diego's oren verkent, over zijn adamsappel springt, de hals beroert, haar tanden die aan de mannelijke tepels knabbelen, haar vingers die verstrikt zitten in zijn borsthaar. Toen was het zijn beurt om zich helemaal aan de liefkozingen over te geven, hij ging op zijn buik op de deken liggen en zij ging op zijn rug zitten, beet hem in zijn nek en hals, liep met kleine, speelse kusjes langs zijn schouders naar beneden tot zijn billen, onderzoekend, aan hem ruikend, van hem proevend en op haar weg een spoor van speeksel achterlatend. Diego draaide zich om en haar mond sloot zich om zijn opgerichte, kloppende lid in een eindeloos werk van genot, van geven en nemen in de meest afgezonderde intimiteit, totdat hij het niet meer uithield en zich op haar stortte, haar penetreerde en ze als vijanden omrolden in een wirwar van armen en benen en kussen en hijgen en zuchten en uitingen van liefde die ik nog nooit had gehoord. Daarna doezelden ze in in een warme omhelzing, bedekt met de dekens en de jas van Susana, als twee onschuldige kindertjes. Ik liep stilletjes achteruit en begon mijn weg terug naar het huis, terwijl de ijzige kou van de nacht zich onverbiddelijk meester maakte van mijn ziel.

Er opende zich een afgrond voor me, ik voelde hoe de hoogtevrees me naar beneden zoog, ik voelde de verleiding om te springen en me te verliezen in de diepte van de pijn en ontzetting. Door het verraad van Diego en de angst voor de toekomst was ik op drift geraakt, verloren en ontroostbaar; de woede die aanvankelijk door me heen was gegaan duurde niet lang, meteen daarop werd ik verslagen door een gevoel van dood, van absolute rouw. Ik had mijn leven aan Diego overgeleverd, ik had mezelf aan zijn bescherming als echtgenoot toevertrouwd, ik geloofde letterlijk in de rituele woorden van het huwelijk: we waren tot de dood met elkaar verbonden. Er was geen uitweg. Het tafereel in de stal stelde me voor een werkelijkheid die ik al een aardige tijd doorhad, maar niet onder ogen wilde zien. Mijn eerste impuls was naar het grote huis te rennen en midden op de binnenplaats te gaan staan brullen als een krankzinnige, de familie, de pachters, de honden wakker te maken, getuige te maken van het overspel en de incest. Mijn verlegenheid was echter sterker dan de wanhoop, ik sleepte me zwijgend op de tast naar de kamer die ik met Diego deelde en ging rillend op het bed zitten, terwijl de tranen over mijn wangen liepen en mijn borst en mijn nachthemd doordrenkten. In de minuten of uren die volgden had ik tijd om na te denken over het gebeurde en mijn onmacht te accepteren. Het ging niet om een vleselijk avontuur; wat Diego en Susana verbond was een beproefde liefde, die alle risico's aandurfde en elk obstakel dat op haar weg kwam zou meesleuren, als een genadeloze, brandende lavastroom. Eduardo en ik telden helemaal niet mee, wij waren afdankertjes, nauwelijks een stel insecten in het grootse hartstochtelijke avontuur van die twee. Ik moest het allereerst aan mijn zwager vertellen, besloot ik, maar toen ik me voorstelde hoe zo'n bekentenis als een mokerslag in het leven van die beste man zou aankomen, begreep ik dat ik de moed niet zou hebben dat te doen. Eduardo zou het op een dag zelf wel ontdekken of zou het, met een beetje geluk, nooit weten. Misschien vermoedde hij het, net als ik, maar wilde hij het niet bevestigd zien om het wankele evenwicht van zijn illusies te bewaren; drie kinderen, zijn liefde voor Susana en de monolithische samenhang van de familieclan stonden op het spel.

Diego keerde ergens in de nacht terug, vlak voor het ochtendgloren. Bij het licht van het olielampje zag hij me op het bed zitten, rood van het huilen, niet in staat een woord uit te brengen, en hij dacht dat ik weer door zo'n nachtmerrie wakker was geworden. Hij ging naast me zitten en probeerde me tegen zijn borst aan te trekken, zoals hij op dat soort momenten deed, maar ik trok me instinctief terug, en ik moet een verschrikkelijke uitdrukking van wrok op mijn gezicht gehad hebben, want hij deinsde meteen achteruit. We bleven elkaar aankijken, hij verbaasd en ik met afkeer, totdat de waarheid zich als een draak tussen de twee bedden nestelde, onherroepelijk en onvermijdelijk.

'Wat doen we nu?' kon ik slechts uitbrengen.

Hij probeerde het niet te ontkennen of zich te rechtvaardigen, hij daagde me uit met een stalen blik, bereid zijn liefde hoe dan ook te verdedigen, al moest hij me doden. Toen brak de dijk van trots, fatsoen en welgemanierdheid die me gedurende maanden van frustratie had tegengehouden, en de stilzwijgende verwijten gingen over in een niet-aflatende stortvloed aan beschuldigingen, die hij onaangedaan en zwijgend, maar met aandacht voor elk woord, over zich liet komen. Ik beschuldigde hem van alles wat er in me opkwam en ten slotte smeekte ik hem diep na te denken, ik zei dat ik bereid was te vergeven en vergeten, dat we ver weg moesten gaan, waar niemand ons kende, dat we opnieuw konden beginnen. Toen mijn woorden en tranen op waren, was het al helemaal licht. Diego overbrugde de afstand tussen onze bedden, ging naast me zitten, pakte mijn handen en legde me rustig en ernstig uit dat hij al vele jaren van Susana hield en dat die liefde het belangrijkste in zijn leven was, belangrijker dan de eer, de rest van de familie en zijn eigen zielenheil; hij zou kunnen beloven zich afzijdig van haar te houden om me gerust te stellen, zei hij, maar dat zou een valse belofte zijn. Hij voegde eraan toe dat hij dat geprobeerd had toen hij naar Europa ging en zes maanden lang bij haar uit de buurt was, maar het was niet gelukt. Hij was zelfs met mij getrouwd om te zien of hij zo de verschrikkelijke band met zijn schoonzus kon verbreken, maar het huwelijk had, in plaats van hem te helpen bij zijn besluit afstand van haar te nemen, de zaken alleen maar makkelijker gemaakt, want het verminderde de argwaan van Eduardo en de rest van de familie. Toch was hij blij dat ik uiteindelijk de waarheid ontdekt had, want het deed hem verdriet mij te bedriegen; hij kon me niets verwijten, verzekerde hij me, ik was een zeer goede echtgenote en hij betreurde het ten zeerste dat hij me niet de liefde kon geven die ik verdiende. Hij voelde zich een schoft elke keer dat hij van mijn zijde wegglipte om met Susana te zijn, het zou een opluchting zijn om niet meer tegen me te hoeven liegen. Nu was de situatie duidelijk.

'En Eduardo, telt die soms niet mee?' vroeg ik.

'Wat er tussen hem en Susana gebeurt is hun zaak. We moeten nu een besluit nemen over onze relatie.'

'Dat heb jij al gedaan, Diego. Ik heb hier niets meer te zoeken, ik ga terug naar huis,' zei ik.

'Dit is jouw thuis nu, we zijn getrouwd, Aurora. Wat God heeft verbonden, mag de mens niet scheiden.'

'Jij bent degene die meerdere goddelijke geboden heeft overtreden,' maakte ik duidelijk.

'We zouden als broer en zus kunnen leven. Aan mijn zijde zal het je aan niets ontbreken, ik zal je altijd respecteren, je zult bescherming en vrijheid genieten om je te wijden aan je foto's of wat je maar wilt. Het enige dat ik je vraag, is geen scène te maken.'

'Je kunt me niets meer vragen, Diego.'

'Ik vraag het niet voor mezelf. Ik heb een dikke huid en kan als een man de consequenties aanvaarden. Ik vraag het je voor mijn moeder. Zij zou het niet kunnen verdragen...'

Ik bleef dus voor doña Elvira. Ik weet niet hoe ik me aankleedde, water in mijn gezicht gooide, mijn haar kamde, koffiedronk en het huis uit ging voor mijn dagelijkse werkzaamheden. Ik weet niet hoe ik tijdens het middagmaal Susana onder ogen kwam of welke verklaring ik mijn schoonouders gaf voor mijn gezwollen ogen. Die dag was de ergste, ik voelde me geradbraakt en verdoofd, ik kon bij de eerste de beste vraag in huilen uitbarsten. 's Avonds had ik koorts en deden mijn botten zeer, maar de volgende dag was ik rustiger; ik zadelde mijn paard en stoof richting de heuvels. Al snel begon het te regenen, maar ik draafde door tot de merrie niet meer kon, steeg af en baande me te voet een weg door het struikgewas en de modder, onder de bomen, uitglijdend en vallend en weer opstaand, schreeuwend uit volle borst, terwijl het water me doordrenkte. De druipnatte poncho was zo zwaar dat ik hem weggooide en ik liep rillend van de kou maar innerlijk brandend verder. Bij zonsondergang keerde ik zonder stem en koortsig terug, dronk hete kruidenthee en ging naar bed. Van de rest herinner ik me maar weinig, want in de daaropvolgende weken lag ik te vechten voor mijn leven en had ik tijd noch energie om aan het drama van mijn huwelijk te denken. De nacht die ik blootsvoets en halfnaakt in de stal had doorgebracht en het galopperen in de regen hadden een longontsteking veroorzaakt die me bijna naar de andere wereld hielp. Ze brachten me op een kar naar het ziekenhuis van de Duitsers, waar ik in handen van een Teutoonse verpleegster met blonde vlechten was, die me met louter doorzettingsvermogen het leven redde. Die edelmoedige walkure kon me als een baby in haar krachtige houthakkersarmen optillen maar me ook geduldig als een min lepeltjes kippenbouillon voeren.

Begin juli, toen de winter definitief was ingetreden en het landschap een en al water was – onstuimige rivieren, overstromingen, modderpoelen, regen en nog eens regen – kwamen Diego en twee pachters me uit het ziekenhuis ophalen om me in dekens en bontvellen gewikkeld, als een pakketje, mee terug te nemen naar Caleufú. Ze hadden een canvas huif, een bed en zelfs een stoof tegen de vochtigheid op de kar gezet. Zwetend in mijn laag dekens maakte ik de trage gang naar huis, terwijl Diego op zijn paard naast de kar reed. Herhaaldelijk liepen de wielen vast; de kracht van de ossen was niet genoeg om de kar te trekken, de mannen moesten planken op de modder leggen en duwen. Diego en ik wisselden geen woord tijdens die lange dag reizen. Op Caleufú liep doña Elvira huilend van blijdschap naar buiten om me te begroeten, waarna ze nerveus de bedienden aanspoorde om goed te letten op de komforen, de warmwaterkruiken en de soep met runderbloed, die me mijn kleur en levenslust moesten teruggeven. Ze had zoveel voor me gebeden, zei ze, dat God medelijden had gekregen. Met de smoes dat ik me nog erg slapjes voelde, vroeg ik haar me in het grote huis te laten slapen, en ze bracht me onder in een kamer naast de hare. Voor het eerst in mijn leven kreeg ik de zorg van een moeder. Mijn grootmoeder Paulina del Valle, die zoveel van me hield en zoveel voor me had gedaan, was niet zo geneigd tot uitingen van liefde, hoewel ze eigenlijk heel sentimenteel was. Ze zei dat tederheid, die honingzoete mengeling van genegenheid en medelijden die op kalenders vaak wordt weergegeven met opgetogen moeders bij hun baby's, aan weerloze dieren zoals pasgeboren katjes nog wel kon worden gegeven, maar onder mensen gigantische onzin was. In onze relatie zat altijd een ironische en bijdehante ondertoon; we raakten elkaar weinig aan, behalve wanneer we in mijn kindertijd samen sliepen, en gingen over het algemeen met een zekere botheid met elkaar om, die voor ons allebei heel prettig was. Ik gebruikte spottend lieve woordjes als ik iets van haar gedaan wilde krijgen, en dat lukte altijd, want mijn wonderbaarlijke grootmoeder gaf zeer gemakkelijk toe, eerder om uitingen van genegenheid uit de weg te gaan dan uit zwakte. Doña Elvira was juist een eenvoudig iemand die beledigd zou zijn door het sarcasme zoals mijn grootmoeder en ik dat zouden gebruiken. Ze was van nature liefdevol, ze pakte mijn hand en hield die tussen de hare, kuste me, omhelsde me, ze borstelde graag mijn haar, ze diende me persoonlijk de merg- en levertraandrankjes toe, ze legde kamferkompressen aan tegen de hoest en liet me de koorts uitzweten door me met eucalyptusolie in te wrijven en in warme dekens te wikkelen. Ze zorgde ervoor dat ik goed at en rustte, 's avonds gaf ze me de opiumdruppeltjes en bleef naast me zitten bidden tot ik insliep. Elke ochtend vroeg ze me of ik nachtmerries had gehad en of ik haar die tot in de details wilde beschrijven, 'want door over die dingen te praten verdwijnt de angst,' zo zei ze. Haar gezondheid was niet goed, maar ze haalde weet ik waarvandaan de kracht om me te verzorgen en me gezelschap te houden, terwijl ik me zwakker voordeed dan ik me werkelijk voelde om de idylle met mijn schoonmoeder te rekken. 'Word maar snel beter, meisje, je man heeft je aan zijn zijde nodig,' zei ze dikwijls bezorgd tegen me, hoewel Diego haar herhaaldelijk zei dat het goed zou zijn als ik de rest van de winter in het grote huis zou doorbrengen. Die weken onder haar dak dat ik herstelde van de longontsteking waren een vreemde ervaring. Mijn schoonmoeder bood me de zorg en liefde die ik van Diego nooit zou krijgen. Die tedere en onvoorwaardelijke liefde werkte als een balsem en genas me geleidelijk aan van mijn doodsverlangen en de wrok die ik tegen mijn man koesterde. Ik kon de gevoelens van Diego en Susana en de onverbiddelijke noodlottigheid van wat er gebeurd was begrijpen; hun passie moest wel een tellurische kracht zijn, een aardbeving, die hen onvermijdelijk meesleepte. Ik stelde me voor hoe ze tegen die aantrekkingskracht gevochten hadden voordat ze ervoor zwichtten, hoeveel taboes ze moesten overwinnen om samen te zijn, hoe verschrikkelijk de kwelling moest zijn om elke dag tegenover iedereen te doen alsof ze een broer-zusrelatie hadden terwijl ze innerlijk brandden van verlangen. Ik vroeg me niet meer af hoe het mogelijk was dat ze zich niet over de wellust heen konden zetten en dat hun egoïsme hen verhinderde te zien wat voor ramp ze konden veroorzaken bij de meest nabije personen, want ik voelde aan hoe verscheurd ze moesten zijn. Ik had Diego wanhopig liefgehad, ik kon begrijpen wat Susana voor hem voelde, zou ik onder dezelfde omstandigheden net als zij gehandeld hebben? Ik dacht van niet, maar het was onmogelijk te garanderen. Hoewel het gevoel van mislukking bleef, kon ik de haat loslaten, afstand nemen en in de huid kruipen van de andere hoofdrolspelers in deze ellende. Ik had meer medelijden met Eduardo dan verdriet om mezelf; hij had drie kinderen en was verliefd op zijn vrouw, voor hem zou het drama van die incestueuze ontrouw erger zijn dan voor mij. Ook voor mijn zwager moest ik het stilhouden, maar het geheim woog niet meer als een molensteen om mijn nek, want de hekel aan Diego werd minder, weggewassen door de handen van doña Elvira. Mijn dankbaarheid tegenover haar voegde zich bij het respect en de genegenheid die ik vanaf het begin voor haar had opgevat. Ik raakte aan haar gehecht als een schoothondje; ik had haar aanwezigheid, haar stem, haar lippen op mijn voorhoofd nodig. Ik voelde me verplicht haar te beschermen tegen de catastrofe die in de schoot van haar gezin ontstond; ik was bereid op Caleufú te blijven en mijn vernedering als afgewezen echtgenote te verbergen, want als ik wegging en zij de waarheid zou ontdekken, zou ze sterven van verdriet en schaamte. Haar bestaan draaide om die familie, om de behoeften van elk van de personen die binnen de muren van haar huis leefden, dat was haar hele universum. Mijn schikking met Diego was dat ik mijn deel zou nakomen zolang doña Elvira leefde en daarna vrij zou zijn; hij zou me laten gaan en geen contact meer met me opnemen. Ik zou het – voor velen onterende – bestaan als 'gescheiden vrouw' moeten verduren en zou niet meer kunnen trouwen, maar ik zou in ieder geval niet meer hoeven leven aan de zijde van een man die niet van me hield.

Halverwege september, toen ik geen excuus meer had om bij mijn schoonouders in huis te blijven en het moment om weer bij Diego te gaan wonen was aangebroken, kwam het telegram van Iván Radovic. In een paar regels deelde de arts me mee dat ik terug moest komen naar Santiago omdat het einde van mijn grootmoeder nabij was. Ik verwachtte dat bericht al maanden, maar toen ik het telegram kreeg, kwamen de verrassing en het verdriet als een mokerslag; ik was verbijsterd. Mijn grootmoeder was onsterfelijk. Ik kon haar niet zien als het kleine, kale en broze oudje dat ze in werkelijkheid was, alleen maar als de snoepzieke, geslepen amazone met dubbele pruik die ze vroeger geweest was. Doña Elvira nam me in haar armen en zei dat ik me niet alleen moest voelen, ik had nu een andere familie, ik hoorde bij Caleufú, en zij zou proberen voor me te zorgen en me te beschermen zoals Paulina del Valle dat vroeger had gedaan. Ze hielp me mijn twee koffers in te pakken, hing de scapulier van het Heilige Hart van Jezus weer om mijn nek en overlaadde me met goede raad; voor haar was Santiago een poel des verderfs en de reis een enorm gevaarlijk avontuur. Het was de tijd om, na de winterstop, de houtzagerij weer in beweging te zetten, zodat Diego een goed excuus had om niet met me mee te gaan naar Santiago, ook al stond zijn moeder erop. Eduardo zette me bij de boot af. In de deuropening van het grote huis van Caleufú stonden ze allemaal te zwaaien: Diego, mijn schoonouders, Adela, Susana, de kinderen en verscheidene pachters. Ik wist niet dat ik ze niet meer zou terugzien.

Alvorens te vertrekken doorzocht ik mijn doka, waar ik sinds de rampzalige nacht in de stal geen voet meer had binnengezet, en ontdekte dat iemand de foto's van Diego en Susana had weggehaald, maar aangezien die persoon hoogstwaarschijnlijk geen weet had van het ontwikkelingsproces, had hij de negatieven niet gezocht. Ik had helemaal niets aan die armetierige bewijzen; ik vernietigde ze. Ik stopte de negatieven van de indianen, de mensen van Caleufú en de rest van de familie in mijn koffers, want ik wist niet hoe lang ik weg zou zijn en ik wilde niet dat ze vergingen. Ik maakte de reis met Eduardo te paard, de bagage op een muilezel gebonden, en we stopten in de indianendorpen om te eten en uit te rusten. Mijn zwager, die beer van een vent, had hetzelfde zachtaardige karakter als zijn moeder, dezelfde bijna kinderlijke naïviteit. Onderweg hadden we tijd om met z'n tweeën te praten, zoals we nooit eerder hadden gedaan. Hij bekende dat hij van kinds af aan poëzie schreef, 'hoe kun je dat niet doen wanneer je te midden van zoveel schoonheid leeft?' zei hij erbij, wijzend op het bos- en waterlandschap om ons heen. Hij vertelde me dat hij niets ambieerde, hij had geen behoefte om net als Diego zijn horizon te verbreden, Caleufú was genoeg voor hem. Toen hij in zijn jeugd naar Europa was gereisd, had hij zich verloren en diep ongelukkig gevoeld, hij kon niet ver van dat land dat hij liefhad leven. God was heel royaal voor hem geweest, zei hij, Hij had hem midden in het aardse paradijs neergezet. We namen afscheid in de haven met een stevige omhelzing. 'Dat God je altijd moge beschermen, Eduardo,' fluisterde ik in zijn oor. Hij was enigszins onthutst door dat plechtige afscheid.

Frederick Williams stond op het station op me te wachten en bracht me in de koets naar het huis aan de Ejército Liberador. Hij was verbaasd me zo uitgemergeld te zien, en mijn verklaring dat ik heel ziek was geweest bevredigde hem niet; hij bekeek me vanuit zijn ooghoeken, vroeg met klem naar Diego, of ik gelukkig was, hoe de familie van mijn schoonouders was en of ik me kon aanpassen op het platteland. Eens het schitterendste huis in die wijk met paleizen, was de villa van mijn grootmoeder nu in net zo'n staat van verval geraakt als zijn eigenares. Verscheidene luiken hingen uit hun scharnieren en de muren zagen er kleurloos uit; de tuin was zo verwaarloosd dat de lente hem had overgeslagen, zodat hij in een droeve winter gehuld bleef. Binnen was de verwoesting erger: de prachtige salons van vroeger waren bijna leeg, meubels, vloerkleden en schilderijen waren verdwenen; geen van de beroemde impressionistische schilderijen die een aantal jaren geleden zoveel opschudding hadden veroorzaakt, hing er nog. Oom Frederick legde uit dat mijn grootmoeder, ter voorbereiding op de dood, bijna alles aan de Kerk had geschonken. 'Maar ik geloof dat al haar geld er nog is, Aurora, want ze houdt nog altijd elke centavo bij en heeft de kasboeken onder het bed liggen,' voegde hij er met een ondeugende knipoog aan toe. Zij, die alleen een tempel binnenging om gezien te worden, die een hekel had aan die zwerm schooiende priesters en voorkomende nonnen die voortdurend om de rest van de familie heen fladderde, had in haar testament een aanzienlijk bedrag voor de katholieke Kerk beschikt. Immer gewiekst in zaken, wilde ze op het uur van de dood datgene kopen waar ze in het leven weinig aan had. Williams kende mijn grootmoeder beter dan wie ook, en ik denk dat hij bijna net zoveel van haar hield als ik; tegen alle voorspellingen van de jaloerse mensen in beroofde hij haar niet van haar fortuin om haar op haar oude dag in de steek te laten, maar behartigde hij juist jarenlang de familiebelangen. Hij was een echtgenoot die haar waardig was, bereid haar tot haar laatste adem gezelschap te houden, en hij zou nog veel meer doen voor mij, zoals de komende jaren duidelijk zou worden. Paulina was inmiddels niet zo helder van geest meer, door de pijnstillers bevond ze zich in een droomtoestand zonder herinneringen of verlangens. In die maanden was ze een slap velletje geworden, want ze kon niet slikken, en ze kreeg melk toegediend via een rubber slang die ze in haar neus ingebracht hadden. Ze had nog amper een paar witte plukken haar op haar hoofd en haar grote donkere ogen waren klein geworden, als twee puntjes in een landkaart van rimpels. Ik boog me voorover om haar te kussen, maar ze herkende me niet en wendde haar gezicht af; haar hand zocht echter op de tast naar die van haar echtgenoot en toen hij de hare vastpakte, streek een vredige uitdrukking haar gezicht glad.

'Ze lijdt niet, Aurora, we geven haar veel morfine,' legde de oom Frederick uit.

'Hebt u haar kinderen op de hoogte gebracht?'

'Ja, ik heb ze twee maanden geleden een telegram gestuurd, maar ze hebben niet geantwoord en ik denk niet dat ze op tijd komen, Paulina heeft niet lang meer,' zei hij aangedaan.

En zo was het, Paulina del Valle stierf stilletjes de volgende dag. Bij haar waren haar echtgenoot, dokter Radovic, Severo, Nívea en ik; haar kinderen kwamen veel later met advocaten om te ruziën over de erfenis, die niemand hun betwistte. De arts had de voedingssonde bij mijn grootmoeder weggehaald en omdat ze ijskoude handen had, had Williams haar handschoenen aangetrokken. Haar lippen waren blauw geworden en ze was lijkbleek, ze ademde steeds onwaarneembaarder, zonder onrust, en ineens hield ze er gewoon mee op. Radovic nam haar polsslag op, er ging een minuut voorbij, misschien twee, en toen deelde hij mee dat ze was heengegaan. Er hing een aangename rust in de kamer, er gebeurde iets geheimzinnigs, misschien had de geest van mijn grootmoeder zich losgemaakt en fladderde hij nu als een verwarde vogel in een afscheid rond boven zijn eigen lichaam. Haar heengaan dompelde me in diepe verslagenheid, een oud gevoel dat ik al kende, maar pas een paar jaar later kon benoemen of verklaren, toen het mysterie rond mijn verleden eindelijk werd opgehelderd en ik begreep dat de dood van mijn grootvader Tao Chi'en, vele jaren daarvoor, me in een vergelijkbaar verdriet had gestort. De wond was gebleven en ging nu met dezelfde brandende pijn weer open. Het gevoel van ouderloosheid dat mijn grootmoeder achterliet, was hetzelfde als het gevoel waardoor ik op vijfjarige leeftijd werd overstelpt, toen Tao Chi'en uit mijn leven verdween. Ik denk dat het oude zeer uit mijn kindertijd – het ene verlies na het andere – dat jarenlang in de diepste lagen van het geheugen was weggestopt, zijn dreigende medusakop opstak om me te verslinden: mijn moeder gestorven bij de bevalling, mijn vader die niet van mijn bestaan wilde weten, mijn grootmoeder van moederskant die me zomaar in de handen van Paulina del Valle achterliet en, vooral, de plotselinge afwezigheid van de persoon die ik het meest liefhad, mijn grootvader Tao Chi'en.

Er zijn negen jaren verstreken sinds die septemberdag waarop Paulina del Valle heenging; deze en andere tegenslagen liggen achter me, ik kan nu met een gerust hart aan mijn grootse grootmoeder terugdenken. Ze was niet verdwenen in het uitgestrekte duister van een definitieve dood, zoals ik in het begin dacht: een deel van haar is hier gebleven en is samen met Tao Chi'en altijd om me heen, twee zeer verschillende geesten die me vergezellen en helpen, de eerste voor de praktische zaken in het leven en de tweede voor het oplossen van gevoelskwesties; maar toen mijn grootmoeder ophield met ademen op de soldatenbrits waarop ze haar laatste periode had doorgebracht, vermoedde ik niet dat ze zou terugkomen en was ik stuk van verdriet. Als ik in staat was geweest mijn gevoelens te tonen, had ik misschien minder geleden, maar ze blijven als een enorme ijsblokkade in me vastzitten en er kunnen jaren overheen gaan voordat het ijs begint te smelten. Ik huilde niet toen ze heenging. De stilte in de kamer leek een fout in het protocol, want een vrouw die had geleefd als Paulina del Valle moest zingend met een orkest sterven, als in de opera; haar afscheid was echter stil, het enige bescheidene dat ze in haar hele leven gedaan heeft. De mannen liepen de kamer uit en Nívea en ik kleedden haar voor haar laatste reis voorzichtig in het karmelietessenhabijt dat ze sinds een jaar in haar kleerkast had hangen, maar we konden de verleiding niet weerstaan haar daaronder haar mooiste Franse ondergoed van mauvekleurige zijde aan te trekken. Toen we haar lichaam optilden, merkte ik hoe licht ze was geworden, er was slechts een breekbaar skelet en wat losse huid van haar overgebleven. In stilte bedankte ik haar voor alles wat ze voor me gedaan had, ik zei de lieve woordjes tegen haar die ik nooit had durven uitspreken als ze me had kunnen horen, ik kuste haar prachtige handen, haar schildpadoogleden, haar nobele voorhoofd, en ik vroeg haar om vergeving voor de driftbuien uit mijn kindertijd, voor het feit dat ik zo laat was gekomen om afscheid van haar te nemen, voor de gedroogde hagedis die ik had uitgespuugd tijdens die gespeelde hoestbui en andere flauwe grappen die ze had moeten verdragen, terwijl Nívea de door Paulina del Valle geboden gelegenheid aangreep om stilletjes te huilen om haar gestorven kinderen. Nadat we mijn grootmoeder hadden aangekleed, besprenkelden we haar met haar gardeniawater en deden we de gordijnen en de ramen open om de lente binnen te laten komen, zoals ze graag gewild had. Niks geen gejammer, geen zwarte kleding, geen bedekte spiegels; Paulina del Valle had geleefd als een onbeschaamde keizerin en verdiende het te worden gevierd met het licht van september. Zo vatte ook Williams het op, die persoonlijk naar de markt ging en de koets vollaadde met verse bloemen om het huis te versieren.

Toen de familieleden en vrienden kwamen – in rouw en met de zakdoek in de hand – waren ze gechoqueerd, want nog nooit hadden ze een dodenwake in zonlicht, met bruidsboeketten en zonder tranen gezien. Onder het mompelen van boosaardige toespelingen vertrokken ze weer, en nu, jaren later, wijzen sommigen me nog steeds na, ervan overtuigd dat ik blij was toen Paulina del Valle stierf omdat ik de hand op de erfenis wilde leggen. Ik erfde echter niets, daar zorgden haar kinderen met hun advocaten al snel voor, maar ik hoefde ook niets, aangezien mijn vader me genoeg had nagelaten om behoorlijk te leven en ik de rest kan financieren door te werken. Ondanks de talloze adviezen en lessen van mijn grootmoeder kreeg ik niet haar goede neus voor zaken; ik zal nooit rijk worden, en daar ben ik blij om. Frederick Williams zou ook niet met de advocaten hoeven ruziën, want geld interesseerde hem veel minder dan boze tongen al jarenlang fluisterden. Bovendien had zijn vrouw hem bij leven veel gegeven, en hij had dat, behoedzaam als hij was, opzij gezet. Paulina's kinderen konden niet bewijzen dat het huwelijk van hun moeder met de vroegere butler onwettig was en ze moesten oom Frederick helaas met rust laten; de wijngaarden konden ze zich evenmin toe-eigenen, want die stonden op naam van Severo del Valle, waarop ze de advocaten achter de priesters aan stuurden om te kijken of ze de goederen konden terugkrijgen die deze geestelijken hadden bemachtigd door de zieke bang te maken met de hete pannen van de hel, maar tot nu toe heeft niemand een rechtszaak gewonnen tegen de katholieke Kerk, die God aan haar kant heeft staan, zoals iedereen weet. Er was hoe dan ook meer dan voldoende geld en de kinderen, verscheidene familieleden en zelfs de advocaten hebben er tot op de dag van vandaag van kunnen leven.

Het enige plezierige in die deprimerende weken was de terugkomst van mejuffrouw Matilde Pineda. Ze had in de krant gelezen dat Paulina del Valle was overleden en ze had de moed bij elkaar geraapt om zich te vertonen in het huis waar ze ten tijde van de revolutie uit gezet was. Ze kwam met een bosje bloemen, in gezelschap van boekhandelaar Pedro Tey. Ze was in die jaren volwassen geworden, en aanvankelijk herkende ik haar niet, maar hij was nog altijd hetzelfde kale mannetje met satanische dikke wenkbrauwen en vurige ogen.

Na het kerkhof, de gezongen missen, de novenen die gebeden moesten worden en het verdelen van aalmoezen en door mijn overleden grootmoeder toegewezen giften, daalde het stof van de protserige begrafenis neer en bevonden Frederick Williams en ik ons alleen in het lege huis. We gingen samen in de glazen serre zitten om zachtjes om de afwezigheid van mijn grootmoeder te treuren – want wij zijn niet goed in huilen – en om haar te gedenken in haar vele grote en haar weinige ongelukkige momenten.

'Wat bent u nu van plan, oom Frederick?' wilde ik weten.

'Dat hangt van u af, Aurora.'

'Van mij?'

'Ik kan me niet geheel onttrekken aan de indruk dat er iets vreemds met u aan de hand is, kindlief,' zei hij, op die hem zo eigen subtiele manier van vragen.

'Ik ben heel ziek geweest, en door het overlijden van mijn grootmoeder ben ik erg bedroefd, oom Frederick. Dat is alles, er is niets vreemds aan de hand, dat verzeker ik u.'

'Jammer dat u me onderschat, Aurora. Ik zou wel erg dom moeten zijn of erg weinig van u moeten houden om uw gemoedstoestand niet op te merken. Zeg me wat er aan de hand is, misschien kan ik u helpen.'

'Niemand kan me helpen, oom.'

'Stel me maar eens op de proef...' verzocht hij me.

En toen begreep ik dat ik verder niemand op deze wereld had om op te vertrouwen en dat Frederick Williams had laten zien een uitstekend raadgever en de enige persoon in de familie met gezond verstand te zijn. Ik kon hem mijn tragedie best vertellen. Hij luisterde tot het einde toe zeer aandachtig naar me, zonder me ook maar één keer te onderbreken.

'Het leven is lang, Aurora. U ziet nu alles zwart, maar de tijd heelt en wist bijna alles. Deze periode is als blind door een tunnel lopen, het lijkt alsof er geen uitweg is, maar ik beloof u dat die er is. Blijf lopen, lieve kind.'

'Wat zal er van me worden, oom Frederick?'

'U zult andere relaties hebben, misschien krijgt u kinderen of wordt u de beste fotografe van dit land,' zei hij.

'Ik voel me zo verward en eenzaam!'

'U bent niet alleen, Aurora, ik ben nu bij u en ik zal blijven zolang u me nodig hebt.'

Hij haalde me over om niet naar mijn man terug te gaan, hij kon een dozijn smoezen verzinnen om mijn terugkeer jarenlang uit te stellen, hoewel hij zeker wist dat Diego mijn terugkomst op Caleufú niet zou eisen, want het was voor hem gunstig mij zo ver mogelijk uit de buurt te hebben. En wat betreft de goedaardige doña Elvira zat er niets anders op dan haar te troosten met een frequente correspondentie; er moest tijd gewonnen worden, mijn schoonmoeder had een slecht hart en zou niet lang meer leven, volgens de diagnose van de artsen. Oom Frederick verzekerde me dat hij geen enkele haast had om Chili te verlaten, ik was zijn enige familie, hij hield van me als van een dochter of een kleindochter.

'Hebt u niemand in Engeland?' vroeg ik hem.

'Niemand.'

'U weet dat er roddels omtrent uw afkomst circuleren, ze zeggen dat u een geruïneerde edelman bent en mijn grootmoeder heeft dat nooit weersproken.'

'Niets is minder waar, Aurora!' riep hij lachend uit.

'Dus u hebt niet ergens een familiewapen verborgen liggen?' lachte ik eveneens.

'Kijk, meisje,' antwoordde hij.

Hij trok zijn jasje uit, deed zijn overhemd open, trok zijn hemd omhoog en liet me zijn rug zien. Hij zat vol verschrikkelijke littekens.

'Tuchtiging. Honderd zweepslagen voor het stelen van tabak in een strafkolonie van Australië. Ik heb vijf jaar straf uitgezeten alvorens op een vlot te ontsnappen. Ik werd op volle zee opgepikt door een Chinees piratenschip en ze zetten me als een slaaf aan het werk, maar zodra we aan land kwamen, ontsnapte ik opnieuw. Zo, van het een naar het ander hoppend, kwam ik uiteindelijk in Californië aan. Het enige dat ik van een Engelse edelman heb is het accent, dat ik van een echte lord heb geleerd, mijn eerste baas in Californië. Hij leerde me tevens het beroep van butler. Paulina del Valle nam me in 1870 aan en sindsdien was ik bij haar.'

'Kende mijn grootmoeder deze geschiedenis, oom?' vroeg ik toen ik een beetje van de verrassing was bekomen en weer iets kon uitbrengen.

'Uiteraard. Paulina vond het ontzettend grappig dat mensen een veroordeelde verwarden met een aristocraat.'

'Waarom werd u veroordeeld?'

'Vanwege het stelen van een paard toen ik vijftien was. Ze wilden me eerst ophangen, maar ik had geluk: mijn straf werd omgezet en ik kwam in Australië terecht. Maakt u zich geen zorgen, Aurora, ik heb in mijn leven geen cent meer gestolen, de zweepslagen hebben me van die slechte gewoonte genezen, maar niet van mijn zin in tabak,' lachte hij.

We bleven dus samen. De kinderen van Paulina del Valle verkochten de villa aan de Ejército Liberador, die nu een meisjesschool is, en haalden als klap op de vuurpijl het weinige wat er nog in het huis stond eruit. Ik redde het mythologische bed door het weg te halen voordat de erfgenamen kwamen en het gedemonteerd te verstoppen in een magazijn van het hospitaal van Iván Radovic, waar het bleef tot de advocaten het moe waren in alle hoeken en gaten te snuffelen op zoek naar de laatste overblijfselen van de vroegere bezittingen van mijn grootmoeder. Frederick Williams en ik kochten een buitenhuis aan de rand van de stad, richting de Andes; we hadden twaalf hectare grond, omzoomd door wuivende populieren, met een zee aan geurende jasmijnen, gewassen door een bescheiden beekje, waar alles ongebreideld groeit. Daar fokt Williams honden en raspaarden, doet hij aan croquet en andere saaie, typisch Engelse activiteiten; daar heb ik mijn winterverblijf. Het huis is een bouwval, maar heeft zo zijn charme, er is ruimte voor mijn fotostudio en voor het befaamde Florentijnse bed, dat met zijn gepolychromeerde zeewezens midden in mijn kamer verrijst. Daar slaap ik in, beschermd door de waakzame geest van mijn grootmoeder Paulina, die meestal op tijd verschijnt om de kinderen in zwarte pyjama's mijn nachtmerries uit te smijten. Santiago zal zich ongetwijfeld uitbreiden naar de kant van het Centraal Station, en ons zullen ze met rust laten in dit bucolische landschap met populieren en bergen.

Dankzij oom Lucky, die me zijn geluksadem inblies toen ik geboren werd, en dankzij de gulle steun van mijn grootmoeder en mijn vader, kan ik zeggen dat ik een goed leven heb. Ik beschik over de middelen en de vrijheid om te doen wat ik wil, ik kan me volledig wijden aan het bereizen van de ruwe Chileense natuur met mijn camera om mijn nek, zoals ik de laatste acht of negen jaar gedaan heb. De mensen praten achter mijn rug om, dat is onvermijdelijk; verscheidene familieleden en kennissen hebben me verstoten, en als ze me op straat zien, doen ze alsof ze me niet kennen, ze kunnen niet toelaten dat een vrouw haar man in de steek laat. Ik lig niet wakker van die beledigingen: ik hoef niet iedereen te behagen, alleen degenen die ik werkelijk belangrijk vind, en dat zijn er niet veel. De trieste uitvloeisels van mijn relatie met Diego Domínguez hadden me voorgoed bang moeten maken voor onbezonnen en vurige liefdes, maar zo was het niet. Het is waar dat ik een paar maanden vleugellam was en me van dag tot dag voortsleepte met het totaal verslagen gevoel mijn enige kaart te hebben uitgespeeld en alles te hebben verloren. Het is eveneens waar dat ik ertoe veroordeeld ben een getrouwde vrouw zonder echtgenoot te zijn, hetgeen me verhindert mijn leven 'opnieuw op te bouwen', zoals mijn tantes zeggen, maar deze vreemde toestand geeft me veel bewegingsvrijheid. Een jaar nadat ik bij Diego was weggegaan werd ik weer verliefd, hetgeen betekent dat ik een dikke huid heb en snel herstel. De tweede liefde was geen tedere vriendschap die mettertijd uitgroeide tot een beproefde romance, het was eenvoudigweg een opwelling van hartstocht die ons allebei overviel en puur toevallig goed uitpakte... Nou ja, tot nu toe, wie weet hoe het in de toekomst zal zijn. Het was op een winterdag, zo'n dag van aanhoudende, groene regen, van de ene bliksemschicht na de andere en een zwaar gemoed. De kinderen van Paulina del Valle en hun advocaten van kwade zaken waren weer komen zeuren met hun eindeloze bescheiden, elk met drie kopieën en elf stempels, die ik ongelezen ondertekende. Frederick Williams en ik hadden het huis aan de Ejército Liberador verlaten en zaten nog in een hotel, omdat de reparaties aan het buitenhuis waar we nu wonen nog niet voltooid waren. Oom Frederick liep op straat tegen dokter Iván Radovic aan, die we een flinke tijd niet meer gezien hadden, en ze spraken af samen met mij te gaan kijken naar een Spaans zarzuela-gezelschap dat door Zuid-Amerika toerde, maar op de vastgestelde dag lag oom Frederick verkouden op bed en zat ik in mijn eentje in de lounge van het hotel te wachten, met ijskoude handen en zere voeten omdat mijn rijglaarsjes te strak zaten. Het water stroomde langs de ramen en de wind liet de bomen in de straat schudden als plumeaus, de avond nodigde niet uit om de deur uit te gaan, en even was ik jaloers op de verkoudheid van oom Frederick, waardoor hij in bed kon blijven met een goed boek en een kop warme chocolademelk, maar de binnenkomst van Iván Radovic deed me de storm vergeten. De arts kwam met een doorweekte jas aan en toen hij tegen me lachte, besefte ik dat hij veel knapper was dan ik me herinnerde. We keken elkaar in de ogen en ik geloof dat we elkaar voor het eerst zagen, ik bekeek hem in elk geval echt, en wat ik zag beviel me wel. Er viel een langdurige stilte, een pauze die onder andere omstandigheden zeer pijnlijk zou zijn geweest, maar op dat moment een soort dialoog leek. Hij hielp me in mijn mantel en we liepen langzaam naar de deur, aarzelend, met onze ogen continu op elkaar gevestigd. Geen van tweeën wilden we de storm die de hemel openscheurde trotseren, maar we wilden ook niet uit elkaar gaan. Er kwam een portier met een grote paraplu aanzetten, die aanbood ons naar het rijtuig te begeleiden dat voor de deur wachtte, waarop we zonder een woord te zeggen, twijfelend, naar buiten liepen. Ik had helemaal geen flits van emotionele helderziendheid, geen enkel speciaal voorgevoel dat we gelijkgestemde zielen hadden, ik stelde me niet het begin van een romance uit een boek voor, niets van dat al, ik nam eenvoudigweg nota van mijn hartkloppingen, mijn happen naar lucht, de hitte en het tintelen van mijn huid, van de enorme zin om die man aan te raken. Ik vrees dat er wat mij betreft niets spiritueels aan die ontmoeting ten grondslag lag, alleen wellust, hoewel ik destijds te onervaren was en mijn woordenschat te beperkt was om die opwinding de naam te geven die ze in het woordenboek heeft. De naam is nog tot daar aan toe, het interessante is dat die inwendige beroering sterker was dan mijn verlegenheid, en in de beschutting van het rijtuig, waaruit nauwelijks ontsnapping mogelijk was, nam ik zijn gezicht in mijn handen en kuste hem zonder er twee keer over na te denken op zijn mond, net zoals ik vele jaren daarvoor Nívea en Severo del Valle elkaar had zien kussen, doortastend en gulzig. Het was een simpele en onherroepelijke actie. Ik kan niet in details treden over wat er daarna gebeurde, want dat is makkelijk voorstelbaar, en als Iván het op deze bladzijden zou lezen, zouden we gigantische bonje krijgen. Het moet gezegd: onze ruzies zijn even gedenkwaardig als onze verzoeningen hartstochtelijk zijn; dit is geen rustige, mierzoete liefde, maar je kunt in haar voordeel zeggen dat het een blijvende liefde is; de hindernissen lijken die liefde niet te beangstigen, maar juist te versterken. Het huwelijk is een kwestie van gezond verstand, waar het ons allebei aan ontbreekt. Het feit dat we niet getrouwd zijn maakt de goede liefde voor ons gemakkelijker, zo kan ieder zich met zijn eigen dingen bezighouden en beschikken we over onze eigen ruimte, en wanneer we op springen staan is er altijd nog de uitweg om een paar dagen uit elkaar te gaan en weer samen te komen wanneer we bezwijken voor het heimwee naar de kussen. Bij Iván Radovic heb ik geleerd mijn mond open te doen en mijn tanden te laten zien. Als ik hem zou betrappen op vreemdgaan – moge God het verhoeden –, zoals me met Diego Domínguez overkwam, zou ik niet wegkwijnen in tranen, zoals toen, maar hem zonder de geringste wroeging vermoorden.

Nee, ik ga het niet hebben over de intimiteit die ik deel met mijn minnaar, maar er is een episode die ik niet kan verzwijgen omdat die te maken heeft met mijn herinneringen en welbeschouwd ook de reden is waarom ik deze pagina's schrijf. Mijn nachtmerries zijn een blindelingse reis naar de schaduwrijke holten waar mijn oudste herinneringen slapen, vergrendeld in de diepste lagen van het bewustzijn. De fotografie en het schrijven zijn een poging de momenten te pakken voordat ze vervagen, de herinneringen vast te leggen om mijn leven betekenis te geven. Iván en ik waren een paar maanden samen en waren al gewend geraakt aan de routine elkaar stiekem te ontmoeten, dankzij die beste oom Frederick, die onze relatie vanaf het begin onderdak verleent. Iván moest een medische lezing geven in een stad in het noorden en ik ging met hem mee met het excuus om de salpetermijnen te fotograferen, waar de arbeidsomstandigheden zeer bedenkelijk zijn. De Engelse ondernemers weigerden een dialoog met de arbeiders aan te gaan en er heerste een klimaat van groeiend geweld, dat een paar jaar later tot uitbarsting zou komen. Toen dat gebeurde, in 1907, was ik toevallig daar, en mijn foto's vormen het enige onweerlegbare bewijs van de slachtpartij bij Iquique, want de overheidscensuur wiste de tweeduizend doden die ik op het plein zag uit de geschiedenis. Maar dat is een ander verhaal, dat niet op deze pagina's plaatsvindt. De eerste keer dat ik met Iván naar die stad ging, had ik geen vermoeden van de tragedie waarvan ik later getuige moest zijn, het was voor ons allebei een korte huwelijksreis. We schreven ons afzonderlijk in bij het hotel, en die avond, toen ieder van ons zijn werkdag erop had zitten, kwam hij naar mijn kamer, waar ik met een geweldige fles Viña Paulina op hem wachtte. Tot dan toe was onze relatie een vleselijk avontuur geweest, een verkenning van de zintuigen die voor mij fundamenteel was, omdat ik me daardoor over de vernedering dat ik door Diego was afgewezen heen kon zetten en kon begrijpen dat ik geen mislukte vrouw was, zoals ik vreesde. Bij elke ontmoeting met Iván Radovic had ik meer zelfvertrouwen gekregen, ik overwon mijn verlegenheid en mijn schaamtegevoelens, maar ik had me niet gerealiseerd dat die gelukzalige intimiteit plaats had gemaakt voor een grote liefde. Die nacht omhelsden we elkaar loom van de goede wijn en de vermoeidheid van de dag, traag, als twee wijze oudjes die negenhonderd keer de liefde hebben bedreven en elkaar niet meer kunnen verrassen of teleurstellen. Wat was er voor mij voor bijzonders aan? Niets, neem ik aan, behalve de overvloed aan gelukkige ervaringen met Iván, die die avond het kritieke punt bereikten waarop mijn verdedigingswerken het begaven. Na een orgasme, ingesloten in de sterke armen van mijn minnaar, voelde ik namelijk een snik door mijn hele lijf gaan en daarna nog een en nog een, totdat een onbedwingbaar getij van opgekropt verdriet me meesleurde. Ik huilde en huilde, vol overgave, onbeheerst, zo veilig in die armen als ik in mijn herinnering nooit eerder was geweest. Een dijk binnen in mij brak door en het oude verdriet stroomde naar buiten als gesmolten sneeuw. Iván stelde geen vragen en probeerde me niet te troosten, hij hield me stevig tegen zijn borst, liet me huilen totdat ik geen traan meer over had en toen ik hem uitleg wilde geven, snoerde hij me de mond met een langdurige kus. Voor het overige op dat moment heb ik geen enkele verklaring, die zou ik moeten verzinnen, maar ik weet nu – omdat het daarna nog verscheidene malen is gebeurd – dat toen ik me helemaal veilig voelde, beschut en beschermd, de herinneringen aan mijn eerste vijf levensjaren begonnen terug te komen, de jaren die mijn grootmoeder Paulina en alle anderen met een deken van geheimzinnigheid hadden bedekt. Eerst zag ik, in een flits van helderheid, het beeld van mijn grootvader Tao Chi'en die mijn naam in het Chinees mompelde, Lai-Ming. Het moment was heel kort, maar helder als de maan. Daarna beleefde ik in wakkere toestand de steeds terugkerende nachtmerrie die me al heel lang heeft gekweld opnieuw, en toen begreep ik dat er een direct verband bestaat tussen mijn aanbeden grootvader en die demonen in zwarte pyjama's. De hand die me in die droom loslaat is die van Tao Chi'en. Degene die langzaam valt is Tao Chi'en. De vlek die zich onverbiddelijk uitspreidt over de straatstenen, is het bloed van Tao Chi'en.

Ik woonde iets meer dan twee jaar officieel bij Frederick Williams, maar trok steeds meer naar Iván Radovic, zonder wie ik me mijn toekomst niet meer kon voorstellen, toen mijn grootmoeder van moederskant, Eliza Sommers, opnieuw in mijn leven verscheen. Ze kwam ongeschonden terug, met diezelfde geur van suiker en vanille van haar, immuun voor de slijtage van de armoede of de vergetelheid. Ik herkende haar bij de eerste blik, hoewel er zeventien jaar waren verstreken sinds ze me in het huis van Paulina del Valle had achtergelaten, en in al die tijd had ik geen foto van haar gezien en was haar naam slechts zeer zelden in mijn bijzijn uitgesproken. Haar beeld zat verstrikt in het raderwerk van mijn nostalgie en ze was zo weinig veranderd dat het, toen ze werkelijkheid werd op de drempel van onze deur met haar koffer in de hand, leek alsof we de vorige dag afscheid genomen hadden en alsof alles wat er in die jaren gebeurd was een illusie was. Het enige nieuwe was dat ze kleiner bleek te zijn dan ik me herinnerde, maar dat kan door mijn eigen lengte komen – de laatste keer dat we bij elkaar waren geweest was ik een snotneus van vijf jaar en keek ik naar haar op. Ze was nog steeds stijf als een admiraal, met hetzelfde jeugdige gelaat en hetzelfde strenge kapsel, hoewel er hier en daar grijze lokken in haar haar zaten. Ze droeg zelfs hetzelfde parelsnoer dat ik haar altijd zag dragen en dat ze, dat weet ik nu, niet eens afdoet om te slapen. Ze werd gebracht door Severo del Valle, die al die jaren contact met haar had gehad, maar dat niet tegen me gezegd had omdat zij dat niet toestond. Eliza Sommers had Paulina del Valle beloofd nooit met haar kleindochter contact op te nemen en hield zich daar letterlijk aan, totdat de dood van Paulina haar van haar belofte onthief. Toen Severo haar schreef om het haar te vertellen, pakte ze haar hutkoffers in en sloot haar huis af, zoals ze al vele malen eerder had gedaan, en scheepte zich in naar Chili. Toen ze in 1885 in San Francisco weduwe was geworden, ondernam ze de bedevaart naar China met het gebalsemde lichaam van haar echtgenoot, om hem in Hongkong te begraven. Tao Chi'en had het grootste deel van zijn leven in Californië doorgebracht en was een van de weinige Chinese immigranten die het Amerikaanse staatsburgerschap bemachtigden, maar hij had altijd zijn wens te kennen gegeven dat zijn lichaam in China onder de grond zou komen te liggen, zodat zijn ziel niet zou verdwalen in de weidsheid van het universum zonder de hemelpoort te vinden. Die voorzorgsmaatregel was niet afdoende, want ik weet zeker dat de geest van mijn onbeschrijflijke grootvader Tao Chi'en nog steeds op deze aardbodem rondwaart, anders kan ik niet verklaren dat ik hem om me heen voel. Het is niet alleen verbeelding, mijn grootmoeder Eliza heeft een paar bewijzen bevestigd, zoals de zeegeur die soms om me heen hangt en de stem die een magisch woord fluistert: mijn naam in het Chinees.

'Hallo, Lai-Ming,' was de begroeting van die bijzondere grootmoeder toen ze me zag.

'Oi poa!' riep ik uit.

Ik had dat woord – 'grootmoeder van moederskant' in het Kantonees – niet meer uitgesproken sinds de lang vervlogen tijd dat ik bij haar had gewoond boven een acupunctuurkliniek in de Chinese wijk van San Francisco, maar ik was het niet vergeten. Zij legde een hand op mijn schouder en nam me van top tot teen op, knikte vervolgens instemmend en omhelsde me ten slotte.

'Ik ben blij dat je niet zo mooi bent als je moeder,' zei ze.

'Dat zei mijn vader ook al.'

'Je bent lang, net als Tao. En Severo zegt dat je ook net zo slim bent als hij.'

In onze familie wordt er thee geserveerd wanneer iemand zich met een situatie opgelaten voelt, en daar ik me bijna continu geremd voel, sta ik altijd thee in te schenken. Die drank heeft de goede eigenschap me te helpen bij het beheersen van mijn zenuwen. Ik had vreselijk veel zin om mijn grootmoeder bij haar middel te pakken en een wals met haar te dansen, om haar struikelend over mijn woorden mijn leven te vertellen en haar de verwijten te maken die ik jarenlang bij mezelf had gemompeld, maar niets hiervan was mogelijk. Eliza Sommers is niet het type dat uitnodigt tot vrijpostigheden, haar waardigheid is intimiderend, en er moesten weken verstrijken voordat zij en ik ontspannen konden praten. Gelukkig werd de spanning verminderd door de thee en de aanwezigheid van Severo del Valle en Frederick Williams, die uitgedost als een ontdekkingsreiziger in Afrika van een van zijn wandelingen over het erf terugkwam. Zodra oom Frederick zijn tropenhoed had afgezet, de beslagen bril van zijn neus had genomen en Eliza Sommers zag, veranderde er iets in zijn houding: hij zette een hoge borst op, verhief zijn stem en spreidde zijn veren tentoon. Zijn bewondering werd nog groter toen hij de hutkoffers en de koffers met de labels zag en hoorde dat deze vrouw een van de weinige buitenlanders was die in Tibet waren geweest.

Ik weet niet of de wens mij te leren kennen het enige motief was voor mijn oi poa om naar Chili te komen, ik vermoed dat ze meer interesse had om door te reizen naar de zuidpool, waar geen vrouw ooit een voet had gezet, maar wat de reden ook was, haar bezoek was voor mij van wezenlijk belang. Zonder haar zou mijn leven bezaaid zijn gebleven met nevelige gebieden; zonder haar had ik dit verslag niet kunnen schrijven. Het was die grootmoeder van moederskant die me de ontbrekende stukken van mijn levenspuzzel aanreikte, me over mijn moeder vertelde, over de omstandigheden rond mijn geboorte, en me uiteindelijk de verklaring voor mijn nachtmerries gaf. Zij was het ook die me later naar San Francisco zou vergezellen om mijn oom Lucky te leren kennen, een dikke, welvarende, allercharmantste Chinese koopman met o-benen, en om de nodige documenten op te duiken om de losse eindjes van mijn geschiedenis aan elkaar te knopen. De relatie van Eliza Sommers met Severo del Valle is net zo intens als de geheimen die ze jarenlang hebben gedeeld; zij beschouwt hem als mijn echte vader, want hij was de man die haar dochter liefhad en met haar trouwde. De enige functie van Matías Rodríguez de Santa Cruz was dat hij toevalligerwijs wat genen had aangeleverd.

'Jouw verwekker doet er weinig toe, Lai-Ming, dat kan iedereen. Severo is degene die je zijn achternaam gaf en zich verantwoordelijk voor je voelde,' verzekerde ze me.

'In dat geval was Paulina del Valle mijn moeder en mijn vader, ik draag haar naam en zij voelde zich verantwoordelijk voor me. Alle andere mensen kwamen in mijn kindertijd als kometen voorbij en hebben nauwelijks een spoor van kosmisch stof achtergelaten,' sprak ik haar tegen.

'Vóór haar waren Tao en ik jouw vader en moeder, wij hebben je grootgebracht, Lai-Ming,' legde ze me uit, en terecht, want mijn grootouders van moederskant hadden zo'n sterke invloed op me gehad dat ik ze dertig jaar lang als een zachte aanwezigheid in me heb meegedragen, en ik weet zeker dat ik ze voor de rest van mijn leven bij me zal houden.

Eliza Sommers leeft in een andere dimensie samen met Tao Chi'en, wiens dood een lastig obstakel was, maar geen beletsel vormde om hem voorgoed lief te hebben. Mijn grootmoeder Eliza is zo iemand die is voorbestemd voor slechts één grootse liefde, ik geloof dat er geen andere in haar weduwenhart past. Na haar echtgenoot in China naast het graf van Lin, zijn eerste vrouw, begraven te hebben en volgens zijn wens de boeddhistische begrafenisrituelen te hebben uitgevoerd, was ze vrij. Ze had naar San Francisco terug kunnen gaan om bij haar zoon Lucky en zijn jonge echtgenote die hij via een catalogus in Sjanghai had besteld te gaan wonen, maar het idee een gevreesde en aanbeden schoonmoeder te worden stond gelijk aan zich overgeven aan de ouderdom. Ze voelde zich niet alleen of angstig tegenover de toekomst, aangezien de beschermgeest van Tao Chi'en altijd bij haar was; eigenlijk zijn ze meer samen dan voorheen, ze laten elkaar geen moment meer alleen. Ze had zich aangewend zachtjes met haar man te praten, om niet krankzinnig te lijken in andermans ogen, en 's nachts slaapt ze aan de linkerkant van het bed om hem de ruimte aan de rechterkant te geven, zoals ze gewend waren. De zucht naar avontuur die haar ertoe had aangezet op zestienjarige leeftijd verborgen in de buik van een zeilschip uit Chili te vluchten en naar Californië te gaan, was weer in haar ontwaakt toen ze weduwe werd. Ze herinnerde zich een moment van openbaring op haar achttiende, op het hoogtepunt van de goudkoorts, toen ze in de onmetelijkheid van een woest en verlaten landschap werd gewekt door het gehinnik van haar paard en een ochtendlijke zonnestraal. Die vroege ochtend ontdekte ze de opwinding van de vrijheid. Ze had de nacht alleen onder de bomen doorgebracht, omringd door talloze gevaren: nietsontziende bandieten, wilde indianen, slangen, beren en andere roofdieren, en toch was ze voor het eerst in haar leven niet bang. Ze was opgegroeid in een keurslijf, lichamelijk, geestelijk en qua verbeelding ingesnoerd, angstig zelfs voor haar eigen gevoelens, maar dat avontuur had haar vrijgemaakt. Ze moest een kracht ontwikkelen die ze wellicht altijd al in zich had gehad, maar die ze tot dan toe niet kende omdat ze hem niet had hoeven gebruiken. Ze verliet haar veilige thuis toen ze nog een meisje was, in het spoor van haar vluchtige geliefde, ging als verstekelinge aan boord van een schip, waar ze de baby en bijna ook haar eigen leven verloor, kwam in Californië aan, verkleedde zich als man en maakte zich gereed het van noord tot zuid te bereizen zonder andere wapens of gereedschap dan de wanhopige drijfveer van de liefde. Ze was in staat alleen te overleven in een land van macho's, waar hebzucht en geweld regeerden, vatte gaandeweg moed en kreeg de smaak van de onafhankelijkheid te pakken. Die intense euforie van het avontuur is ze niet meer vergeten. Eveneens uit liefde leefde ze dertig jaar als de onopvallende echtgenote van Tao Chi'en, als moeder en banketbakster, haar plicht vervullend met slechts haar huis in Chinatown als gezichtsveld, maar de kiem die tijdens die nomadenjaren was gelegd, was nog immer aanwezig, klaar om op het juiste moment weer te ontspruiten. Toen Tao Chi'en, de enige toeverlaat in haar leven, verdween, was het moment om op drift te raken aangebroken. 'Eigenlijk ben ik altijd een globetrotter geweest, wat ik wil is reizen zonder vast doel,' schreef ze in een brief aan haar zoon Lucky. Ze besloot echter dat ze eerst de belofte moest vervullen die ze haar vader, kapitein John Sommers, had gedaan om haar tante Rose op haar oude dag niet in de steek te laten. Van Hongkong ging ze naar Engeland om de oude dame tijdens haar laatste jaren gezelschap te houden; dat was het minste wat ze kon doen voor die vrouw die als een moeder voor haar geweest was. Rose Sommers was meer dan zeventig jaar en haar gezondheid begon wat zwakker te worden, maar ze bleef haar damesromans schrijven, allemaal ongeveer hetzelfde, en ze was de beroemdste romantische schrijfster van het Engelse taalgebied geworden. Er kwamen nieuwsgierigen van verre om haar nietige gestalte in het park de hond te zien uitlaten en men zei dat koningin Victoria als weduwe troost vond in haar mierzoete verhalen over zegevierende liefdes. De komst van Eliza, van wie ze hield als van een dochter, betekende een enorme steun voor Rose Sommers, onder meer omdat haar pols het liet afweten en het steeds moeilijker werd de pen vast te houden. Vanaf dat moment ging ze haar romans dicteren, en later, toen ook haar tegenwoordigheid van geest haar in de steek liet, deed Eliza alsof ze aantekeningen maakte maar schreef ze eigenlijk zelf, zonder dat de uitgever of de lezeressen het ooit merkten, het was slechts een kwestie van de formule herhalen. Toen Rose Sommers stierf, bleef Eliza in hetzelfde huisje in de wijk van bohémiens – dat veel waard was omdat de buurt in de mode was geraakt – en erfde het kapitaal dat haar stiefmoeder met haar liefdesboekjes had vergaard. Het eerste dat ze deed was haar zoon Lucky in San Francisco opzoeken om haar kleinkinderen te leren kennen, die ze nogal lelijk en saai vond, en vervolgens vertrok ze naar exotischer oorden, waarmee ze uiteindelijk haar lot als zwerfster volbracht. Ze was zo'n reizigster die zo nodig naar plekken moest gaan waar anderen vandaan vluchten. Niets gaf haar zoveel voldoening als op haar bagage de labels en stickers te zien van de meest afgelegen landen op aarde; niets maakte haar zo trots als het oplopen van een vreemde besmettelijke ziekte of gebeten worden door een of ander uitheems insect. Ze reisde jarenlang rond met haar ontdekkingsreizigerskoffers, maar ze kwam altijd terug in het huisje in Londen, waar de correspondentie van Severo del Valle met nieuws over mij op haar lag te wachten. Toen ze hoorde dat Paulina del Valle niet meer in deze wereld was, besloot ze terug te keren naar Chili, waar ze geboren was maar al meer dan een halve eeuw niet aan gedacht had, voor een weerzien met haar kleindochter.

Misschien dacht mijn grootmoeder Eliza gedurende de lange overtocht per stoomschip aan haar eerste zestien jaar in Chili, dit ranke, elegante land; aan haar kindertijd onder de hoede van een vriendelijke indiaanse en de mooie Miss Rose; aan haar vredige, veilige bestaan voordat de geliefde verscheen die haar zwanger maakte, haar liet zitten om het goud in Californië na te jagen en nooit meer iets van zich liet horen. Aangezien mijn grootmoeder Eliza in het karma gelooft, zal ze wel geconcludeerd hebben dat die langdurige omzwervingen nodig waren om Tao Chi'en tegen te komen, die ze in elk van haar reïncarnaties moet liefhebben. 'Wat een weinig christelijke gedachte,' zei Frederick Williams toen ik hem probeerde uit te leggen waarom Eliza Sommers niemand nodig had.

Mijn grootmoeder Eliza had als geschenk een gammele hutkoffer voor me meegebracht, die ze me met een ondeugende schittering in haar donkere ogen overhandigde. Er zaten vergeelde manuscripten in, ondertekend door een *Anonieme Dame*. Het waren de pornografische romans die Rose Sommers in haar jeugd geschreven had, nog zo'n goed bewaard familiegeheim. Ik heb ze aandachtig, vanuit een puur didactisch oogmerk, gelezen, tot direct profijt van Iván Radovic. Die vermakelijke lectuur – hoe kwam een Victoriaanse oude vrijster op zulke gewaagde dingen? – en de bekentenissen van Nívea del Valle hebben me geholpen in de strijd tegen de verlegenheid, die in het begin een bijna onoverkomelijke hindernis tussen Iván en mij was. Het is weliswaar zo dat ik de arme man op de dag van de storm, toen we eigenlijk naar de zarzuela moesten en niet gingen, vóór was door hem in het rijtuig te kussen voordat hij zich kon verweren, maar verder ging mijn lef niet, en we verloren vervolgens kostbare tijd, worstelend met mijn verschrikkelijke onzekerheid en zijn bedenkingen, want hij wilde niet 'mijn reputatie te gronde richten,' zo zei hij. Het was niet makkelijk hem ervan te overtuigen dat mijn reputatie al behoorlijk toegetakeld was voordat hij in zicht kwam en dat dat ook zo zou blijven, want ik was niet van plan ooit naar mijn man terug te gaan of mijn werk of mijn onafhankelijkheid, waar men hier geen goed woord voor over heeft, op te geven. Na de vernederende ervaring met Diego leek het me onmogelijk verlangen of liefde in iemand op te roepen; bij mijn absolute onwetendheid op seksueel gebied kwam ook nog een minderwaardigheidsgevoel: ik voelde me lelijk, ondeugdelijk, niet-vrouwelijk, ik schaamde me voor mijn lichaam en de hartstocht die Iván in mij wakker maakte. Rose Sommers, de verre overoudtante die ik niet heb gekend, had me een geweldig cadeau gegeven door me die speelse vrijheid te verschaffen die bij het bedrijven van de liefde zo belangrijk is. Iván neemt de dingen vaak te serieus, zijn Slavische temperament neigt naar het tragische; soms valt hij ten prooi aan vertwijfeling omdat we niet zullen kunnen samenwonen voordat mijn echtgenoot sterft, als we vast al heel oud zijn. Wanneer die donkere wolken zijn humeur overschaduwen, grijp ik naar de manuscripten van de *Anonieme Dame*, waarin ik altijd nieuwe middelen vind om hem genot te bezorgen of hem tenminste aan het lachen te maken. Bij mijn inspanningen om hem tijdens ons intieme samenzijn te plezieren, heb ik langzaam aan mijn schaamte verloren en een zelfverzekerdheid verworven die ik nooit heb bezeten. Ik voel me geen verleidster, zover heeft het positieve effect van de manuscripten nou ook weer niet gereikt, maar ik ben in elk geval niet meer bang het initiatief te nemen om Iván, die anders gerieflijk zou kunnen terugvallen op de eeuwige routine, op dreef te helpen. Het zou zonde zijn om als een bedaagd echtpaar de liefde te bedrijven terwijl we niet eens getrouwd zijn. Het voordeel van minnaars zijn is dat we onze relatie goed moeten onderhouden, want alles spant samen om ons uit elkaar te drijven. De beslissing samen te zijn moet keer op keer herzien worden, dat houdt ons scherp.

Dit is het verhaal dat mijn grootmoeder Eliza me vertelde.

Tao Chi'en vergaf zichzelf de dood van zijn dochter Lynn niet. Zijn vrouw en Lucky bleven op hem inpraten dat het niet binnen de menselijke vermogens lag de vervulling van het lot te verhinderen, dat hij als zhong yi al het mogelijke had gedaan en dat men met de huidige medische kennis nog niet in staat was om zo'n fatale bloeding, die zoveel vrouwen tijdens de bevalling het leven kostte, te voorkomen of te stoppen. Voor Tao Chi'en was het alsof hij in rondjes had gelopen om weer uit te komen waar hij dertig jaar geleden was, in Hongkong, toen zijn eerste vrouw, Lin, van een meisje was bevallen. Ook zij was hevig gaan bloeden, en in zijn wanhoop om haar te redden had hij de hemel alles willen geven in ruil voor het leven van Lin. De baby was na een paar minuten gestorven en hij dacht dat dat de prijs was voor het redden van zijn vrouw. Hij had zich nooit kunnen voorstellen dat hij veel later, aan de andere kant van de wereld, opnieuw met zijn dochter Lynn zou moeten betalen.

'U mag zo niet praten, vader, alstublieft,' sprak Lucky hem tegen. 'Het gaat niet om de ruil van het ene leven voor een ander, dat is een bijgeloof dat een man met uw intelligentie en ontwikkeling onwaardig is. De dood van mijn zus heeft niets te maken met die van uw eerste vrouw of met u. Dit soort tegenslagen is aan de orde van de dag.'

'Waar zijn al die jaren studie en ervaring goed voor als ik haar niet kan redden?' beklaagde Tao Chi'en zich.

'Duizenden vrouwen sterven tijdens de bevalling, u hebt voor Lynn gedaan wat u kon...'

Eliza Sommers ging net zo gebukt onder het verdriet van het verlies van hun enige dochter als Tao Chi'en, maar zij droeg daarnaast ook nog de verantwoordelijkheid om voor het kleine weesmeisje te zorgen. Terwijl zij al staande in slaap viel van vermoeidheid, deed Tao Chi'en geen oog dicht; hij zat de hele nacht te mediteren, dwaalde als een slaapwandelaar door het huis en zat stilletjes te huilen. Ze hadden al dagenlang de liefde niet meer bedreven, en zoals de stemming binnen dat huis was, zag het er niet naar uit dat ze dat in de nabije toekomst zouden kunnen. Na een week koos Eliza voor de enige oplossing die ze kon bedenken: ze legde de kleindochter in de armen van Tao Chi'en en zei dat ze zich niet in staat voelde haar groot te brengen, dat ze een twintigtal jaren van haar leven als een slavin voor hun kinderen Lucky en Lynn had gezorgd en de kracht niet had om opnieuw te beginnen met de kleine Lai-Ming. Tao Chi'en zag zich belast met de zorg voor een pasgeboren, moederloze baby, die hij elk halfuur met een pipet met water verdunde melk moest voeden omdat ze nauwelijks kon slikken, en die hij onophoudelijk moest wiegen omdat ze dag en nacht huilde van de krampjes. Het kindje was niet eens leuk om te zien: ze was piepklein en gerimpeld, haar huid was geel uitgeslagen van de geelzucht, haar gelaatstrekken platgedrukt door de moeilijke bevalling, en ze had niet één haar op haar hoofd; maar na vierentwintig uur voor haar zorgen kon Tao Chi'en naar haar kijken zonder te schrikken. Na haar vierentwintig dagen in een draagzak te hebben gehad, haar met de pipet te hebben gevoed en naast haar te hebben geslapen, begon hij haar grappig te vinden. En nadat hij vierentwintig maanden als een moeder voor haar had gezorgd, was hij totaal verliefd op zijn kleindochter en ervan overtuigd dat ze nog mooier zou worden dan Lynn, ook al bestond er niet de geringste grond om dat aan te nemen. Het meisje was niet meer het wurmpje dat ze bij haar geboorte was geweest, maar ze leek bij lange na niet op haar moeder. Tao Chi'ens dagelijks bezigheden, die zich voorheen hadden beperkt tot zijn medische praktijk en de weinige uren van samenzijn met zijn vrouw, veranderden volledig. Zijn dagindeling draaide om Lai-Ming, dat veeleisende meisje dat altijd bij hem was, dat hij sprookjes moest vertellen, in slaap moest zingen, moest dwingen om te eten, mee uit wandelen moest nemen, voor wie hij de mooiste jurkjes in de Amerikaanse winkels en die van Chinatown moest kopen, dat hij aan iedereen op straat moest voorstellen, want nog nooit had men zo'n slim meisje gezien, zo geloofde mijn grootvader, door liefde verblind. Hij wist zeker dat zijn kleindochter een genie was, en om dat te bewijzen sprak hij Chinees en Engels tegen haar, wat zich voegde bij het Spaanse brabbeltaaltje dat mijn grootmoeder bezigde, zodat er een geweldige spraakverwarring ontstond. Lai-Ming reageerde op de prikkels van Tao Chi'en als elk kind van twee, maar hij vond haar schaarse succesjes een onweerlegbaar bewijs van haar superieure intelligentie. Hij bracht zijn praktijkuren terug tot een paar in de middag, zo kon hij de ochtend met zijn kleindochter doorbrengen en haar nieuwe trucjes leren, als een gedresseerd aapje. Met tegenzin stond hij toe dat Eliza haar 's middags, als hij werkte, meenam naar de theesalon, want hij had zich in het hoofd gezet dat hij haar van kinds af aan in de geneeskunde zou kunnen opleiden.

'In mijn familie zijn zes generaties van zhong yi's. Lai-Ming zal de zevende worden, aangezien jij niet het geringste talent hebt,' zei Tao Chi'en tegen zijn zoon Lucky.

'Ik dacht dat alleen mannen dokter konden worden,' zei Lucky.

'Dat was vroeger. Lai-Ming wordt de eerste vrouwelijke zhong yi uit de geschiedenis,' antwoordde Tao Chi'en.

Eliza Sommers stond echter niet toe dat hij het hoofd

van hun kleinkind op zo'n jonge leeftijd volstopte met medische kennis; daar zou later nog tijd genoeg voor zijn, op dit moment was het nodig een paar uur per dag met het meisje Chinatown uit te gaan om haar te veramerikaniseren. Op dat punt waren de grootouders het in elk geval eens: Lai-Ming moest tot de wereld van de blanken behoren, waar ze ongetwijfeld meer mogelijkheden zou krijgen dan onder Chinezen. Ze hadden als voordeel dat het meisje geen Aziatische trekken had, ze was uiterlijk net zo Spaans uitgevallen als de familie van haar vader. De mogelijkheid dat Severo del Valle op een dag zou terugkomen met het doel die zogenaamde dochter op te eisen om haar mee te nemen naar Chili was ondraaglijk, dus spraken ze er niet over; ze gingen er gewoon van uit dat de jonge Chileen zich aan de overeenkomst zou houden, want hij had meer dan genoeg blijken van edelmoedigheid gegeven. Ze raakten het geld dat hij voor het meisje opzij had gelegd niet aan, ze stortten het op een rekening voor haar toekomstige opleiding. Elke drie of vier maanden schreef Eliza een kort briefje aan Severo del Valle, waarin zij hem over 'zijn protégee' vertelde, zoals zij haar noemde, om heel duidelijk te maken dat ze zijn recht op het vaderschap niet erkende. Gedurende het eerst jaar kwam er geen antwoord omdat hij verdwaasd rondwaarde in zijn rouw en in de oorlog, maar daarna slaagde hij erin om af en toe te antwoorden. Paulina del Valle zagen ze niet meer terug, want ze kwam niet meer in de theesalon en voerde haar dreigement dat ze de kleindochter bij hen zou weghalen en hun leven kapot zou maken niet uit.

Zo verstreken er vijf harmonieuze jaren in het huis van de familie Chi'en, totdat de gebeurtenissen die het gezin zouden verwoesten elkaar onvermijdelijk opvolgden. Het begon allemaal met het bezoek van twee vrouwen, die zich voorstelden als presbyteriaanse zendelingen en vroegen of ze in vertrouwen met Tao Chi'en konden praten. De zhong yi ontving ze in de praktijkruimte omdat hij dacht dat ze om gezondheidsredenen kwamen; er was geen andere verklaring waarom twee blanke vrouwen zich onverwacht in zijn huis zouden aandienen. Ze leken zussen, waren lang, rozekleurig, hadden ogen zo blauw als het water van de baai en blaakten allebei van het zelfvertrouwen waarmee godsdienstijver meestal gepaard gaat. Ze stelden zich voor met hun voornamen, Donaldina en Martha, en legden hem vervolgens uit dat het presbyteriaanse zendingswerk in Chinatown tot nu toe met uiterste behoedzaamheid en discretie was verricht om de boeddhistische gemeenschap niet voor het hoofd te stoten, maar nu nieuwe leden had die vastbesloten waren om de minimale christelijke fatsoensnormen in te voeren in die wijk, die, naar ze zeiden, 'geen Chinees, maar Amerikaans grondgebied was, en men kon niet toelaten dat daar de wet en de moraal met voeten getreden werden'. Ze hadden van de sing song girls gehoord, maar de handel in slavenmeisjes voor seksuele doeleinden bleef gehuld in een stilzwijgend complot. De zendelingen wisten dat de Amerikaanse autoriteiten smeergeld ontvingen en een oogje toeknepen. Iemand had hen erop attent gemaakt dat Tao Chi'en waarschijnlijk de enige was met genoeg lef om hun de waarheid te vertellen en te helpen, daarom waren ze daar. De zhong yi had tientallen jaren op dat moment gewacht. Bij zijn moeizame reddingswerkzaamheden voor die erbarmelijke tienermeisjes had hij alleen op de stille hulp van een aantal quakervrienden kunnen rekenen, die de kleine prostituees Californië uit loodsten en ze op weg hielpen in een nieuw leven ver van de tongs en de hoerenmadammen. Het was zijn taak de meisjes die hij kon betalen te kopen bij de clandestiene veilingen en de meisjes die te ziek waren om in de bordelen te dienen op te vangen; hij probeerde hun lichaam te genezen en hun zieltje te troosten, maar dat lukte hem niet altijd: velen van hen stierven in zijn handen. In zijn huis waren twee, bijna altijd bezette kamers om de sing song girls in onder te brengen, maar Tao Chi'en merkte dat het probleem met het toenemen van de Chinese bevolking in Californië almaar groter werd en dat hij in zijn eentje heel weinig kon doen om het te verhelpen. Die twee zendelingen kwamen als door de hemel gezonden: allereerst konden ze rekenen op de steun van de machtige presbyteriaanse Kerk en ten tweede waren ze blank; zij zouden de pers, de publieke opinie en de Amerikaanse autoriteiten kunnen mobiliseren om een einde te maken aan die genadeloze mensensmokkel. Hij vertelde hun dus tot in de details hoe die meisjes in China gekocht of ontvoerd werden, hoe de Chinese cultuur meisjes verachtte en er in dat land dikwijls in putten verdronken of op straat achtergelaten meisjesbaby's gevonden werden. De families wilden ze niet, daarom was het zo makkelijk ze voor een paar centen te kopen en naar Amerika te halen, waar ze voor duizenden dollars konden worden uitgebuit. Ze werden als dieren in grote kisten in scheepsruimen vervoerd, en de meisjes die de uitdroging en de cholera overleefden, kwamen met valse huwelijkscontracten Amerika binnen. In de ogen van de immigratieambtenaren waren het allemaal bruidjes, en de jonge leeftijd, de erbarmelijke lichamelijke toestand en hun panische gelaatsuitdrukking wekten kennelijk geen argwaan. Die meisjes deden er niet toe. Wat er met hen gebeurde was 'zaak van de hemelingen', waarmee de blanken niets van doen hadden. Tao Chi'en legde Donaldina en Martha uit dat de levensverwachting van de sing song girls nadat ze eenmaal in het beroep waren ingewijd, nog drie of vier jaar was: ze ontvingen tot dertig mannen per dag, stierven aan geslachtsziekten, miskramen, longontsteking, honger en mishandeling; Chinese prostituees van twintig waren een zeldzaamheid. Niemand registreerde hun leven, maar aangezien ze met een legaal document het land binnenkwamen, moest wel hun dood geregistreerd worden, voor het onwaarschijnlijke geval dat er iemand naar hen zou vragen. Veel meisjes werden gek. Ze waren goedkoop, konden in een oogwenk vervangen worden, niemand investeerde in hun gezondheid of in een langer leven. Tao Chi'en gaf de twee zendelingen aan hoeveel slavenmeisjes er ongeveer in Chinatown waren, wanneer de veilingen plaatsvonden en waar de bordelen zich bevonden, van de armoedigste, waarin de meisjes als gekooide dieren behandeld werden, tot de meest luxueuze, geleid door de beroemde Ah Toy, die de belangrijkste importeur van vers vlees in het land geworden was. Ze kocht kinderen van elf jaar in China en tijdens de reis naar Amerika overhandigde ze die aan de matrozen, zodat ze bij aankomst al 'Eerst betalen' konden zeggen en echt goud van brons wisten te onderscheiden om niet met vals metaal te worden opgelicht. De meisjes van Ah Toy werden uit de mooiste geselecteerd en hadden meer geluk dan de andere, wier toekomst het was om geveild te worden als vee en de meest schofterige mannen te dienen op de manieren zoals die dat wensten, tot de wreedste en vernederendste toe. Veel meisjes veranderden in woeste wezens, ze waren als wilde dieren, die aan de ketting moesten worden gelegd en met verdovende middelen moesten worden versuft. Tao Chi'en gaf de zendelingen de namen van drie of vier vermogende en prestigieuze Chinese kooplieden – onder wie zijn eigen zoon Lucky – die hen bij hun taak zouden kunnen helpen, de enigen die het er met hem over eens waren dat dit soort handel moest worden uitgebannen. Donaldina en Martha namen alles wat Tao Chi'en zei met trillende handen en waterige ogen in zich op, bedankten hem vervolgens en vroegen bij het afscheid of ze op hem konden rekenen wanneer het moment om tot actie over te gaan was aangebroken.

'Ik zal doen wat ik kan,' antwoordde de zhong yi.

'Wij ook, meneer Chi'en. De presbyteriaanse zending zal niet rusten voordat er aan dit perverse gebeuren een eind is gemaakt en die arme meisjes zijn gered, al moeten we de deuren van die poelen des verderfs met bijlen openhakken,' verzekerden ze hem.

Toen hij hoorde wat zijn vader had gedaan, werd Lucky Chi'en geplaagd door slechte voorgevoelens. Hij kende het milieu van Chinatown veel beter dan Tao en besefte dat deze een onherstelbare onvoorzichtigheid had begaan. Dankzij zijn handigheid en zijn sympathie had Lucky vrienden in alle lagen van de Chinese gemeenschap; hij zette al jaren lucratieve handeltjes op en won met mate maar ook met regelmaat aan de fan tan-tafels. Ondanks zijn jeugdigheid was hij uitgegroeid tot een door iedereen geliefde en gerespecteerde figuur, zelfs door de tongs, die hem nooit hadden lastiggevallen. Jarenlang had hij zijn vader geholpen bij het redden van de sing song girls, met de stilzwijgende overeenkomst dat hij zich niet in grotere zaken zou mengen; hij was zich terdege bewust van de noodzaak van uiterste geheimhouding om in Chinatown te overleven, waar de gulden regel gold zich niet met blanken – de gevreesde en gehate *fan güey* – in te laten en alles, in het bijzonder de misdaden, onder landgenoten op te lossen. Vroeg of laat zou men erachter komen dat zijn vader de zendelingen informeerde en zij op hun beurt de Amerikaanse autoriteiten. Er bestond geen trefzekerder formule om het ongeluk aan te trekken, en al zijn geluk zou niet toereikend zijn om hen te beschermen. Zo zei hij het tegen Tao Chi'en, en zo geschiedde in oktober 1885, de maand waarin ik vijf jaar werd.

Het lot van mijn grootvader werd beslist op de gedenkwaardige dinsdag dat de twee jonge zendelingen, vergezeld van drie gespierde Ierse agenten en de oude journalist Jacob Freemont, gespecialiseerd in misdaad, midden op de dag in Chinatown kwamen. De levendigheid op straat stokte en een menigte dromde samen om de in die wijk ongebruikelijke stoet van fan güey te volgen. Deze liep met gedecideerde pas naar een armzalig huis, waar in de smalle, getraliede deur de met rijstpoeder en karmijn opgemaakte gezichten van twee sing song girls verschenen, die zich met hun gemiauw en hun kleine blote borstjes aan de klanten aanboden. Toen ze de blanken zagen aankomen, verdwenen de meisjes met kreten van schrik naar binnen en verscheen in hun plaats een woedende oude vrouw die de politieagenten met een hele rits scheldwoorden in haar eigen taal uitfoeterde. Op een aanwijzing van Donaldina ging in de handen van een van de Ieren een bijl omhoog en werd, tot verbijstering van de menigte, de deur neergehaald. De blanken stormden door de smalle deuropening naar binnen, er ontstond een tumult van geschreeuw, geren en bevelen in het Engels, en binnen een kwartier kwamen de aanvallers naar buiten, een half dozijn doodsbange meisjes, de oude vrouw die spartelend werd meegesleept door de politieagenten en drie mannen die onder bedreiging van een pistool met gebogen hoofd liepen voor zich uit drijvend. Op straat brak een chaos uit en sommige nieuwsgierigen wilden dreigend naar voren treden, maar bleven plotseling staan toen er schoten in de lucht klonken. De fan güey zetten de meisjes en de andere arrestanten in een geblindeerd politierijtuig en de paarden droegen de lading mee. De rest van de dag hadden de mensen in Chinatown het over het gebeurde. Nooit eerder had de politie in de wijk opgetreden om redenen die niet direct een zaak van blanken waren. Er bestond bij de Amerikaanse autoriteiten een hoge tolerantiegrens voor 'de gewoonten van de geelhuiden', zoals ze genoemd werden; niemand deed de moeite om uit te zoeken hoe het zat met de opiumkitten, de speelholen, en al helemaal niet met de slavenmeisjes, die ze beschouwden als nog zo'n bizarre perversiteit van de 'hemelingen', net als gekookte hond met sojasaus eten. De enige die zich niet verrast, maar voldaan betoonde, was Tao Chi'en. De befaamde zhong yi werd in het restaurant waar hij altijd met zijn kleindochter lunchte bijna aangevallen door twee zware jongens van een van de tongs toen hij, hard genoeg om boven de herrie in de ruimte uit gehoord te worden, uitdrukking had gegeven aan zijn tevredenheid dat de autoriteiten van de stad zich eindelijk met de sing song girls bemoeiden. Hoewel de meeste eters aan de andere tafels van mening waren dat onder een bijna geheel mannelijke bevolking de slavenmeisjes een onontbeerlijk consumptieartikel waren, verdrongen ze elkaar om Tao Chi'en te verdedigen, want hij was de meest gerespecteerde figuur van de gemeenschap. Als de restauranteigenaar niet op het juiste moment had ingegrepen, was het heibel geworden. Tao Chi'en trok zich verontwaardigd terug, met aan zijn ene hand zijn kleindochter en in de andere zijn lunch, gewikkeld in een stuk papier.

Misschien had de episode met het bordeel geen verdere gevolgen gehad als die niet twee dagen later op dezelfde wijze in een andere straat herhaald was: dezelfde presbyteriaanse zendelingen, dezelfde journalist Jacob Freemont en dezelfde drie Ierse politieagenten; dit keer hadden ze echter ter ondersteuning vier agenten extra meegenomen en twee grote, wilde honden die aan hun kettingen trokken. De manoeuvre duurde acht minuten en Donaldina en Martha namen zeventien meisjes mee, twee hoerenmadammen, een paar portiers en verscheidene klanten die, hun broek ophijsend, naar buiten kwamen. Het gerucht over wat de presbyteriaanse zending en de regering van de fan güey van plan waren, ging als een lopend vuurtje door Chinatown en bereikte ook de smerige cellen waarin de slavinnen leefden. Voor het eerst in hun armzalige levens was er een sprankje hoop. De dreigementen dat ze zouden worden afgeranseld als ze in opstand zouden komen en de verhalen die hun verteld werden over hoe de blanke duivels hen zouden meenemen om hun bloed uit te zuigen, waren vergeefs: vanaf dit moment zochten de meisjes een manier om onder de aandacht van de zendelingen te komen, en in een paar weken tijd werden er steeds meer politierazzia's gehouden, begeleid door krantenartikelen. Deze keer stelde Jacob Freemont zijn valse pen eindelijk in dienst van een goede zaak, door het bewustzijn van de burgers door elkaar te schudden met zijn welbespraakte campagne over het verschrikkelijke lot van de kleine slavinnen in het hart van San Francisco. De oude journalist zou kort daarop sterven zonder de reikwijdte van zijn artikelen te kunnen overzien; Donaldina en Martha zouden daarentegen de vrucht van hun inspanningen wel zien. Achttien jaar later leerde ik hen kennen tijdens een reis naar San Francisco; ze hebben nog steeds een roze huid en dezelfde Messiaanse ijver in hun blik, ze lopen nog steeds dagelijks door Chinatown, altijd alert, maar ze worden inmiddels niet meer 'vervloekte fan güey' genoemd en niemand spuugt meer naar ze wanneer ze voorbijlopen. Ze noemen hen nu *lo-mo*, liefhebbende moeder, en buigen ter begroeting. Ze hebben duizenden kinderen gered en de schaamteloze handel in meisjes uitgebannen, hoewel ze aan andere vormen van prostitutie geen einde hebben kunnen maken. Mijn grootvader Tao Chi'en zou zeer tevreden zijn.

De tweede woensdag van november ging Tao Chi'en, zoals elke dag, zijn kleindochter Lai-Ming in de theesalon van zijn vrouw op Union Square ophalen. Het meisje bleef 's middags bij haar grootmoeder Eliza totdat de zhong yi klaar was met de laatste patiënt in zijn praktijk en haar weer kwam ophalen. Het was maar zeven straten lopen naar het huis, maar Tao Chi'en had de gewoonte om op dat tijdstip door de twee hoofdstraten van Chinatown te wandelen, wanneer de papieren lampionnen in de winkels werden aangestoken, de mensen klaar waren met hun werk en op zoek gingen naar ingrediënten voor het avondeten. Hij liep met zijn kleindochter aan de hand over de markten, waar het exotische fruit dat van overzee kwam lag opgestapeld, de glimmende eenden aan hun haken hingen, de paddestoelen, insecten, zeevruchten, dierlijke organen en planten lagen die alleen daar te vinden waren. Omdat niemand tijd had om thuis te koken, koos ook Tao Chi'en zorgvuldig enkele gerechten uit als avondeten, bijna altijd dezelfde, want Lai-Ming was een zeer lastige eter. Haar grootvader verleidde haar door haar hapjes van heerlijke Kantonese gerechten te laten proeven die in de kraampjes op straat werden verkocht, maar over het algemeen kwamen ze altijd uit op dezelfde variaties: op *chau-mein* en op varkensribben. Die dag droeg Tao Chi'en voor het eerst een nieuw pak, gemaakt door de beste Chinese kleermaker van de stad, die alleen voor de meest vooraanstaande mannen werkte. Hij had zich jarenlang Amerikaans gekleed, maar sinds hij het staatsburgerschap had gekregen, probeerde hij dat uiterst stijlvol te doen, als teken van respect jegens zijn tweede vaderland. Hij zag er zeer knap uit met zijn onberispelijke donkere pak, zijn gesteven overhemd met brede stropdas, zijn Engelse kamgaren jas, hoge hoed en ivoorkleurige geitenleren handschoenen. Het uiterlijk van de kleine Lai-Ming contrasteerde met de westerse kledij van haar grootvader: ze droeg een warme broek en een warm jasje van gewatteerde zijde in felle kleuren geel en blauw, zo dik dat het meisje zich waggelend als een beer verplaatste; haar haar zat in een strakke vlecht en ze droeg een zwarte geborduurde muts naar Hongkongse mode. Beiden trokken ze de aandacht in de bonte, bijna geheel mannelijke menigte die gekleed ging in de typische zwarte broeken en kielen, zo eenvormig dat de Chinese bevolking geüniformeerd leek. De mensen bleven staan om de zhong yi te begroeten, want als het al niet zijn patiënten waren, dan kenden ze hem wel van gezicht en naam, en de marktkooplieden gaven het meisje iets liefs om bij de grootvader in het gevlij te komen: een lichtgevende kever in een houten kooitje, een papieren waaier, een snoepje. Bij het vallen van de avond hing er altijd een feestelijke sfeer in Chinatown, met rumoer van luide gesprekken, onderhandelingen en het geroep van straatventers; het rook er naar gefrituurd eten, kruidenmengsels, vis en vuilnis, want het afval hoopte zich midden op straat op. De grootvader en zijn kleindochter liepen langs de zaken waar ze gewoonlijk hun boodschappen deden, babbelden met de mannen die op de stoep mahjong zaten te spelen, gingen naar het obscure kleine winkeltje van de kruidenhandelaar om een paar medicijnen op te halen die de zhong yi in Sjanghai had besteld, stopten even bij een speelhol om vanuit de deuropening naar de fan tan-tafels te kijken – want Tao Chi'en was gefascineerd door weddenschappen maar meed ze als de pest. Ze dronken ook een kop groene thee in de winkel van oom Lucky, waar ze de laatste lading antiek en bewerkte meubels die zojuist was gearriveerd konden bewonderen, en meteen daarna maakten ze rechtsomkeert om rustig naar huis terug te wandelen. Plotseling kwam er een jongen hevig opgewonden aanrennen en vroeg de zhong yi snel te komen, want er was een ongeluk gebeurd: een man was door een paard op zijn borst getrapt en gaf bloed op. Tao Chi'en liep in allerijl zonder de hand van zijn kleindochter los te laten achter hem aan door allerlei zijstraatjes, begaf zich in smalle steegjes van de krankzinnige topografie van Chinatown, totdat ze met z'n tweeën in een doodlopend steegje stonden dat schaars werd verlicht door de lampionnen voor een paar ramen, schitterend als onwerkelijke glimwormen. De jongen was verdwenen. Tao Chi'en kreeg in de gaten dat hij in een hinderlaag was gelopen en probeerde terug te lopen, maar het was al te laat. Vanuit het donker doemden verscheidene met stokken gewapende mannen op, die hem omcirkelden. De zhong yi had in zijn jeugd vechtsporten geleerd en droeg onder zijn jas altijd een mes aan zijn riem, maar hij kon zich niet verweren zonder de hand van het meisje los te laten. Hij kreeg even de tijd om te vragen wat ze wilden, wat er gebeurde, en om de naam van Ah Toy te horen vallen terwijl de mannen in zwarte pyjama's, hun gezichten met zakdoeken bedekt, om hem heen dansten; daarna kreeg hij de eerste klap op zijn rug. Lai-Ming voelde hoe ze naar achteren werd getrokken en probeerde zich aan haar grootvader vast te klampen, maar de geliefde hand liet haar los. Ze zag de knuppels omhooggaan en neerkomen op het lichaam van haar grootvader, ze zag een straal bloed uit zijn hoofd spuiten, ze zag hem op zijn gezicht op de grond vallen, ze zag hoe ze hem bleven slaan totdat hij niet meer was dan een bloederig hoopje op de straatstenen.

'Toen ze Tao Chi'en op een geïmproviseerde brancard binnenbrachten en ik zag wat ze met hem gedaan hadden, brak er iets in me in duizend scherven, als een kristallen vaas, en vloeide mijn vermogen om lief te hebben voorgoed weg. Ik verdorde vanbinnen. Ik ben nooit meer dezelfde geworden. Ik voel genegenheid voor jou, Lai-Ming, ook voor Lucky en zijn kinderen, ik had het voor Miss Rose, maar liefde kan ik alleen voor Tao Chi'en voelen. Zonder hem is niets echt belangrijk voor me; elke dag dat ik leef is er een minder in het lange wachten om me met hem te herenigen,' bekende mijn grootmoeder Eliza Sommers me. Ze voegde eraan toe dat ze medelijden met me had gehad omdat ik op mijn vijfde de marteldood van degene van wie ik het meest hield moest bijwonen, maar ze veronderstelde dat de tijd het trauma wel zou wegvagen. Ze dacht dat mijn leven bij Paulina del Valle, ver van Chinatown, voldoende was om me Tao Chi'en te doen vergeten. Ze had niet gedacht dat de scène in de steeg zich voorgoed in mijn nachtmerries zou nestelen, en evenmin dat de geur, de stem en de zachte aanraking van de handen van mijn grootvader me als ik wakker was zouden achtervolgen.

Tao Chi'en kwam nog levend in de armen van zijn vrouw terecht. Achttien uur later kwam hij bij bewustzijn en na een paar dagen kon hij praten. Eliza Sommers had er twee Amerikaanse dokters bij gehaald die herhaaldelijk een beroep hadden gedaan op de kennis van de zhong yi. Ze onderzochten hem somber: zijn ruggengraat was gebroken, en in het onwaarschijnlijke geval dat hij zou blijven leven, zou hij half verlamd zijn. De wetenschap kon niets voor hem doen, zeiden ze. Ze maakten slechts zijn wonden schoon, zetten de gebroken botten zo goed en zo kwaad als het ging, hechtten zijn hoofd en gaven hem zware doses pijnstillers. Intussen kroop het kleinkind, door iedereen vergeten, in een hoekje naast het bed van haar grootvader, hem stemloos roepend – *oi goa! oi goa...!* – zonder te begrijpen waarom hij niet antwoordde, waarom ze niet bij hem mocht komen, waarom ze niet zoals altijd gewiegd in zijn armen kon slapen. Eliza Sommers diende de zieke de geneesmiddelen toe met hetzelfde geduld als waarmee ze probeerde hem via een trechtertje soep te laten doorslikken. Ze liet zich niet meeslepen door wanhoop, zat dagenlang rustig en zonder te huilen bij haar man te waken, totdat hij door zijn gezwollen lippen en kapotte tanden heen tegen haar kon praten. De zhong yi wist zonder enige twijfel dat hij onder die omstandigheden niet kon en wilde leven. Dit gaf hij zijn vrouw te kennen, en hij vroeg haar hem niet meer te eten of te drinken te geven. Door de innige liefde en de volstrekte intimiteit die ze meer dan dertig jaar lang hadden gedeeld, konden ze elkaars gedachten lezen; er waren niet veel woorden nodig. Als Eliza al in de verleiding kwam om haar man te vragen nutteloos in een bed te blijven leven, alleen om haar niet alleen op deze wereld achter te laten, dan slikte ze haar woorden in, omdat ze te veel van hem hield om hem om een dergelijk offer te vragen. Tao Chi'en van zijn kant hoefde niets uit te leggen, want hij wist dat zijn vrouw het hoognodige zou doen om hem waardig te helpen sterven, net zoals hij voor haar zou doen als de dingen anders waren gelopen. Hij dacht dat het niet de moeite waard was bij haar aan te dringen om zijn lichaam naar China te brengen, want het leek hem niet echt belangrijk meer en hij wilde niet nog een last op Eliza's schouders leggen, maar zij had besloten het hoe dan ook te doen. Geen van tweeën hadden ze de moed om te praten over wat zonneklaar was. Eliza zei simpelweg tegen hem dat ze niet in staat was hem van de honger en de dorst te laten sterven, want dat zou dagen, wellicht weken kunnen duren, en zij wilde hem niet zo lang in doodsstrijd laten verkeren. Tao Chi'en gaf haar aan hoe ze het moest doen. Hij zei dat ze naar zijn praktijk moest gaan, in een bepaald kastje moest zoeken en er een blauw flesje uit moest halen. Zij had hem gedurende de eerste jaren van hun relatie in de kliniek geholpen en deed dat nog steeds als de assistent er niet was, ze kon de Chinese tekens op de potjes lezen en een injectie geven. Lucky ging de kamer binnen om de zegen van zijn vader te krijgen en liep meteen weer hevig snikkend naar buiten. 'Lai-Ming en jij moeten je geen zorgen maken, Eliza, want ik ga jullie niet in de steek laten, ik zal altijd in de buurt zijn om jullie te beschermen, er zal jullie twee niets slechts kunnen overkomen,' prevelde Tao Chi'en. Zij tilde hun kleinkind op en bracht haar bij haar grootvader zodat ze afscheid konden nemen. Het meisje zag dat gezwollen gelaat en kromp angstig ineen, maar toen herkende ze hem aan de zwarte pupillen die haar aankeken met dezelfde trouwe liefde als altijd. Ze greep zich aan de schouders van haar grootvader vast en terwijl ze hem kuste en wanhopig riep, maakte ze hem nat met haar warme tranen, totdat ze met een ruk werd weggehaald, de kamer uit werd gedragen en op de borst van haar oom Lucky belandde. Eliza Sommers ging de kamer waarin ze met haar man zo gelukkig was geweest weer binnen en deed zachtjes de deur achter zich dicht.

'En wat gebeurde er toen, oi poa?' vroeg ik haar.

'Ik deed wat ik moest doen, Lai-Ming. Meteen daarna ging ik naast Tao liggen en kuste hem langdurig. Zijn laatste adem is bij mij gebleven...'

Epiloog

Als mijn grootmoeder Eliza niet van verre was gekomen om de duistere hoeken van mijn verleden te belichten, en als die duizenden foto's die in mijn huis verzameld zijn er niet waren geweest, hoe had ik dan dit verhaal kunnen vertellen? Ik zou het met de verbeelding hebben moeten smeden, met als enig materiaal de vage lijnen van vele andere levens en enkele denkbeeldige herinneringen. Het geheugen is fictie. We kiezen er het stralendste en duisterste uit, negeren datgene waarvoor we ons schamen, en borduren zo het brede tapijt van ons leven. Middels de fotografie en het geschreven woord probeer ik wanhopig de vluchtige aard van het bestaan te snel af te zijn, de momenten te vangen voordat ze vervagen, de verwarring rond mijn verleden op te helderen. Elk ogenblik verdwijnt in een zucht en wordt direct verleden tijd, de realiteit is kortstondig en vertrekt, louter nostalgie. Met deze foto's en deze pagina's houd ik de herinneringen levend; zij zijn mijn greep op een vergankelijke waarheid, die niettemin een waarheid is, zij bewijzen dat deze gebeurtenissen hebben plaatsgevonden en dat deze personages mijn levenspad hebben gekruist. Dankzij die getuigenissen kan ik mijn moeder, die stierf toen ik geboren werd, mijn krijgshaftige grootmoeders en mijn wijze Chinese grootvader, allemaal met gemengd en hartstochtelijk bloed, laten herleven. Ik schrijf om de oude geheimen uit mijn kindertijd op te helderen, mijn identiteit vast te stellen, mijn eigen legende te creëren. Uiteindelijk zijn de herinneringen die we hebben geweven het enige wat we helemaal hebben. Ieder kiest zijn eigen toon om zijn verhaal te vertellen; ik zou willen opteren voor de duurzame helderheid van een platinadruk, maar niets in mijn levensreis heeft die lumineuze scherpte. Ik leef tussen diffuse tinten, omfloerste mysteries, onzekerheden; de toon om mijn leven te vertellen komt meer overeen met die van een portret in sepia...